Vídeos

Realización, edición y corrección del color

Cómo convertirte en un DaVinci del audiovisual

Manual Imprescindible

Vídeos

Realización, edición y corrección del color

Cómo convertirte en un DaVinci del audiovisual

Falele Moreno

Manual Imprescindible

Realización y adaptación de cubierta: Celia Antón Santos
Diseño de maqueta: Laura Apolonio Guerra
Ilustración de cubierta e interiores: Eduardo Rodríguez Melia
Revisión: Gelsys M. García Lorenzo
Maquetación: Claudia Valdés-Miranda Cros
Responsable editorial: Eugenio Tuya Feijoó

Todos los nombres propios de programas, sistemas operativos, equipos hardware, etc., que aparecen en este libro son marcas registradas de sus respectivas compañías u organizaciones.

Edición española:

© EDICIONES ANAYA MULTIMEDIA (GRUPO ANAYA, S.A.), 2020
Calle de Juan Ignacio Luca de Tena, 15, 28027 Madrid.
Depósito legal: M-22176-2019
ISBN: 978-84-415-4184-9
Impreso en España

«Quien se atreve a enseñar nunca debe dejar de aprender».

Falele Moreno

@FaleleMoreno es profesor de nuevas tecnologías aplicadas a la producción audiovisual, especializado en posproducción con sistemas de edición y corrección de color con aplicaciones como DaVinci Resolve, Apple Final Cut Pro x *(Apple Certified Professional)* y Avid Media Composer. Es autor especializado en publicaciones sobre sistemas Avid y vídeo digital.

Es coordinador y tutor online en Aula Mentor (Ministerio de Educación y Formación Profesional). Ha impartido clases en diversos centros de formación: Instituto de Estudios Cajasol, Camaralia Formación Audiovisual, Centro Andaluz de Estudios Empresariales (CEADE) y Confederación de Empresarios de Andalucía (CEA). Es formador interno de la RTVA desde hace más de 20 años, impartiendo cursos de corrección de color con DaVinci Resolve y flujo de trabajo en la redacción digital (iNews, Assist, Control Air, Deko…) con sistemas Avid.

gracias

A mi mujer, Auxiliadora, por soportarme durante el embarazo de este libro y caminar juntos —30 años es solo el principio— en la misma dirección.

A mis hijos, Silvia y Carlos, que me ayudan diariamente con el difícil oficio de ser padre.

A Eugenio Tuya, por su cercanía y por confiar nuevamente en mí para este proyecto.

A José Manuel Boza, por su mano tendida y ese prólogo tan sincero.

A mi familia y amigos, porque no me cansaré de decir que forman parte de mi riqueza personal.

A mis seguidores en las redes sociales, que son más frikis que yo.

ndice de contenidos

Prólogo

Llega mayo de 1998 y aterrizo, casi sin quererlo, en un mundo en el que palabras y expresiones como edición al corte, Video Machine, A/B Roll, Betacam, U-matic, S-VHS y magnetoscopio son *trending topics* —si se me permite la expresión—; en un sector audiovisual donde, para cualquier tarea medianamente compleja, hacían falta varias personas especializadas en tareas concretas y, sobre todo, una cantidad de pesetas (algunos de vosotros no habréis tocado ni una en vuestra joven vida) casi indecente para comprar los equipos necesarios.

Simultáneamente nacen los sistemas de edición no lineal basados en plataformas PC bajo Windows 95 y tarjetas capturadoras y aceleradoras de vídeo tipo Pinnacle Miro DC30+, Matrox RT2000, Digisuite LE y muchas otras con las que los más antiguos del lugar seguro os «habéis peleado» a la hora de trabajar gracias a las múltiples incompatibilidades entre gráficas, placas base, velocidad de discos duros que iban a pedales y escasa capacidad... una locura.

Los que nos dedicábamos a vender nos frotábamos las manos, porque para montar un equipo de estos había que estar medianamente formado y el cliente final tenía muy complicado acceder a ellos sin pasar por algún distribuidor-montador de ediciones no lineales y —ley de oferta y demanda— los precios no eran precisamente ajustados...

En este contexto recibí una llamada una mañana de 2003 de alguien que decía llamarse Falele y que me hacía unas preguntas muy extrañas sobre una de estas placas de vídeo... Por más que yo le preguntaba por su nombre «de verdad», me decía: «Con Falele vale, pisha».

Ese día le cogí el teléfono a un posible cliente y se lo colgué a un amigo. Gracias a él me introduje en el mundo de los foros de entonces: un lugar complicado para alguien cuyo único mérito era saberse las referencias de los equipos de memoria y poder consultar las listas de precios; donde pude ver y aprender de auténticos maestros que compartían sus conocimientos sin buscar nada a cambio.

Si rastreáis su nombre —no el del DNI, sino el artístico Falele— podréis comprobar los miles —y no exagero— de mensajes resolviendo dudas de todo tipo sobre Avid, Premiere, Final Cut, Combustion y muchos otros temas en los que se dejaba las horas y las horas para ayudar a desconocidos a mejorar sus vídeos o a iniciarse en el complicado mundo de la edición por ordenador.

Como sus días tienen 32 horas, decidió que además de soltar sus perlas de conocimiento en los foros estaría bien centrarlos en algunos libros. Así nacieron tres sobre AVID y un imprescindible de 2009 titulado *Vídeo digital*, una guía práctica que ofrecía una visión global de todo el proceso audiovisual desde la captación de imagen, los formatos, la postproducción y los formatos de distribución para que todo el profesional —o el que quisiera acceder a este mundo— tuviera claro la manera más eficiente de desarrollar su trabajo.

Paralelamente a esta trayectoria de nuestro amigo Falele, una empresa australiana nacida en 2002 y llamada Blackmagic Design adquiere en 2009 un exitoso y prohibitivo software de corrección de color llamado DaVinci Resolve (si estáis leyendo esto seguro que os suena de algo...). El lanzamiento por parte de Blackmagic de su versión de DaVinci a un precio realmente de risa y las ansias de aprender y enseñar de Falele hicieron que uniéramos fuerzas para organizar e impartir una importante cantidad de cursos sobre este nuevo ecosistema —tanto en Sevilla como en diversas provincias de España— a profesionales freelance, TV y organizaciones de todo tipo interesadas en conocer la potencia, versatilidad y posibilidades de DaVinci. Lo que DaVinci os puede aportar no os lo voy a contar aquí —porque para eso está el resto del libro—, pero sí os prometo que no os arrepentiréis de sumergiros en este maravilloso ecosistema de captación, edición, etalonado, efectos y exportación que nuestros amigos australianos han creado y que Don Rafael Moreno nos muestra de forma amena y sencilla en las siguientes páginas.

Disfrutadlo y, sobre todo, aprovechad este maravilloso trabajo que Falele y Anaya han puesto en nuestras manos.

—José Manuel Boza
Camaralia Vídeo Profesional

Cómo usar
este libro

A quién va dirigido y qué es necesario para empezar

Este libro va dirigido principalmente a todos aquellos que, sin conocimientos previos, quieran iniciarse en la edición de vídeo con la aplicación DaVinci Resolve. Los usuarios de nivel medio, que manejen otros programas como Adobe Premiere, Final Cut Pro o Avid Media Composer, pueden usar este libro como manual de referencia en los capítulos que consideren interesantes, aunque en general se recomienda el aprendizaje ordenado del programa. Este libro está basado en la versión 16 de DaVinci Resolve que se encuentra disponible de forma gratuita en la web www.blackmagicdesign.com/es/products/davinciresolve.

Estructura del libro

Se ha distribuido toda la información en tres grandes bloques (realización, edición y corrección de color) repartidos en diez capítulos:

- **Capítulo 1:** Narrativa audiovisual.
- **Capítulo 2:** Edición rápida.
- **Capítulo 3:** Organizar el material de trabajo.
- **Capítulo 4:** Herramientas de edición.
- **Capítulo 5:** Edición avanzada.
- **Capítulo 6:** El color.
- **Capítulo 7:** Iniciación a la corrección de color.
- **Capítulo 8:** Corrección avanzada.
- **Capítulo 9:** El trabajo de un colorista.
- **Capítulo 10:** Exportación final.

Además de estos capítulos, el libro incluye una recopilación de las páginas de Internet más interesantes, tanto de habla hispana como inglesa, sobre trucos, libros, cursos y todo lo que pueda ayudar al lector a ampliar conocimientos sobre DaVinci Resolve. Finalmente, y para facilitar la compresión de tantas siglas, normas y especificaciones técnicas, se adjunta en las últimas páginas un glosario con los términos más habituales del sector audiovisual.

Convenios utilizados en este libro

Para facilitar el uso de este manual se utilizan varios formatos especiales que se resumen como sigue:

- Los nombres de comandos, menús, opciones, cuadros de diálogo y otros elementos que deben diferenciarse aparecen en un tipo de letra diferente para destacarlos del resto del texto.

- Las combinaciones de teclas aparecen separadas por un guion, por ejemplo, Ctrl-C.

- Para indicar la secuencia que debe seguirse para ejecutar un comando determinado se ha decidido abreviar la escritura presentando los comandos en el orden en que deben seleccionarse, separados por el signo «mayor que» (>). Por ejemplo, en lugar de indicar el comando Importar archivos multimedia del grupo Importar archivo, de la pestaña Archivo, se indica directamente que se ejecutará el comando Archivo>Importar archivo>Importar archivos multimedia.

- Como el programa es compatible tanto con sistemas operativos de Mac como de Windows, los atajos de teclado se indican, generalmente, para las dos plataformas.

- En el libro aparecen con frecuencia elementos destacados sobre el texto normal, cuyos títulos definen su contenido. Son los siguientes:

NOTA:

Para facilitar o concretar información relacionada con el tema que se está tratando. Incluye recomendaciones que conviene tener en cuenta.

TRUCO:

Consejos y artimañas para facilitar el trabajo o conseguir mejores resultados.

ADVERTENCIA:

Para evitar posibles errores como consecuencia de una operación mal realizada.

Material de prácticas

El material multimedia —vídeos y música— para los ejemplos desarrollados en este libro se descarga de la página web de Anaya Multimedia en la dirección www.anayamultimedia.es. Para descargar los archivos necesarios, accede a la ficha del libro mediante el buscador del sitio Buscar libro y haz clic en el enlace Complementos.

Sobre la versión de DaVinci Resolve

Este libro está basado exclusivamente en la versión gratuita de DaVinci Resolve. Aún así, existe en el mercado una versión de pago, con un precio de 269 €, denominada DaVinci Resolve Studio, que aumenta las prestaciones y evita la incrustación de marcas de agua en determinadas herramientas y funciones.

Finalmente...

DaVinci Resolve proporciona múltiples posibilidades para llegar a un mismo fin, por tanto, si decides investigar estoy seguro de que siempre hallarás más opciones para realizar determinadas tareas. Para cualquier duda, información o aclaración relacionada con este libro contacta conmigo (@FaleleMoreno) en las redes sociales.

Introducción

Cuando mi querido editor Eugenio Tuya me propuso trabajar en este libro, tenía claro que debería darle un enfoque diferente del resto que ya había publicado para profesionales del sector audiovisual. Este libro no es para ellos, así de claro; o al menos, no para un editor de vídeo o un colorista. No quiero decir que quien se gane la vida editando y coloreando en publicidad, cine o televisión no pueda aprender nada de él, probablemente sí (o no), pero no es el objetivo. El propósito es pescar. Sí, sí, has leído bien: pescar, atrapar a tanto talento suelto que anda deambulando por ahí y que desconoce —por las circunstancias que sean— que hay todo un mundo de herramientas al alcance de la mano para dar rienda suelta a su creatividad a la hora de hacer un vídeo.

Siempre hemos envidiado la calidad y precisión de las herramientas con las que trabajan los profesionales, da igual en el ámbito que sea —un dentista, un arquitecto o un mecánico de automóvil—; y esa es la oportunidad que tenemos los apasionados de la edición de vídeo, sin importar si eres gran aficionado o tienes un canal de YouTube con miles de seguidores: trabajar con las mismas herramientas que diariamente manejan los profesionales y, aunque parezca mentira, con coste cero.

Y es aquí es donde entra en juego el programa que vas a manejar con este libro: DaVinci Resolve. Si tuviera que definirlo en pocas palabras diría que es el auténtico «todo en uno», la navaja suiza de la producción audiovisual —usada en cine y televisión— y que cuenta con una versión gratuita manteniendo la mayoría de sus funciones plenamente operativas. La combinación perfecta para todo aquel que quiera hacer un vídeo: un programa potente, profesional y gratuito. Nadie da más por menos.

Sin embargo, la potencia y versatilidad de un programa —por lo general— está directamente ligada a su nivel de complejidad. DaVinci Resolve es una aplicación muy amplia, con muchos recursos, que requiere un conocimiento profundo a nivel técnico para sacar todo su potencial y que puede producir un cierto rechazo con sus más de 3000 páginas de manual en inglés. Acercar el programa al público en general es el reto que me he marcado con este libro: sintetizar sus funciones principales de edición y corrección de color con ejemplos, muchos ejemplos prácticos y un lenguaje más cercano que el que encontrarás en el manual técnico. Por lo tanto, este libro pretende ser un complemento y nunca una sustitución del manual oficial del programa, al que siempre es aconsejable recurrir para ampliar conocimiento y resolver cualquier duda puntual que surja con el manejo de la aplicación.

Y ya que hablamos de lenguaje, es importantísimo entender cómo los profesionales del sector audiovisual nos comunicamos con imágenes. Entender las claves para que, tanto en grabación como en edición, sigamos unas pautas mínimas que garanticen un buen producto final. Así que a modo de introducción, tendrás también un primer capítulo con lo más básico de la narrativa audiovisual: ilustraciones, un enfoque didáctico y un lenguaje sencillo.

Para eso nació este libro, para convertirte en un DaVinci del audiovisual. No es necesario que te conviertas en un experto a nivel técnico, eso lo conseguirás con el manejo continuado del programa, sino que las posibilidades del programa te abran la mente para entender qué puedes llegar a hacer con él. Espero que lo disfrutes a la hora de realizar los vídeos de ejemplo y que, en definitiva, estimule tu lado más creativo en la realización, edición y corrección de color.

¡Muchas gracias!

1

3,2,1...

- Identificar los conceptos básicos de realización y narrativa audiovisual.
- Comprender las pautas de grabación en cámara.
- Asimilar la teoría fundamental en el montaje de vídeo.
- Iniciar un proyecto en DaVinci Resolve.
- Conocer los distintos módulos del programa.

Dos personas que no se conocen absolutamente de nada coinciden en… (elige el sitio). No hablan el mismo idioma, por lo que en principio parecen destinados a no entenderse. Sin embargo, cada uno de ellos lleva un instrumento musical. Da igual qué tipo, imaginemos que guitarra y flauta. Uno de ellos empieza a tocar; el otro le sigue y comienzan una improvisada melodía y acompañamiento. Se miran y sonríen con complicidad. Están conectados, son dos personas con un mismo idioma. No se hablan —ni falta que les hace—, pero son capaces de transmitir sentimientos como alegría, miedo, ternura. La música es su lenguaje.

Figura 1.1. La música es un lenguaje con el que es posible comunicarse.

Y es aquí donde quería llegar. Cuando vemos un vídeo (publicidad, documental, cine, videoclip…), estamos inconscientemente asimilando las emociones o ideas que el director, a través de las manos del montador, ha querido expresar. Nada en una narrativa audiovisual es aleatorio. Todo se realiza mediante un lenguaje que se aprende, al igual que la música, y que nos permite «decir» con imágenes una idea, una historia o un sentimiento.

Mi idea con este libro es, además de enseñar las herramientas, que conozcas un poco el lenguaje audiovisual para intentar hacer que tus vídeos resulten más atractivos. Tener una cámara de fotos no te convierte automáticamente en fotógrafo, al igual que tener un programa de edición de vídeo (e incluso conocer sus herramientas) no te convierte en un montador de cine. Es importante, muy importante, saber qué idea queremos transmitir y cómo debemos contarla.

Aprender el lenguaje —nuestro lenguaje para comunicarnos con un vídeo— es cuestión de tiempo y dedicación. Te marcaré las claves y conceptos imprescindibles para dar los primeros pasos. Tranquilo, no profundizaré mucho. Para eso, ya hay libros específicos de narrativa audiovisual, tipos de planos y realización en general. Además, intentaré hacerlo de la forma más amena posible.

Un poco de lenguaje audiovisual

¿Alguna vez te han puesto un vídeo de cumpleaños o de una boda familiar? Salvo excepciones —y que suelen estar realizados por profesionales—, todos los vídeos son una auténtica «tortura» para el que los ve. La pasión y el amor que le pone el que lo ha grabado y editado no es suficiente para atrapar a los espectadores con las imágenes. En menos de un minuto, ya estamos desconectados del vídeo y, excepto algunos momentos simpáticos o emotivos que nos llaman la atención, todo lo demás es bastante aburrido (figura 1.2).

¿Por qué ocurre eso? Analicémoslo. Imaginemos que estamos físicamente en esa boda o cumpleaños. Podrías mirar a cualquier lugar que quisieras: a la persona de al lado, al chico que pone la música, el baile de los novios, el plato de gambas, incluso echar un vistazo a Twitter en tu móvil. En resumen, puedes explorar visualmente con plena libertad todo lo que está a tu alrededor. Sin embargo, cuando miras un vídeo solo ves lo que te muestra la cámara. Si se mantiene una imagen durante mucho tiempo, te aburres; si hay movimientos bruscos de cámara, te mareas. Dejas de prestar atención al vídeo porque no hay una estructura definida, los encuadres y movimientos de cámara son incorrectos (al igual que el orden y duración de planos). Por estos motivos, es tan importante el lenguaje audiovisual en un vídeo. Tanto un anuncio de publicidad de 20 segundos como la película de dos horas debe tener ese «algo» que nos mantenga atentos a la historia.

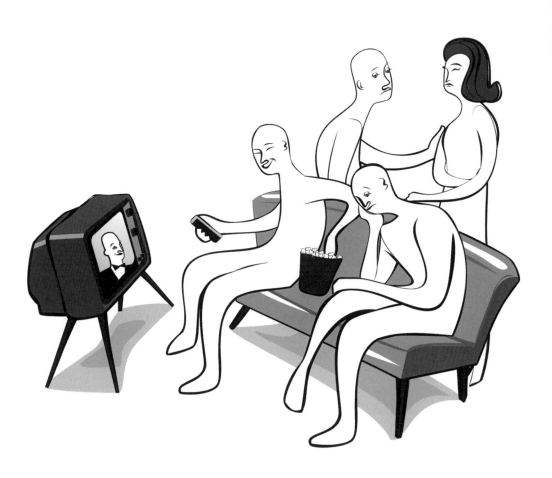

Figura 1.2. El típico vídeo casero que aburre hasta a las piedras, menos al que lo ha hecho, claro.

Como primer paso daré unas claves para tener en cuenta antes de una grabación. Si no tienes pensado usar una cámara, sáltate estos consejos, aunque te recomiendo leerlos al menos de pasada para tener una idea de lo que puedes encontrarte en un material grabado antes de editar.

Hablemos de la grabación

Si además de editar tus vídeos tienes pensado grabarlos con antelación, ten en cuenta unos consejos básicos que te ayudarán después con el montaje.

- La mayoría de las veces suele venir bien grabar un plano de situación. Eso hará que quien vea el vídeo se haga una idea de dónde se desarrolla la acción. Si vas a grabar un partido de *rugby*, por ejemplo, antes de que empiece el juego haz un plano en el que se vean todas las instalaciones (plano general).

Figura 1.3. Comenzar con un plano general para situar la acción puede ser un buen comienzo.

- Es fundamental tener siempre planos de detalle. Eso enriquecerá después muchísimo el montaje. Sigamos con el partido: caras del público mirando, manos aplaudiendo, árbitro, detalles de los jugadores y cualquier cosa que te ayude a recrear el ambiente y los elementos de ese día.

Figura 1.4. Los planos de detalle enriquecerán mucho el montaje.

- El cine es un arte por muchas razones, pero una de ellas es porque en sus inicios se rodaba (grabación en fotoquímico) con una única cámara. Hoy en día la mayoría de las producciones audiovisuales se hacen en multicámara, incluso algunas películas actuales de cine o documentales. Pero recuerda, cuando veas una película de cine clásico, que se hizo solo con una cámara. Cuando Ingrid Bergman y Humphrey Bogart hablaban en *Casablanca*, primero se rodaba el diálogo desde un ángulo viéndose la cara de un actor (plano) y luego repetían el diálogo y se rodaba la del otro (contraplano). En el montaje se hace la magia para que todo parezca continuo. Si grabas personas es interesante que también hagas un plano y su contraplano.

Figura 1.5. En un diálogo entre personajes es fundamental grabar un plano y su contraplano.

- Vamos a seguir con el ejemplo del partido de *rugby* y hablemos ahora del «eje». Grabas en el lateral del campo y uno de los equipos avanza hacia la izquierda. Sería un error cambiarse al otro lateral para grabar porque el mismo equipo que avanzaba hacia la izquierda ahora lo hace hacia la derecha. Hay un salto de eje. Es importante respetar el sentido de la acción para no despistar al espectador. En este caso, el eje es la línea imaginaria que atraviesa el campo desde el centro de cada portería.

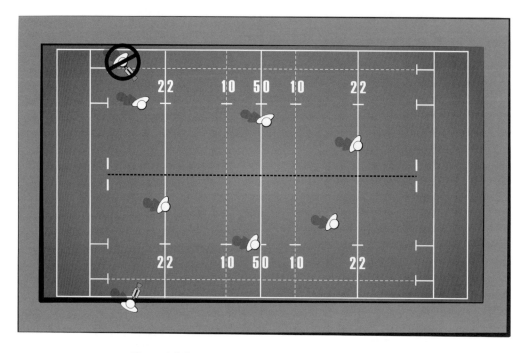

Figura 1.6. Presta atención a nunca saltar el eje de acción.

- No grabes cosas que no sean interesantes. Céntrate en lo que está ocurriendo y en lo que realmente merece la pena tener en imágenes. Antes de darle al botón de grabación piensa si eso que miras aporta algo a lo que está sucediendo.

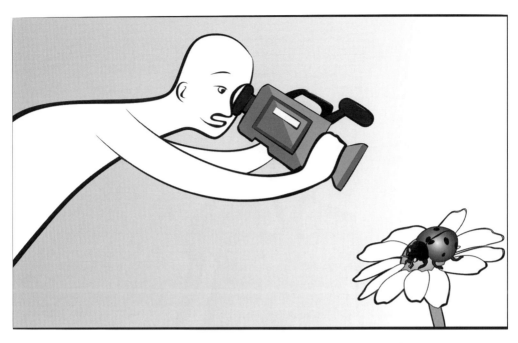

Figura 1.7. Graba exclusivamente lo que consideres interesante para el montaje.

- Salvo excepciones, los tiempos de grabación deben ser muy cortos. Elige lo que quieres, graba lo importante y para. Si grabas un concierto con dos cámaras, una de ellas grabará todo el concierto con un único plano y de forma casi ininterrumpida, pero esa es la excepción. Lo normal es grabar unos pocos segundos. Después, en el montaje, usaremos ese plano incluso menos tiempo. Ya hablaremos más adelante, cuando veamos la edición, de cuánto tiempo debe durar un plano (figura 1.8).

- Esto es importante. Evita movimientos y, sobre todo, movimientos bruscos. Intenta no mover la cámara y aguantar el pulso cuando estés grabando. Lo ideal es un trípode: si no lo tienes, intenta buscar un punto de apoyo para que la imagen se mueva lo menos posible durante la grabación. No hay nada más mareante en los vídeos de aficionados que un plano moviéndose constantemente y de larga duración (figura 1.9).

Figura 1.8. No revientes la cámara con tiempos de grabación interminables.

Figura 1.9. Evita movimientos bruscos con la cámara.

- Si te interesa relacionar dos elementos con un movimiento de cámara, haz una panorámica (en horizontal o vertical) pero prestando atención a que el movimiento sea uniforme y que se repose tanto en el inicio como en el final.

Figura 1.10. La panorámica relaciona mediante el movimiento dos elementos de una escena.

- Ahora toca el uso del zoom. Otro de los juguetes preferidos del aficionado y que usa solo de manera puntual el profesional. Intenta evitarlo en la medida de lo posible. El mejor zoom es usar tus pies. Muévete hasta conseguir el encuadre que necesites y ponte a grabar. Ten en cuenta que si usas el zoom al máximo cualquier movimiento leve de cámara se multiplicará muchísimo en la imagen grabada.

Figura 1.11. Muévete con la cámara hasta obtener el mejor encuadre y, entonces, graba.

- Observa la luz. Es preferible siempre tenerla a tu espalda cuando estés grabando. De esa forma, lo que grabes estará mejor iluminado y evitarás la exposición directa de la cámara hacia focos de luz puntual como el sol o una lámpara (figura 1.12).

- El hermano pobre de una mala producción audiovisual siempre es el audio, así que esfuérzate por darle el mismo protagonismo que a la imagen. Dependiendo del vídeo que vayas a hacer, tener una grabadora o un micro puede agradecerse muchísimo luego en el montaje (figura 1.13).

- Como regla general, la cámara estará a la altura de los ojos de la persona que estemos grabando. Hay excepciones, por supuesto, que harán que el personaje parezca más pequeño si la cámara está a más altura que el sujeto (plano picado) o, por el contrario, dará sensación de que el personaje es mucho más alto (plano contrapicado) (figura 1.14).

Figura 1.12. La luz siempre a la espalda de cámara para evitar grabar a contraluz.

Figura 1.13. Presta atención al audio en tus producciones.

Figura 1.14. Intenta que la altura de la cámara sea la misma que la de los ojos del personaje a grabar.

- Cuida la composición de los elementos del plano o, en otras palabras, observa dónde están situados los objetos y personajes que captas con la cámara. Si grabas un atardecer en la playa y la línea del horizonte la pones a la mitad de la imagen, es una composición poco atractiva. Hay una forma de componer muy interesante denominada «regla de los tercios» que divide la imagen mediante dos líneas horizontales y dos verticales con igual distancia. Los cuatro puntos de corte entre las líneas horizontales y verticales son los más interesantes para situar los elementos y que la imagen resulte estéticamente más agradable. Esta regla se usa desde la antigüedad en artes como pintura o arquitectura.

Figura 1.15. Componer un plano con la regla de los tercios resulta, visualmente, más interesante.

- Por último, soy un auténtico friki de la tecnología digital, pero nada amante de las horteradas de efectos y rotulaciones digitales exageradas. Si la cámara con la que trabajas tiene algo de eso, te aconsejo desactivarlo porque la mayoría de las veces la frase de «menos es más» es la que mejor resultado nos dará.

Ahora le toca el turno al montaje

Montar un vídeo es contar una historia. Es darle continuidad (racord) y sentido a todo lo que previamente se ha grabado en cámara. Da igual que se haya grabado en días distintos, incluso a horas distintas; si se hace un buen montaje —y corrección de color que también veremos más adelante—, el espectador lo apreciará como un «todo» en el que cada plano se relaciona con el siguiente.

El cineasta ruso Kuleshov hizo a principios del siglo XX un experimento muy interesante. Grabó la imagen de la cara inexpresiva de un actor y luego en el montaje se intercalaron imágenes de situaciones distintas: un plato de comida, una mujer en un ataúd y una niña jugando con su osito de peluche. Dependiendo del plano que iba a continuación de la cara, el espectador apreciaba hambre, tristeza o felicidad en el actor. Un plano en un montaje no es algo aislado, sino que inconscientemente se tiende a relacionar un plano con el siguiente.

Figura 1.16. En el montaje, el espectador tiende a relacionar un plano con el siguiente.

Uno de los ejercicios que suelo hacer con mis alumnos en las clases de montaje es darles una secuencia desordenada, que tienen que ordenar para darle una continuidad narrativa. En este caso no solo es importante que se entienda la historia, sino que los elementos de la escena y la acción de los personajes también guarden continuidad. Anda que no hay fallos de racord en algunas películas incluso de gran presupuesto...

Otro aspecto fundamental en el montaje es el ritmo. Creo que se entiende fácil si digo que las escenas de una película de aventuras y una romántica tienen —como norma general— ritmos diferentes. La duración de los planos es muy diferente, en función de cómo se desarrolla la acción en cada caso. La mayoría de las veces, en secuencias de películas de mucha acción (imaginemos *Fast & Furious*, por ejemplo), los planos tienen una duración menor de un segundo. Sin embargo, se me viene ahora a la cabeza *2001: una odisea del espacio*, de Kubrick, en la que las naves espaciales bailan al ritmo de «El Danubio azul» con planos que superan los 20 segundos. Hay planos incluso más largos en los que se desarrolla una determinada acción sin cortes de cámara, es lo que se denomina «plano secuencia». El gran Hitchcock hizo una película, *La soga*, en un solo y largo plano secuencia en el que nunca se paraba de filmar. Como el rollo de película duraba unos diez minutos, se aprovechaba la espalda del actor para acercar la cámara y volver a partir de ahí con el siguiente rollo. En definitiva, todo depende en cuestión de ritmo y tiempo de cada plano.

Al igual que hice en el apartado anterior sobre consejos de grabación en cámara, ahora le toca el turno al montaje o edición de vídeo, como prefieras llamarlo. Te digo lo mismo: no profundizaremos porque ya hay bastante escrito sobre ello (no puedo evitar mirar mi estantería de libros y ver el imprescindible *Técnicas de realización y producción en televisión*, de Gerald Millerson, con casi treinta años a sus espaldas) y solo serán unos consejos —espero que útiles— a tener en cuenta. Cuando avances en los siguientes capítulos del libro siempre podrás volver por aquí para resolver dudas.

- Primer consejo: «Lo bueno, si breve, dos veces bueno». Una frase que me recordaba mi querido profesor de primaria Salvador Tejonero y que suelo tener presente siempre en mis montajes. Es preferible que quien vea el vídeo se quede con ganas de más, a que se aburra. Haz un vídeo corto, intenta sintetizar lo máximo posible.

Figura 1.17. Sintetiza al máximo la duración del montaje.

- Llamar la atención en el inicio del montaje y dejar con buen sabor de boca para el final son claves que siempre me pongo cuando edito.

Figura 1.18. Un buen arranque y broche final del vídeo dará mayor empaque.

- Recuerda lo que comentaba del ritmo. Dependiendo del tipo de vídeo que vayas a editar, el ritmo será diferente. Un vídeo sobre naturaleza tendrá planos más reposados que otro sobre una fiesta en la piscina. La pregunta de «¿cuánto dura un plano en montaje?» es tan particular y depende de tantos factores que es imposible determinar un tiempo común (figura 1.19).

- Observa el movimiento interno del plano. Si alguien va a sentarse en una silla o coge un vaso de agua, no cortes el movimiento hasta que termine la acción. Si la acción es demasiada larga, es preferible acortar del principio y que se resuelva al final (figura 1.20).

Figura 1.19. Adapta el ritmo de montaje en función del contenido.

Figura 1.20. Si cortas en el montaje una acción importante, confundes al espectador.
¿Gritan porque salió el balón, por el gol o porque fue penalti?

- Insisto una vez más en la continuidad, racord. Presta atención a los elementos y a la acción que estés editando para no llevarte la sorpresa de que en un plano una persona está con una gorra y al siguiente sin ella.

Figura 1.21. Presta atención a la continuidad de elementos en la escena.

- Aprovecha todos los recursos sonoros que se hayan grabado en cámara y no dudes en incorporar algunos más que necesites de alguna librería de sonidos para enriquecer tu montaje. Recuerda siempre que estás tratando con imagen y sonido.

Figura 1.22. Recuerda siempre dar protagonismo al sonido, que no se convierta en el hermano pobre del montaje.

- Hablemos de transiciones entre un plano y otro. Soy el tonto del corte (ausencia de transición) y cada vez descarto más todo tipo de efectos entre planos. Ya sé, ya sé…, *Star Wars* usa cortinillas (figuras geométricas entre un plano y el siguiente) laterales, circulares o de reloj y es todo un clásico, pero eso forma parte de la estética de la película. En la mayoría de las producciones audiovisuales, a no ser que se justifique, no tiene sentido. El encadenado de imágenes (transición que mezcla de forma gradual la imagen que sale con la que entra) sí es un recurso utilizado en la narrativa audiovisual para la unión entre bloques o para transmitir cambios temporales. Personalmente, creo que es más interesante el corte porque el espectador, por cada cambio de plano, tiene que «trabajar» visualmente y volver a recomponer la escena.

Figura 1.23. No marees al espectador con sobredosis de efectos.

- Por último, un consejo sobre textos en la imagen: rotula solo lo que sea necesario como información adicional, manteniendo la temática, proporciones y equilibrio de la imagen. Huye de efectos y de tipografías (pertenezco al club ACS, Anti Comic Sans) demasiado usadas e intenta poner tu propio sello estético personal.

Estos son, a modo de resumen, los apuntes básicos que creo has de tener en cuenta tanto a la hora de grabar como de editar tus vídeos. Siempre podrás profundizar sobre cada uno de ellos o sobre los que te parezcan más interesantes porque hay mucha información en libros específicos y, por supuesto, online.

¿Por qué DaVinci Resolve?

Mi condición como profesor de edición de vídeo digital hace que tenga una condena, y no es broma. Estoy condenado a estar actualizado, entenderme y familiarizarme con la mayoría de los programas de edición que estén en primera línea del mercado. Tiene sus ventajas y sus inconvenientes, no creas. El inconveniente es que te obliga a estar continuamente aprendiendo, cosa que en el fondo agradezco. La primera edición de vídeo mediante ordenador la hice con Avid Media Composer de la mano de mi amigo Jesús Villadóniga, que por aquellos tiempos —años 90— era de los pocos y mejores profesores certificados por Avid. A partir de ahí se fueron añadiendo a mi lista más programas como Adobe Premiere o el ya desaparecido Apple Final Cut Pro (el antiguo, no el x que tenemos ahora). Todos me hicieron disfrutar la ventaja de tener constantemente una visión global de cómo evolucionaba el mercado de la edición de vídeo, capitaneado por la «Triple A», Avid-Apple-Adobe.

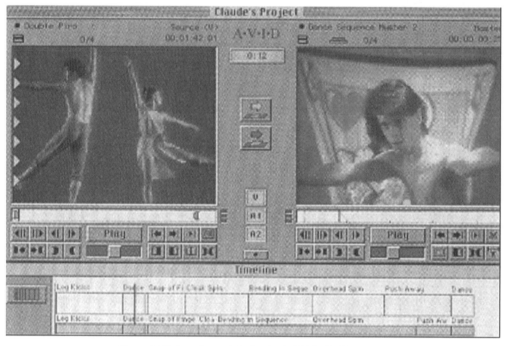

Figura 1.24. La primera interfaz de Avid Media Composer.

En la actualidad, dos décadas después, la competencia sigue siendo fuerte entre estas tres empresas para liderar el campo de la edición de vídeo en producciones audiovisuales en cualquier ámbito. Sin embargo, en el año 2009 se produce un cambio de estrategia comercial que me parece sustancial en todo este proceso: la empresa australiana Blackmagic Design compra el sistema de corrección de color DaVinci. En apariencia, cuando Blackmagic compra la empresa y anuncia en el NAB (feria internacional en Las Vegas sobre equipamiento audiovisual) que en su nuevo software DaVinci Resolve hará una importante bajada de precios y que ofrecerá una versión gratuita, creo que nadie adivinaba la trayectoria que estaba trazando la compañía australiana. Lo que en un principio era un potente corrector de color de primera línea en producciones audiovisuales, con precios que alcanzaban los cientos de miles de euros, se convierte de la noche a la mañana en una solución al alcance de muchos usuarios.

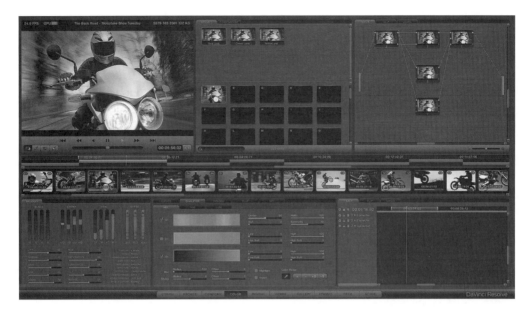

Figura 1.25. Interfaz de DaVinci Resolve 8.

Y la cosa no acaba ahí. Los planes de expansión de Blackmagic con su reciente software pasan por ir añadiendo en cada actualización nuevos módulos de ampliación para edición (año 2013), masterización de audio (2016) y composición de efectos (2018). La versión de 2019, DaVinci Resolve 16, cuenta incluso con una pestaña de edición rápida (Montaje) para usuarios que no necesitan una edición compleja. En resumen, un auténtico gigante «todo en uno» que cada vez hace más sombra a la competencia. Siempre he apostado fuerte por Avid —tengo varias publicaciones con esta editorial y soy tutor online de Media Composer—, pero hay tres razones fundamentales que hacen a Resolve ganar cada vez más puestos como líder en los sistemas de posproducción y que, en mi caso, han hecho inclinar la balanza para que sea el software de este libro:

- DaVinci Resolve es un programa multiplataforma, válido tanto para Windows, Mac o Linux. Me encanta la rapidez y el flujo de trabajo de Final Cut Pro X, pero está limitado solo a los usuarios de Mac.

- Blackmagic ofrece una versión gratuita con funcionalidad casi completa del programa. Sus competidores tienen buenos programas de edición pero no son gratuitos.

- Es posible editar vídeo, masterizar audio, componer efectos y corregir color. Todo eso dentro de una misma aplicación. No hay nada en el mercado que ofrezca algo igual.

Por si fuera poco, hay una versión de pago en la que por un precio muy atractivo (al igual que algunos competidores como Apple) podemos tener prestaciones a nivel de empresas con trabajo colaborativo de un mismo proyecto en diferentes lugares, granjas de renders, proyectos en 3D (estereoscópicos), reductor de ruido y algunas funciones más. Un dato significativo: en tan solo diez años el número de usuarios a pasado de cien en 2009 a más de dos millones en 2019.

Una vista rápida

Bueno, una vez aclarados los puntos fuertes de DaVinci Resolve, echemos un vistazo a su entorno para ir poco a poco familiarizándonos con él. De momento, en este libro solo has visto teoría, así que ya es hora de que empecemos con la práctica (que es como mejor se aprende) y de que vayas dando los primeros pasos. El primero es obvio: descargarse la versión gratuita del programa —que es con la que trabajaremos en este libro— desde la web oficial del fabricante (www.blackmagicdesign.com/es/products/davinciresolve/).

Los requerimientos mínimos de hardware varían con la versión de la plataforma (Windows-Mac) y se indican en la información durante el proceso de instalación que es muy sencillo. Aconsejo, eso sí, ser generoso con la memoria GPU (tarjeta gráfica) de nuestro ordenador, ya que Resolve hace un uso intensivo de ella.

Una vez instalado el programa, la primera ventana que aparece es la del Organizador de proyectos.

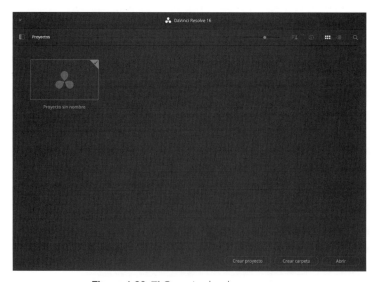

Figura 1.26. El Organizador de proyectos.

Desde esta es posible elegir el directorio de la base de datos donde Resolve guardará los proyectos que creemos. En la parte superior izquierda tenemos el icono para mostrar/ocultar las bases de datos. Por defecto, se crea una base de datos sobre el disco duro local.

TRUCO:

Suelo tener varios directorios tanto en discos duros externos como en el interno del ordenador para organizarme mejor. De esa manera, por ejemplo, puedo usar un disco duro externo con los proyectos del ordenador de sobremesa cuando me llevo el portátil.

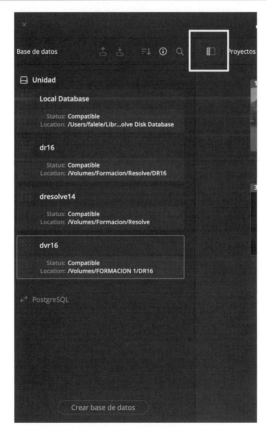

Figura 1.27. Distintas bases de datos.

Otra forma de organizarte mejor con los proyectos es por medio de carpetas que puedes crear desde la misma ventana del Organizador de proyectos. De esa forma, si tenemos muchos, se pueden localizar con mayor facilidad.

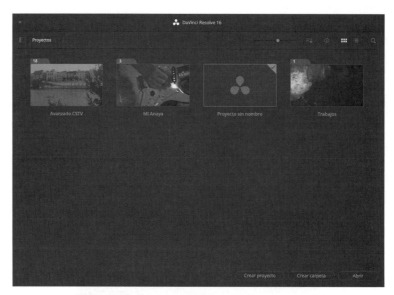

Figura 1.28. Organización del proyecto por carpetas.

Tendremos un proyecto vacío, sin nombre, en el cual podremos entrar simplemente haciendo clic sobre Abrir o bien doble clic sobre el icono del proyecto vacío.

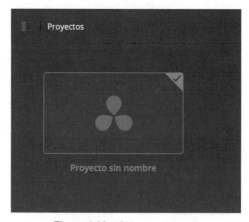

Figura 1.29. Abrir un proyecto.

Bueno, ya estamos dentro de DaVinci Resolve. Veamos cuáles son las áreas o pestañas que encontramos en el programa. Observa la parte inferior y verás que hay siete iconos con las áreas de trabajo específicas de Resolve. De izquierda a derecha, siguiendo un orden de flujo de trabajo, puedes ver Medios, Montaje, Edición, Fusion, Color, Fairlight y Entrega.

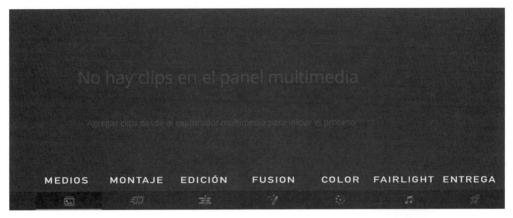

Figura 1.30. Las pestañas de Resolve.

Echemos un vistazo a la utilidad que tiene cada pestaña:

- **Medios:** primera pestaña que encontramos y que sirve para localizar los elementos que usemos en el montaje (clips de vídeo, músicas, gráficos, etc.) y organizarlos dentro de Resolve. Desde aquí es posible ver información de los archivos, reproducirlos, crear carpetas, sincronizar audio-vídeo, entre otros.

- **Montaje:** es la apuesta de Blackmagic para la edición de vídeos de forma fácil y rápida.

- **Edición:** interfaz clásica de un editor de vídeo como puedes encontrar en Avid Media Composer, Adobe Premiere o Apple FCPX.

- **Fusion:** para la creación de efectos especiales como *chroma key*, generación de partículas o composiciones multicapa.

- **Color:** la pestaña con más solera de Resolve dedicada a la gestión del color, el potente motor principal desde los comienzos de este programa.

- **Fairlight:** el entorno para mezcla y masterización de audio digital. Todo un estándar en el sector a la altura de otros productos como Pro Tools.

- **Entrega:** cuando ya estés contento con el resultado final de tu montaje de vídeo, desde esta pestaña podrás exportar el vídeo para reproducirlo en un dispositivo o subirlo a cualquier plataforma online como YouTube o Vimeo.

De momento, ya tienes un primer acercamiento a Resolve que es uno de los objetivos, junto a la narrativa audiovisual, de este primer capítulo. A medida que vayas avanzando en los siguientes, irás profundizando en el programa y sus herramientas fundamentales hasta tener una base sólida para poder editar tus vídeos de principio a fin.

Capítulo para impacientes

- Elaborar rápidamente un montaje de vídeo.
- Importar el material de grabación.
- Añadir clips a la línea de tiempo.
- Incluir música y transiciones, textos y efectos.
- Exportar el trabajo final.

El movimiento se demuestra andando. Así que en vez de explorar todos los recovecos de Resolve y hacer un capítulo aburrido explicando cada herramienta, empezaré con uno para aquellos que quieren ir directamente al grano y hacer una edición de principio a fin. Por supuesto, en los siguientes capítulos iré profundizando más para continuar ampliando conocimientos, pero, de momento, veremos lo sencillo que resulta trabajar rápidamente con Resolve.

Ni qué decir tiene que puedes usar cualquier clip de vídeo que tengas para hacer las prácticas con este capítulo, aunque los ejemplos que verás en las imágenes son del material que se adjunta con el libro y que te aconsejo que te bajes para así seguir los pasos de una manera más cómoda.

La edición de vídeo consiste en seleccionar y ordenar una serie de clips para darle sentido a lo que queremos mostrar, así que haremos una edición sencilla con pocos clips para que sea lo más simple posible.

Importación

Una vez que tengas el proyecto abierto, tal como vimos en el capítulo anterior, lo suyo sería que le dieras nombre. Yo le he puesto Cap02 para seguir el ejemplo de este capítulo. Desde el menú superior Archivo>Guardar proyecto podrás hacerlo.

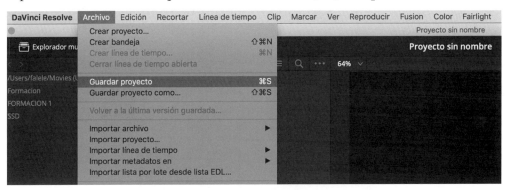

Figura 2.1. Guardar el proyecto.

La nueva pestaña Montaje, que simplifica muchísimo la edición, está pensada para trabajar rápidamente con ediciones sencillas y realizar todo el proceso desde la misma pestaña. Empezarás tu labor ahí, pero antes —y para dejar el entorno del programa más limpio— dejarás de visualizar dos pestañas que no abordaremos en este libro por la gran extensión que requiere su explicación: la de composición (Fusion) y la de masterización de audio (Fairlight). En el menú superior Área de trabajo>Mostrar módulo desactiva Fusion y Fairlight.

Figura 2.2. No mostrar el módulo Fusion y Fairlight.

Vamos con la primera pestaña que usaremos, la de Montaje. Tiene tres áreas muy definidas:

- **Panel multimedia:** situado en la parte superior izquierda, es el área donde se importa y organiza el material que quieras emplear en el montaje.

- **Visor:** en la parte superior derecha, es el sitio donde se visualiza el contenido multimedia.

- **La línea de tiempo:** en la parte inferior de la pantalla, es donde pones orden y duración a todos los elementos del montaje.

Hay muchos ajustes que se personalizan en Resolve, pero, de momento, solo trabajarás en la pestaña Montaje. Ya sabes, es posible hacerlo todo desde ahí. Para las prácticas tenemos material en alta definición (HD), así que el primer paso antes de incorporar los clips a la línea de tiempo es asegurarnos de que la resolución es Full HD (1920 x 1080 píxeles). En la parte superior derecha del visor asegúrate de que lo tienes seleccionado.

Figura 2.3. Resolución Full HD.

Ahora, desde la pestaña Montaje, importa material para dar los primeros pasos con la edición. En la parte superior izquierda verás el icono de Importar archivos que permite incorporar al programa los clips de audio y vídeo que necesitas para el montaje. Comprueba que el icono Panel multimedia está activado para poder importar.

Figura 2.4. Importar archivos en el Panel multimedia.

Navega por el directorio donde tengas los clips. Puedes utilizar los de la carpeta Sevilla del material que se adjunta con este libro. Con esos cinco clips tendrás suficiente para llevar a cabo este primer ejercicio. Una vez seleccionados los clips, pulsa Abrir y ya será posible verlos en la parte superior izquierda de la interfaz de Resolve, tanto en modo texto como en miniaturas.

Figura 2.5. Clips en el Panel multimedia.

En Europa tenemos una frecuencia de 25 fotogramas por cada segundo, y así es como están grabados los clips de ejemplo. En el caso de que, cuando importes por primera vez, un clip de vídeo no coincida con los fotogramas que tiene por defecto el proyecto, Resolve te lo indicará con un cuadro de diálogo por si quieres cambiar los ajustes del proyecto.

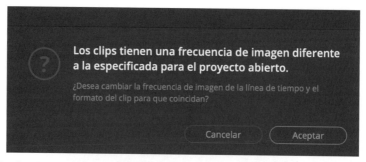

Figura 2.6. Cuadro de diálogo para hacer coincidir los ajustes del proyecto con el de los clips importados.

Agregar clips a la línea de tiempo

La línea de tiempo, o secuencia, es el área de trabajo donde vas a organizar —dando orden y duración— todos los elementos multimedia que quieres incluir en tu montaje. Esos elementos pueden ser clips de vídeo, de audio, textos o cualquier otro material que desees tener. Antes de agregar clips has de crear una línea de tiempo nueva. Para ello, desde el menú superior escoge Archivo>Crear línea de tiempo… y se mostrará una ventana donde, de momento, solo vas a darle nombre. Pon el que quieras en la casilla de la ventana, yo he optado por Sevilla.

Crear línea de tiempo	
Código de tiempo inicial	01:00:00:00
Nombre de línea de tiempo	Sevilla
N.º de pistas de video	1
N.º de pistas de audio	1
Tipo de pista de audio	Stereo
	✓ Línea de tiempo vacía
	Usar los puntos de entrada y salida seleccionados
Usar ajustes personalizados	Cancelar Crear

Figura 2.7. Crear línea de tiempo.

Verás una nueva miniatura con el nombre de la secuencia. Como la línea de tiempo está vacía, la miniatura se mostrará con el fondo en negro. Ya tienes preparado todo para empezar a editar, así que vamos al lío. Lo primero, échales un vistazo a los clips de vídeo para ver el contenido y decidir qué partes interesa tener en el montaje. Eso se denomina visionado y marcado de clips. Justo a la derecha de la miniatura de los clips se localiza el visor para mostrar el clip que selecciones.

Figura 2.8. Visor.

Visualizar un clip desde la miniatura es tan sencillo como pasar por encima el cursor del ratón. De esa forma, ves rápidamente el contenido del clip, sin embargo, tal vez sea más cómodo emplear el visor. Haz clic en la miniatura. Ahora ya puedes ver la imagen en el visor de la derecha, incluso una representación gráfica del sonido (forma de onda) de color verde justo debajo de esa imagen. La imagen que ves está un poco sosa. Le falta contraste y color porque se grabó con ese modo en cámara para después tener mayor rendimiento con la corrección de color. Lo verás y entenderás más adelante.

La barra espaciadora del teclado reproduce y para el clip. Es la forma más habitual de reproducir y parar un clip, aunque también los botones de la parte inferior del monitor sirven para este fin. Programas de edición de vídeo como Premiere, Final Cut o Media Composer suelen tener algunos atajos de teclado comunes para visualizar un clip y entre los más usados se encuentran las teclas J, K y L.

- J retrocede.
- K para.
- L reproduce.

Resolve incorpora en la pestaña Montaje una nueva forma de visionado muy interesante que permite ver todos los clips que tienes importados como si de un único clip se tratara. En la parte superior izquierda del visor verás tres iconos. Haz clic en el del centro, Modo de cinta. Este icono carga todos los clips en el visor y permite echar un vistazo rápido a todo el material como si fuese una antigua cinta de vídeo. Muy útil.

Figura 2.9. Modo de cinta.

A la izquierda del Modo de cinta tienes el Modo de clip y a la derecha el botón de Línea de tiempo. Con estos iconos cargamos lo que verás en el visor. Una vez que has visto el contenido de cada clip es el momento de seleccionar qué partes interesan en el montaje. Es lo que se denomina el marcado de clips. Por lo general, no se usa el clip con su duración completa, así que es necesario especificarle al programa dónde empieza y termina lo que vas a seleccionar. Por ejemplo, vamos a utilizar el clip Sevilla01 como primer elemento en nuestro montaje. Recuerda que con doble clic lo cargas en el visor. Observa que en la parte inferior derecha del visor hay una secuencia de ocho números. Es el código de tiempo. En este caso, pero no tiene por qué ser así, es el código horario de cuando se grabó ese clip. Efectivamente, a las 7 y 23 minutos de la tarde estaba Falele grabando el río Guadalquivir en pleno puente de Sevilla. Sitúate en el código 19:23:56:00

(Horas:Minutos:Segundos:Fotogramas). Puedes ayudarte, además de con los atajos de teclado anteriores, con la barra de posición de color rojo (ubicada debajo de la imagen), es decir, con el cabezal de reproducción. Una vez situado en ese punto, pulsa la tecla I (In) y observa lo que pasa con la representación del audio. El trozo que está justo antes del punto seleccionado se vuelve gris. Está indicando que la selección del clip comienza a partir de ese punto. Es el punto de entrada.

Figura 2.10. Punto de entrada.

Ya tienes un punto de entrada, así que ahora vamos a por el de salida. Sitúate en el código 19:23:59:00, tres segundos más tarde del punto de entrada. Pulsa la tecla O (Out) del teclado. A partir de ese punto se vuelve gris la representación de audio. El trozo limitado por la entrada-salida y con el audio de color verde es el que has seleccionado para tu montaje.

Figura 2.11. Punto de entrada y salida.

¿Y ahora qué? Pues nada, ya que tenemos claro lo que nos gusta de ese clip, el siguiente paso es empezar el montaje. Ya tienes una línea de tiempo creada —vacía pero creada— en la parte inferior de la interfaz, así que ahora incorpora ese clip que ya tiene entrada-salida a la línea de tiempo. Hay varias formas de hacerlo o modos de edición. Empecemos por el más sencillo. Arrastra el clip

Sevilla01 al espacio vacío de la parte inferior de la línea de tiempo. ¡Listo! El primer clip de la edición ya está en la línea de tiempo.

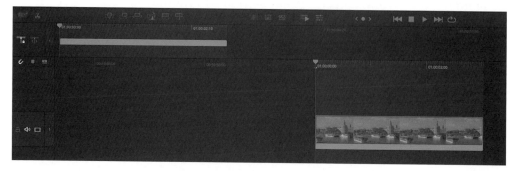

Figura 2.12. Clip en la línea de tiempo.

Continuamos. Mira ahora el clip Sevilla04. Será el siguiente en la línea de tiempo. Con el mismo método anterior verás el clip en el visor y determinarás los puntos de entrada-salida. Del segundo 36 al 40 —de las 20:36 de la tarde— puede estar bien. Otro atajo de teclado para visionar o marcar puntos de edición es el de las teclas del cursor, que permite rápidamente ir al inicio y final del clip —Flecha arriba y Flecha abajo— o avanzar y retroceder fotograma a fotograma —Flecha izda. y Flecha dcha.— con mayor precisión.

Una vez marcados los puntos de entrada y salida del clip, vas a usar otro modo de edición para incluirlo en la línea de tiempo. Observa los seis iconos de la parte inferior de la ventana donde importaste los clips. Son distintos modos de edición. Pulsa el segundo icono, Añadir, y verás cómo el clip que acabas de marcar se añade al final de la línea de tiempo. Al igual que en el visor, en la línea de tiempo también tienes un cabezal de reproducción. No importa si has estado reproduciendo la secuencia con el clip anterior, ni dónde esté situado el cabezal de reproducción de la línea de tiempo, siempre lo añade al final. Es muy útil.

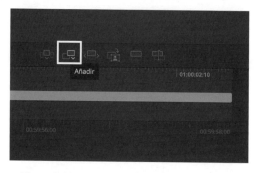

Figura 2.13. Añadir el clip a la línea de tiempo.

Esto va marchando. Vamos a por el tercero. En el clip Sevilla05 se ven dos piragüistas por el río. Podría ser interesante incluirlo en el montaje justo después del barco por el río, que es el primer clip, y además seguir conservando el segundo clip que ya tienes en la línea de tiempo. Por lo tanto, este nuevo clip que incluirás se abrirá hueco entre los dos que ya tienes en el montaje. Es lo que se denomina, en edición, insertar un clip. Imagina que en la cola para entrar en un concierto decides meterte entre dos personas. Desde donde has entrado hacia atrás tendrán que moverse para abrirte el hueco. Eso es lo que hace el modo insertar en edición.

Sitúa el cabezal de reproducción cerca de la unión de los dos clips de la línea de tiempo. No es necesario que esté justo entre los dos clips, es suficiente con que esté cerca y ya el programa entenderá que quieres insertarlo entre esos dos clips. Por eso se denomina inserción inteligente. Da punto de entrada-salida al clip de los piragüistas, por ejemplo, del segundo 10 al 14, y pulsa el primer icono, Inserción inteligente.

Figura 2.14. Inserción inteligente.

Has visto que se ha incluido el clip entre los dos que ya tenías. Estupendo, ya hay tres clips en la línea de tiempo. Seguimos. El siguiente que utilizarás es el clip Sevilla02. Haz lo mismo que con los anteriores. Marca entrada-salida (con cuatro o cinco segundos es más que suficiente para el ejemplo) y lo añades al final de la línea de tiempo. Por último, queda el clip Sevilla03: después de indicar los puntos de entrada-salida, igual que en los anteriores, inclúyelo también al final de la secuencia. Observa ahora la línea de tiempo. Tienes una parte inferior donde están las miniaturas de los clips con la representación de audio y otra en la parte superior donde tienes solo cinco barras horizontales azules que representan los cinco clips. Son dos visualizaciones idénticas de la misma línea de tiempo. Es la línea de tiempo dual. La parte superior siempre muestra todos los clips incluidos en la secuencia; y la parte inferior, el clip o los clips cercanos al cabezal de reproducción. Esto nos permite desplazarnos en la línea de tiempo de dos formas: en una vista completa en la parte superior y en una vista parcial en la parte inferior.

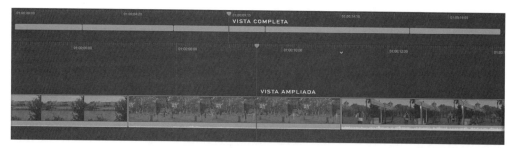

Figura 2.15. Línea de tiempo dual.

Por supuesto, tienes la opción de trabajar indistintamente en cualquiera de las dos representaciones de la línea de tiempo o interactuar entre ellas. Por ejemplo, vamos a mover el clip del tranvía al final de la secuencia. Selecciónalo en cualquiera de las dos líneas de tiempo —una línea roja bordeará el clip indicando que está seleccionado— y, sin soltar el ratón, arrástralo hasta el final. Puedes hacerlo en cualquiera de las dos, incluso de una a otra. Es una de las grandes ventajas de la nueva pestaña Montaje de Resolve. Cuando tienes una edición con muchos clips, podrás ver todos en la parte superior y te moverás más rápido, pero además lo tendrás ampliado en la parte inferior (donde está situado el cabezal de reproducción).

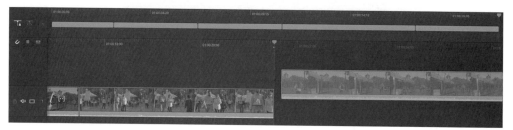

Figura 2.16. Moviendo el clip al final de la línea de tiempo.

Incorporar música

Ya tienes un montaje básico con cinco clips. Vamos ahora a meterle música. De la carpeta Músicas importa el tema The Unfeeling Kiss. Echa un vistazo a la música en el visor de igual manera que si visionaras un clip. Lógicamente, cuando es solo audio no apreciarás imágenes en el visor y tendrás la representación de audio para moverte con precisión a las partes que te interese. Empezar en el 18:07 (segundos:fotograma) podría estar bien. De momento, solo darás punto de entrada a la música porque nos interesa que tenga la misma duración que todos los clips de la línea de tiempo. ¿Cómo hacemos eso? Pues fácil, al igual que le has dado un punto de entrada a la música, ahora harás lo mismo con la secuencia. Te sitúas al principio de la línea de tiempo y le das punto de entrada, como siempre con la tecla I. El de salida no es necesario ni que lo marques porque al tratarse de toda la secuencia ya lo pone el programa automáticamente.

Veamos ahora otro modo de edición llamado Sobrescribir. Lo que hace este modo es incorporar un clip —de audio o vídeo— a la secuencia desde el punto de entrada, sobrescribiendo lo que haya en la línea de tiempo. Antes de llevar el clip de música a la línea de tiempo crea una nueva pista. Observa la parte izquierda de la línea de tiempo y verás tres iconos. Haz clic en el tercero, Agregar pista. Con el botón derecho del ratón —menú contextual— y un clic en el área gris de la línea de tiempo también conseguirás el mismo resultado.

Figura 2.17. Agregar pista a la línea de tiempo.

Observa que en la parte izquierda de la línea de tiempo aparece ahora una nueva pista de vídeo, la 2. Haz clic sobre el número 2 de la pista para seleccionarla y que se te ponga en color rojo.

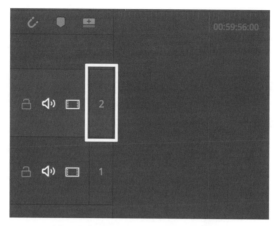

Figura 2.18. Seleccionando la pista 2.

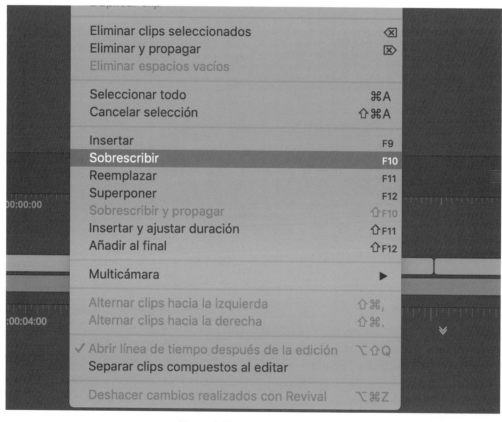

Eliminar clips seleccionados	⌫
Eliminar y propagar	⌦
Eliminar espacios vacíos	
Seleccionar todo	⌘A
Cancelar selección	⇧⌘A
Insertar	F9
Sobrescribir	F10
Reemplazar	F11
Superponer	F12
Sobrescribir y propagar	⇧F10
Insertar y ajustar duración	⇧F11
Añadir al final	⇧F12
Multicámara	▶
Alternar clips hacia la izquierda	⇧⌘,
Alternar clips hacia la derecha	⇧⌘.
✓ Abrir línea de tiempo después de la edición	⌥⇧Q
Separar clips compuestos al editar	
Deshacer cambios realizados con Revival	⌥⌘Z

Figura 2.19. Modo Sobrescribir.

Observa lo que ha pasado. Justo en la parte inferior de los clips de vídeo se ha creado una nueva pista de audio para incluir la música en el montaje. Las pistas tienen diferentes colores: celeste para el vídeo y verde para el audio.

Y ya que estamos con el audio, equilibremos un poco los niveles para evitar que suene excesivamente alto el sonido ambiente con respecto a la música. Para ello, ve a Clip>Audio>Aumentar/Disminuir volumen… Tienes ahora la posibilidad de aumentar o disminuir entre 1 o 3 dB (el decibelio es la unidad de medida) el nivel de audio. Cada vez que elijas una función en el menú fíjate en que también te aparece el atajo de teclado por si prefieres usarlo.

Selecciona, después, cada clip en la línea de tiempo (recuerda que una línea roja bordeará el clip indicando que está seleccionado) y baja un poco el nivel de audio de ambiente hasta que no lo escuches demasiado alto con respecto a la música. Si observas la representación gráfica de la forma de onda de audio, podrás ver que cambia cada vez que modificas los niveles.

Añadir transiciones

Como comentaba antes, soy defensor del corte en el montaje. Me parece que es la mejor forma de contar una historia en el lenguaje audiovisual. Sin embargo, es cierto que a veces se hace necesario algún tipo de transición entre un plano y el siguiente. Para ello, Resolve cuenta con la posibilidad de incluir la mayoría de las transiciones más habituales.

El fundido encadenado (recuerda: es la transición que mezcla gradualmente la imagen que sale con la que entra) es la transición más usada en los montajes. Este es un recurso utilizado en la narrativa audiovisual para unión entre bloques o transmitir cambios temporales. Es por ello por lo que la mayoría de los programas de edición suelen tenerla como transición predeterminada. Resolve incluso tiene un icono de acceso rápido para realizarla.

Veámoslo. Sitúa el cabezal de reproducción de la línea de tiempo (usa cualquiera de los dos, el superior o el inferior, da igual) cerca de la unión del segundo y tercer clip, aproximadamente sobre el segundo 7 del montaje. No es necesario que estés justo en el corte de los dos clips. Resolve entenderá que la transición se hace en el corte más cercano. Ahora pulsa el icono de Fundido situado en la parte superior de la línea de tiempo.

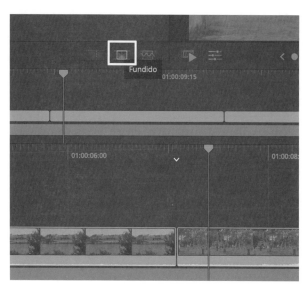

Figura 2.20. Fundido de imagen.

Ya ves, más rápido imposible. Por defecto te hace un fundido de un segundo, pero para modificarlo solo es necesario que hagas clic en la transición y arrastres los extremos para aumentar o disminuir el tiempo. Arriba en el visor podrás ver también la modificación más gráficamente.

Figura 2.21. Visualización del fundido en el visor.

Es así de sencillo, pero dispones de más tipos de transiciones en el icono Transiciones de la parte superior izquierda, a la derecha del Panel multimedia que ahora tienes activo. Observa que cuando se activa la nueva ventana el icono pasa de color gris a blanco. Desde esta ventana que se te ha abierto es posible escoger muchos tipos de transiciones además de fundidos. La transición por defecto tiene una barra roja a su izquierda y, por supuesto, puedes elegir cualquiera de la lista y con el menú contextual del botón derecho establecerla como predeterminada.

Figura 2.22. Ventana de Transiciones.

Para incluir la transición a la secuencia, solo la arrastras donde quieras ponerla desde su ventana hasta la unión de los clips. Si quieres usar la transición predeterminada (recuerda que si no la has cambiado es un fundido encadenado), no es necesario que la arrastres desde la ventana a la línea de tiempo, ya que puedes emplear el atajo de teclado Cmd-T (Ctrl-T en Windows) que es mucho más rápido. Eso sí, ten en cuenta que no es como cuando utilizas el icono que detecta el corte más cercano, sino que debes seleccionar el punto de corte, o edición, para que Resolve sepa dónde ponerla. Con el cabezal de reproducción cerca del corte y pulsando la tecla V, seleccionas el corte más cercano (te lo indicará con una línea verde en la unión de los clips) y ya es posible emplear el atajo de teclado de la transición por defecto.

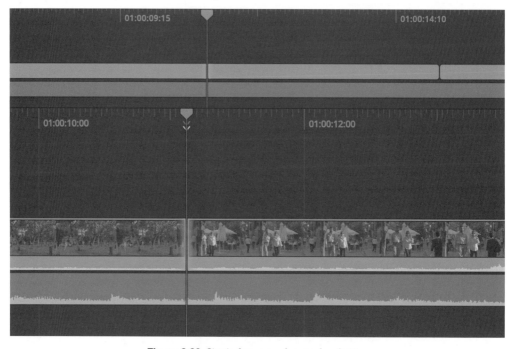

Figura 2.23. Situándonos en el corte de edición.

Antes de empezar a trabajar con los clips desde la misma línea de tiempo, vamos a crear también un fundido de audio al final de la secuencia para que no acabe de una forma brusca. Acerca el puntero del ratón al final del clip de música y verás cómo cambia el icono de flecha por otro. Es el modo Recorte que abordaremos más adelante. Cuando veas el cambio de icono, haz clic con el ratón. Una línea vertical verde al final del clip de música te indica que se ha seleccionado. Ahora pulsa el atajo de teclado de la transición por defecto, Cmd-T, y ya tienes el fundido de audio al final del montaje. Alarga el fundido hasta los dos segundos arrastrando el inicio del fundido —observa, mientras lo arrastras, que te indica con números los fotogramas que modificas y la duración total— para que la música se desvanezca más suavemente.

Figura 2.24. Modificando la duración del fundido final de audio.

Recortar clips en la línea de tiempo

¿Recuerdas cuando se cambió el icono de flecha por otro al poner el fundido final de la música? Resolve lo hace de manera automática al posicionarte en los cortes de cada clip. Cambia al modo Recorte, aunque a mí me gusta más llamarlo modo Ajuste porque no siempre se recorta un clip, a veces se alarga. Veamos cómo funciona.

Cuando metes un clip en el montaje, por lo general, no incluyes todo su contenido original. Ya lo vimos cuando marcábamos un clip antes de añadirlo en la línea de tiempo. Suele tener contenido extra un poco antes y después de los puntos de entrada y salida. Pues bien, lo que hace el modo Recorte es aprovechar que el clip original tiene todavía material «sobrante» para cambiar su duración en la línea de tiempo.

Trabajemos con un ejemplo práctico en la línea de tiempo inferior para que se vea mejor. Sitúa el ratón en el centro del corte entre el cuarto clip de la línea de tiempo —gente paseando por la calle— y el quinto —el tranvía—. Observa que se cambia el icono de flecha por otro con dos corchetes y dos flechas. Es el modo Rollo.

Figura 2.25. Modo Rollo.

Fíjate en lo que hace. Si pulsamos en el centro del corte y, sin soltar la pulsación, arrastramos hacia la derecha o la izquierda, verás que uno de los clips se acorta mientras el otro se alarga. En el visor se aprecia gráficamente cuántos fotogramas quitas a un clip y añades a otro.

Figura 2.26. Visualización del modo Rollo en el visor.

Estás cambiando la duración de los clips en la línea de tiempo, en concreto del cuarto y el quinto. Sin embargo, la duración total del montaje no varía porque lo que recortas a uno se lo alargas al otro. Es uno de los modos de ajuste más usado por los montadores. Pero también hay otro muy útil y que se usa mucho: el modo Rizo.

Sitúa el ratón cerca del inicio del clip de la piragua, el segundo clip de la línea de tiempo. No te pongas en el centro de los dos clips, sino cerca. Como no estás en el centro de la unión de los dos clips no te muestra el modo Rollo, sino el modo Rizo. El icono pasa de tener dos corchetes a tener solo uno. Arrastra hacia la derecha o la izquierda como hiciste antes.

Figura 2.27. Modo Rizo.

Este modo, estando en el inicio del clip, lo que hace es acortar (si arrastras hacia la derecha) o alargar (si lo haces hacia la izquierda) la duración, pero observa que solo afecta al clip que estás modificando. El resto permanece igual. Este es un dato muy importante para tener en cuenta porque en este caso sí que afecta a la duración total del montaje. Si acortamos el clip, el montaje se acorta; y si lo alargamos, también se alarga el montaje. Es la única herramienta de ajuste de clips que modifica la duración de la línea de tiempo. Alarga el clip y fíjate en la imagen y en cómo ahora el montaje tiene mayor duración que la música.

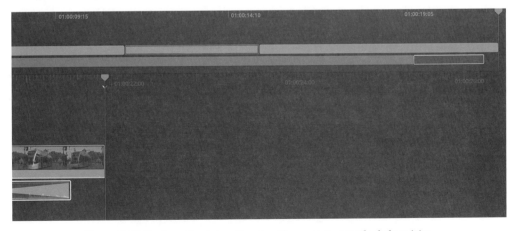

Figura 2.28. La duración de los clips de vídeo es mayor que la de la música.

Al editar el clip, una línea verde indica que hay material. Cuando lleguemos al límite lo indica de color rojo. Nos queda una última herramienta de ajuste de clips en la línea de tiempo. Bueno, quedan dos, pero una la veremos un poco más adelante. Comienza situando el puntero del ratón en el centro del clip. Aparece un nuevo icono. Es el modo Desplazar.

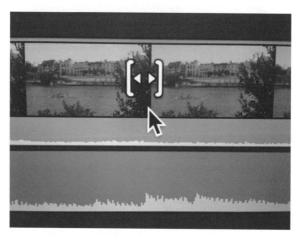

Figura 2.29. Modo Desplazar.

Si haces clic y arrastras, a izquierda o derecha, desde el centro del clip lo que haces es modificar el contenido del clip. Su duración es la misma y su posición en la línea de tiempo también. Estás modificando sus puntos de entrada-salida. Presta atención al visor que lo muestra de manera muy clara mientras arrastras con el ratón. Se divide en cuatro imágenes y las dos de la parte superior son el inicio y final del clip que estás modificando. Las imágenes inferiores son de los clips anterior y posterior que no varían. En resumen, lo que hacemos es cambiar lo que veremos de ese clip sin alterar nada más en el montaje (figura 2.30).

Con estas tres herramientas tenemos más que suficiente para ajustar nuestro montaje desde la misma línea de tiempo dejando así una edición «redonda» y afinada a precisión de fotograma.

¿Ponemos un rótulo en el montaje? Venga, vamos a verlo.

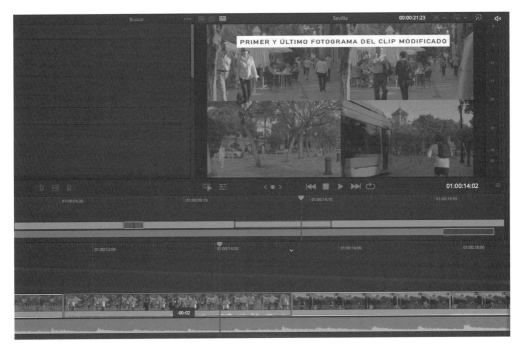

Figura 2.30. Visualización del modo Desplazar desde el visor.

Rotulación

Poner texto en el montaje es muy fácil. En la parte superior izquierda de la interfaz, donde antes tenías la ventana de las transiciones, encontrarás el icono de Títulos. Al pulsarlo, activas la ventana con los distintos tipos de rótulos. Tienes desde los más sencillos hasta los generados en 3D con Fusion (figura 2.31).

El procedimiento es similar al de las transiciones. Eliges uno y lo arrastras hasta la línea de tiempo en el lugar donde quieres que aparezca el texto. Colócalo encima de la pista de los clips de vídeo. En este ejemplo en la pista de vídeo 2. Listo. En el caso de que no tengas una pista de vídeo vacía, Resolve creará una nueva si hiciera falta. En el ejemplo he escogido el texto básico.

Figura 2.31. La ventana de Títulos.

Figura 2.32. Un rótulo añadido a la línea de tiempo.

A partir de ahí, es posible cambiar su duración mediante el alargamiento o acortamiento —desde los extremos— de la longitud del clip de texto. Observa que también se diferencia de un clip de vídeo o audio por su color. El clip de texto tiene predeterminado el color amarillo. Además, tienes la posibilidad de personalizar cada clip —vídeo, audio o texto— con un color específico desde el menú contextual del botón derecho.

Ahora toca escribir el texto. Presta atención al siguiente icono porque permite tener a mano, no solo para el texto, todas las herramientas para modificar los clips de la línea de tiempo. En la parte inferior izquierda del visor tienes el icono de Herramientas.

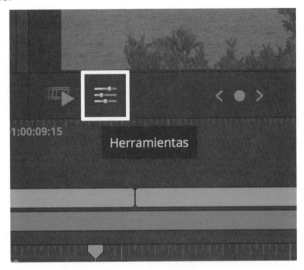

Figura 2.33. Icono de Herramientas.

Posibilita acceder a multitud de herramientas y ajustes para modificar clips de la línea de tiempo, entre ellos los de texto. Observa que entre los nuevos iconos que han aparecido justo debajo de la imagen del visor hay uno específico para los rótulos. Deberás tener seleccionado el clip de texto para que te aparezca.

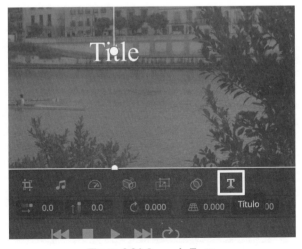

Figura 2.34. Icono de Texto.

Cuando clicas en el icono, activas la opción de Abrir Inspector para tener acceso a todas las propiedades del texto (fuente, color, tamaño, justificación, etc.) y, por supuesto, al contenido que vas a poner. Como tengo la creatividad bajo mínimos, al texto de ejemplo le he puesto «Primavera en Sevilla».

Figura 2.35. La ventana del Inspector para los ajustes del texto.

Una vez que has indicado todas las propiedades del texto, cierra la ventana flotante del Inspector y ya tienes el rótulo en tu montaje. Incluso puedes ponerle transiciones de entrada y salida como si de un clip de vídeo se tratara.

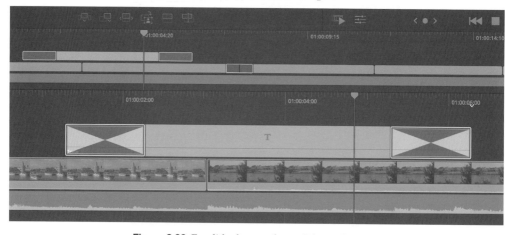

Figura 2.36. Fundido de entrada y salida en el rótulo.

Prueba sin miedo a experimentar los distintos tipos de rotulaciones, incluso en 3D, para hacerte una idea de la gran variedad de la que dispone la biblioteca de Resolve.

Efectos

Para terminar y antes de exportar el montaje, vamos a darle una textura al vídeo. Para eso, abre la ventana pulsando el icono Efectos (ya sabes, parte superior izquierda de la interfaz).

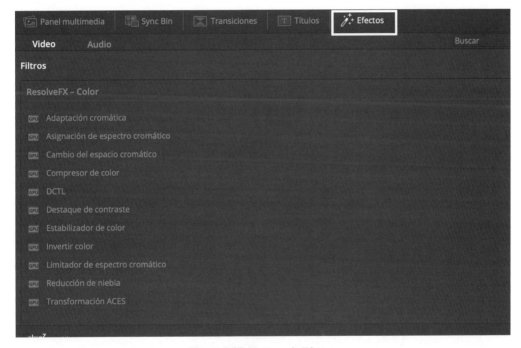

Figura 2.37. Ventana de Efectos.

Al igual que con las transiciones o los rótulos, nos aparece un listado con todos los efectos —vídeo y audio—, agrupados por categorías, que es posible incorporar a los clips. Ten en cuenta que en la versión gratuita de Resolve hay algunos efectos que no están disponibles para aplicarlos y que nos avisa con una marca de agua. Para este ejemplo, optaremos por una textura de cinta dañada para darle un aspecto antiguo y que sí podemos usar en la versión gratuita. Como antes, arrastra el efecto desde su ventana hasta el clip. O mejor aún, selecciona antes todos los clips de vídeo para aplicar el efecto a todos a la vez. Si seleccionas un clip y mantienes pulsada la tecla Cmd (Control, en Windows), se añaden clips a la selección.

Figura 2.38. Textura de cinta dañada.

Listo. Montaje terminado. Por supuesto, abriendo el Inspector tienes la opción de editar los parámetros de cada efecto que apliques al igual que se hizo con los rótulos. En este caso, poner un viñeteado, cambiar el color, la suciedad, etcétera.

Figura 2.39. Ajustes del efecto de cinta dañada.

Exportar el montaje

Bueno, ya has visto que, aunque Resolve tenga muchas pestañas, es posible hacer un montaje rápido solamente con la pestaña Montaje. Pero aún queda un último paso: exportar todo lo que tienes en la línea de tiempo y guardarlo en el disco duro. El proceso es sencillísimo. En la parte superior derecha de la interfaz tienes el icono Exportar rápido.

Figura 2.40. Exportación.

Te saldrá una ventana emergente donde hay varias opciones. Elige H.264, que es un códec muy utilizado para reproducción de vídeo digital, y pulsa el botón Exportar. Ahora solo queda que decidas la ruta donde guardar el vídeo en el disco duro. Para este ejemplo escogí mi escritorio. Mientras dura el proceso de exportación verás una barra de estado donde se indica el tiempo restante.

Figura 2.41. Ventana de exportación final.

Si eres usuario de YouTube o Vimeo, también tienes la opción de introducir los datos de tu cuenta y que se suba el vídeo desde Resolve. Así de fácil.

Bueno, objetivo cumplido. Ya hemos terminado este capítulo para impacientes creando una edición sencilla y rápida desde una única pestaña de Resolve, la de Montaje.

3

Organizando, que es gerundio

En este capítulo aprenderás a:

- Agregar clips y carpetas al proyecto.
- Trabajar con bandejas inteligentes y compartidas.
- Sincronizar clips.
- Detectar cortes de escena.
- Hacer copias de seguridad del material grabado.

Después de la pequeña guía de consejos del primer capítulo y de la edición rápida del segundo, nos toca ahora profundizar algo más en Resolve. La disposición de pestañas que tiene el programa no es al azar; sigue el sentido lógico del trabajo que se realiza en una producción audiovisual, el «flujo de trabajo», que es como suele denominarse.

Vamos a seguir descubriendo todo esto de manera práctica para que sea más ameno. De momento, si no lo has hecho ya, crea un nuevo proyecto.

- Si estás dentro del Organizador de proyectos porque acabas de abrir el programa, haz clic en Crear Proyecto y nómbralo Cap03.

- Si sigues dentro del proyecto del capítulo anterior, no te preocupes, no es necesario que cierres el programa. Para entrar en el Organizador de proyectos solo haz clic en el icono con forma de casa en la parte inferior derecha.

Figura 3.1.
Organizador de proyectos.

¿Recuerdas lo primero que hicimos en el montaje anterior? Evidentemente, localizar el material con el que ibas a trabajar y tenerlo «dentro» de Resolve. Vamos, lo que viene siendo importar el material. Esa es la función principal de la primera pestaña empezando por la izquierda. Haz clic en la pestaña Medios.

Esta nueva interfaz va mucho más allá de solo importar clips multimedia como hiciste en la pestaña Montaje. Ahora es posible también organizar, clasificar, sincronizar y realizar muchas más funciones que facilitarán el trabajo previo a la edición. Veamos algunas de las utilidades.

La interfaz de la pestaña Medios

A pesar de ser extremadamente intuitiva, echemos un primer vistazo a la interfaz. Recuerda siempre que los iconos de la parte superior activan o desactivan determinadas ventanas. El color blanco del icono indica que está visible la ventana y el color gris que no. Tenemos varias áreas que están activas por defecto:

- **Explorador multimedia:** en la parte superior izquierda de la interfaz, es el área donde se localiza —en las unidades de disco que tengas en el ordenador— el material que quieras usar en el montaje. En la parte izquierda se halla el directorio en modo lista y en la derecha las miniaturas de lo seleccionado.

- **Panel multimedia:** ubicado en la parte inferior, es el sitio donde se organiza el material que ya está importado. Es similar a lo que ya habías utilizado cuando editamos en el capítulo anterior. Al igual que el Explorador, en la izquierda se localizan las carpetas (en este caso, Resolve lo llama bandejas) en modo lista y las miniaturas a la derecha.

- **Visor:** en la parte superior, visualiza el contenido multimedia.
- **Audio:** controla los niveles de audio o visualiza la forma de onda de un clip de audio. Se localiza en la parte superior derecha de la interfaz.
- **Metadatos:** en la parte inferior derecha, muestra información de las propiedades (resolución, código de tiempo, número de fotogramas, canales de audio, etcétera) y anotaciones del clip seleccionado.

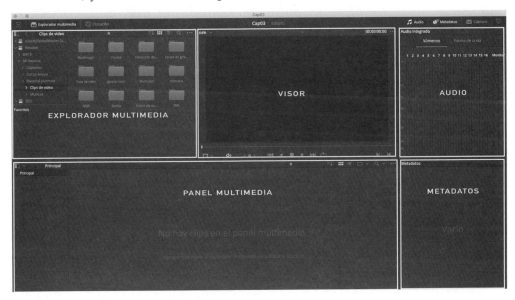

Figura 3.2. Interfaz de la pestaña Medios.

Importación

Importemos de nuevo el material con el que trabajamos en el proyecto anterior. Desde el Explorador multimedia navega por el directorio y localiza la carpeta Material alumnos. Vamos a crear un acceso directo a esta carpeta desde el explorador para que a partir de ahora sea más rápido acceder a todas las carpetas del ejemplo. Una vez localizada la carpeta, con el botón derecho del ratón para desplegar el menú contextual, selecciona Agregar carpeta a Favoritos. Justo debajo de toda la estructura de archivos que tienes en el explorador ahora se distingue una estrella seguida del nombre de la carpeta. Cada vez que pulses en el nombre tendrás acceso a la carpeta sin necesidad de navegar por el directorio. Y eso lo tendrás en todos los proyectos a partir de ahora.

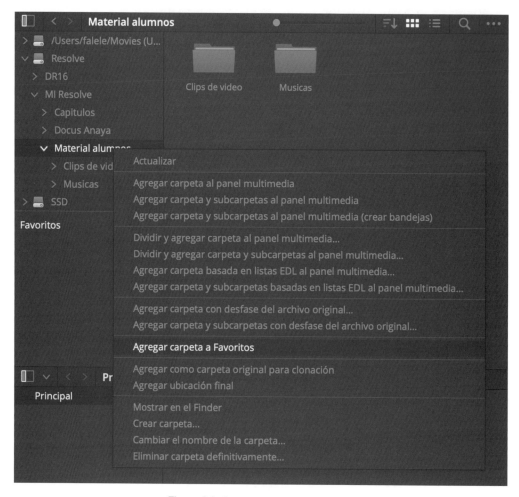

Figura 3.3. Agregar carpeta a Favoritos.

Ahora localiza la carpeta Sevilla y con el botón derecho del ratón despliega el menú contextual, selecciona Agregar carpetas y subcarpetas al Panel multimedia (crear bandejas). Con esto conseguimos importar todos los clips a Resolve y generar además una carpeta con su nombre en el Panel multimedia.

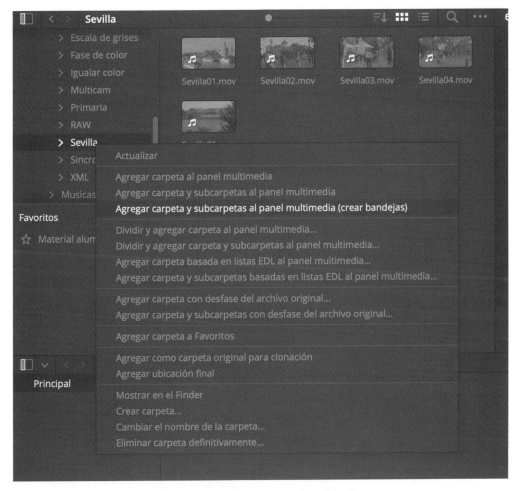

Figura 3.4. Agregar carpeta al Panel multimedia.

Ahora tienes los clips en la parte inferior, en el Panel multimedia. Por supuesto, puedes visionar y marcar los clips desde ahí. Y además es posible hacerlo tanto desde las miniaturas como desde el visor. Si haces clic sobre la miniatura, se carga en el visor. Justo debajo del visor tienes una línea horizontal que te indica la duración total del clip y cuentas con la opción de moverte con la línea vertical —cabezal de reproducción— que tienes sobre ella. Los atajos de teclado para reproducir un clip —barra espaciadora, J, K y L— que vimos en el capítulo anterior también funcionan sobre este visor.

Los iconos de la parte inferior central también te ayudan a visionar o marcar el clip.

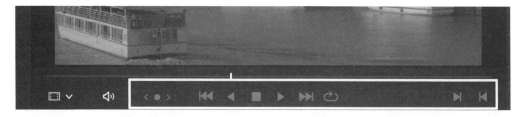

Figura 3.5. Iconos en el visor para visionado y marcado de clips.

Antes de seguir importando más clips, personaliza con colores los clips que tienes en el Panel multimedia. Selecciona los dos clips del río Guadalquivir y con el botón derecho escoge desde el menú Color del clip. Elige el color azul. Al resto de clips asígnales el color verde. Observa el punto de color que tienes ahora en la parte superior derecha de la miniatura. Es otra forma rápida de agrupar los clips para localizarlos más fácilmente.

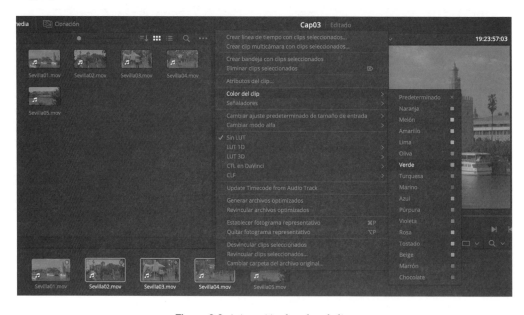

Figura 3.6. Asignación de color al clip.

Seguimos con la importación. Veamos otra forma de llevar clips al Panel multimedia. Localiza desde el Explorador multimedia (recuerda, parte superior izquierda) la carpeta Sincro de audio. Apreciarás dos archivos, uno de vídeo y otro de audio.

Figura 3.7. Clip de audio y de vídeo de la carpeta Sincro de audio.

Es una entrevista que se grabó en cámara con sonido de ambiente y, además, de forma independiente, se captó el audio con una grabadora. Es una forma muy frecuente de trabajar, sobre todo en producciones con presupuesto. Para importar los dos clips a Resolve haz clic en la bandeja Principal y arrástralos desde el Explorador multimedia hasta el Panel multimedia. Nada más intuitivo y fácil que eso. Ahora tienes en el Panel multimedia una carpeta —Sevilla— y los dos clips de la entrevista que acabas de importar, uno de audio y otro de vídeo.

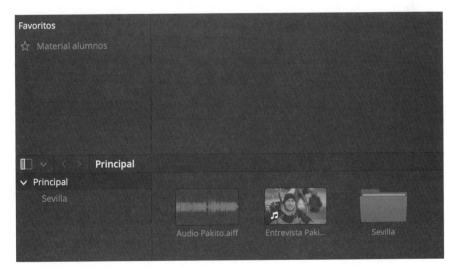

Figura 3.8. Clips de audio y vídeo de la entrevista en el Panel multimedia.

Soy un poco maniático con el orden mientras trabajo, por lo que no me gusta tener clips sueltos por ahí sin que estén ordenados en sus respectivas carpetas, así que vamos a crear una carpeta —recuerda que en el Panel multimedia se llama bandeja— para estos dos clips que están sueltos. Sitúate en la bandeja Principal del Panel multimedia y con el menú contextual del botón derecho selecciona Agregar bandeja.

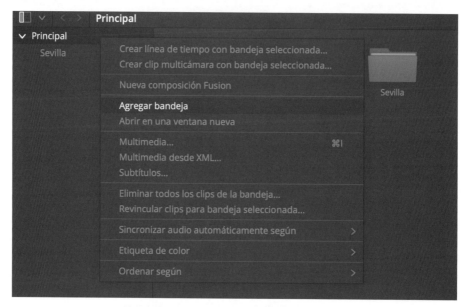

Figura 3.9. Añadir bandeja al Panel multimedia.

De forma predeterminada asignará el nombre de Bandeja 1. Nómbrala Entrevista. Si por el motivo que sea no la has renombrado, no te preocupes, siempre estás a tiempo de hacerlo. Tan solo es necesario hacer clic en el nombre, una vez que lo has seleccionado con antelación. La bandeja Principal no puede renombrarse.

Ahora con la bandeja Principal seleccionada podrás ver las dos carpetas y los dos clips de la entrevista. Arrastra los dos clips de la entrevista a su carpeta. Esto ya está más ordenado.

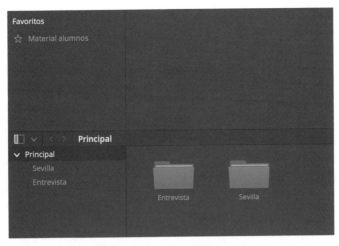

Figura 3.10. Ordenando el Panel multimedia.

Vistas del Panel multimedia

Aprovechemos que está todo ordenado para echar un vistazo a las distintas vistas de los clips en el Panel multimedia. De momento, si las miniaturas parecen muy pequeñas, siempre existe la opción de ajustar el tamaño desde el deslizador de la parte superior.

Figura 3.11. Ajuste del tamaño de la miniatura.

Es posible moverse por el clip desde la propia miniatura y ojear el contenido de manera rápida simplemente posicionado el cursor sobre el clip —no es necesario hacer clic— y moviéndolo de izquierda a derecha, o viceversa. Una línea roja vertical indicará la posición donde te encuentras. Es una función muy útil porque no es necesario seleccionar un clip para ver su contenido, sino solo posicionarse sobre él.

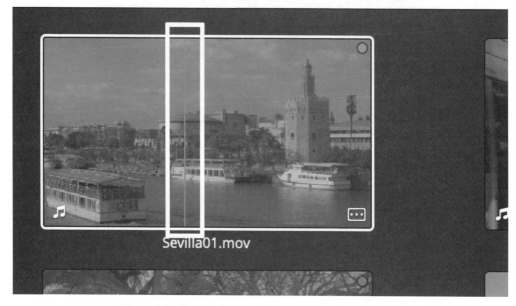

Figura 3.12. Viendo el contenido del clip desde la miniatura.

Cuando el clip está seleccionado —haciendo clic sobre él—, una línea roja bordea la miniatura y se muestra en el visor. Cuando solo se está ojeando por encima, la miniatura está rodeada de una línea blanca.

El Panel multimedia representa los clips de dos modos, como miniatura y como texto. Esto también es válido para el Explorador multimedia y para la pestaña Montaje. El modo miniatura es como lo has estado viendo hasta ahora pero también es útil verlo en modo texto porque nos muestra más información del clip. Para cambiar entre modo miniatura y modo texto pulsa los respectivos iconos de la parte superior derecha.

Nombre del clip	Nombre de cinta	CT inicial	CT final	Duración	Fotogramas	Tipo	Resolución	f/s	Canal de audi	Ruta de archivo
☐ Sevilla01.mov		19:23:55:00	19:24:00:03	00:00:05:03	128	Video + audio	1920x1080	25.000	2	/Volumes/Resolve/MI Resolv
☐ Sevilla02.mov		19:48:18:00	19:48:30:21	00:00:12:21	321	Video + audio	1920x1080	25.000	2	/Volumes/Resolve/MI Resolv
☐ Sevilla03.mov		19:51:10:00	19:51:19:13	00:00:09:13	238	Video + audio	1920x1080	25.000	2	/Volumes/Resolve/MI Resolv
☐ Sevilla04.mov		20:36:34:00	20:36:43:17	00:00:09:17	242	Video + audio	1920x1080	25.000	2	/Volumes/Resolve/MI Resolv
☐ Sevilla05.mov		20:39:09:00	20:39:15:22	00:00:06:22	172	Video + audio	1920x1080	25.000	2	/Volumes/Resolve/MI Resolv

Figura 3.13. Iconos para cambiar entre modo texto y miniatura.

El orden de visualización de los clips también es modificable. En el modo miniatura se ordenan, de forma ascendente o descendente, en función de las propiedades. Esta función es muy útil si deseas ordenar por nombre, duración, fecha o por cualquier otro parámetro.

Figura 3.14. Ordenar clips desde el modo miniatura.

El modo texto es aún más interesante a la hora de organizar porque en función de los metadatos se ordenan los clips en el Panel multimedia; y ello brinda muchísima versatilidad. Observa las columnas de la parte superior de la ventana en modo texto. Con un clic sobre una de ellas se activa (color blanco) y se organiza de manera ascendente o descendente volviendo a hacer un clic.

Figura 3.15. Ordenar clips desde el modo texto.

De forma predeterminada se visualizan unos parámetros, pero siempre es personalizable: es posible ocultar o añadir más columnas del modo texto en función de tus necesidades. Con el botón derecho del ratón sobre la cabecera de cualquier columna tienes la opción de personalizar lo que deseas ver en modo texto.

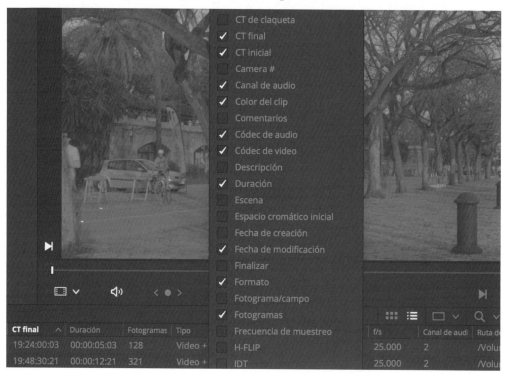

Figura 3.16. Selección de columnas para el modo texto.

Anotaciones, palabras clave y una gran cantidad de datos facilitan mucho el trabajo a la hora de organizar los clips. ¿Recuerdas que antes asignamos colores a los clips de Sevilla? Pues, por ejemplo, existe la posibilidad de incluir la columna de color del clip para ordenarlos según su color.

En los ejemplos que estamos viendo no trabajamos con mucho material, pero imagina si tuvieras que manejar una cantidad considerable de clips, se hace necesario entonces un buscador. Lo tienes en el icono de lupa de la parte superior derecha de la ventana tanto en el Panel como en el Explorador multimedia.

			Filtrar por	Nombre de archivo			
	Color del clip	Resolución		f/s	Canal de audi	Ruta de archivo	
audio	■	1920x1080		25.000	2	/Volumes/Res	
audio	■	1920x1080		25.000	2	/Volumes/Res	
audio	■	1920x1080		25.000	2	/Volumes/Res	
audio	■	1920x1080		25.000	2	/Volumes/Res	
audio	■	1920x1080		25.000	2	/Volumes/Res	

Figura 3.17. Buscador del Panel multimedia.

Para terminar con los modos de visualización, existe la opción de añadir una segunda ventana en el Panel multimedia para que te resulte más cómodo mover o comparar clips que estén en distintas bandejas, tanto en vertical como en horizontal. Muy útil, sin duda.

Figura 3.18. Doble ventana de visualización en el Panel multimedia.

Bandejas inteligentes y bandejas compartidas

Has visto lo sencillo que resulta organizar y visualizar el material importado en el Panel multimedia. Ahora, detengámonos en dos tipos de bandejas un poco especiales con las que cuenta Resolve. Para verlas, debes asegurarte de que están activas en el menú Ver>Mostrar bandejas inteligentes y bandejas compartidas. Cuando están activas, se visualizarán en la parte inferior izquierda del Panel multimedia.

Veamos qué hace cada una de ellas. Empecemos por las bandejas compartidas que es más fácil de entender. Imagina que tienes una librería de músicas que suelen gustarte para tus montajes; de tu grupo preferido, por ejemplo. Cada vez que edites un vídeo necesitarás importar tu música al proyecto, lógicamente. Pues bien, para evitar tener que importar siempre las músicas, creas una bandeja compartida y ya la tendrás en cualquier proyecto de Resolve. Abras el proyecto que abras, siempre a mano, siempre importadas en el Panel multimedia. Las bandejas compartidas se crean de la misma forma que las normales. Te sitúas sobre su bandeja Principal y con el menú contextual del botón derecho seleccionas Agregar bandeja. Una vez creada la bandeja, todo lo que importes ahí lo tendrás siempre en cualquier proyecto.

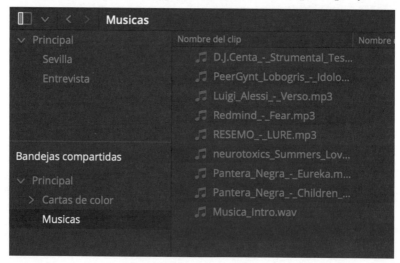

Figura 3.19. Las bandejas compartidas siempre están importadas en cualquier proyecto.

Le toca el turno a las bandejas inteligentes. Pensemos en un caso hipotético: han grabado con dos cámaras un campeonato de tenis. Cada cámara es de distinta marca y generan los clips con diferentes nombres. Por ejemplo, unos clips empiezan por «MVI» seguido de un número y pertenece a la cámara Canon. Otros comienzan por «XER» y se grabaron con una cámara Sony. Imagina que te dan un disco duro con todos los clips del campeonato de tenis y están desordenados, sin clasificar en carpetas ni de ninguna otra forma. Podrías importar normalmente todos los clips, generar carpetas para cada cámara y agrupar cada clip en su carpeta correspondiente o… crear una bandeja inteligente para cada cámara y dejar que el programa se encargue de clasificar los clips en función de los nombres que ha asignado. El resultado es el mismo, pero en el primer caso lo haces de manera manual y en el segundo el programa se encarga de ello.

¿Qué hace exactamente una bandeja inteligente? Pues incluir en cada bandeja los clips que cumplan una serie de requisitos. Es una manera de filtrar en función de las propiedades que tenga el clip. En nuestro ejemplo, hemos incluido a las propiedades de cada bandeja inteligente que tenga el nombre «MVI» o «XER» para que lo separe en función de la cámara con la que se grabó.

Veamos cómo se hace. Sitúa el cursor en el área vacía de la bandeja inteligente. Con el botón derecho del ratón busca en el menú Crear bandeja inteligente.

Figura 3.20. Crear bandeja inteligente.

Ahora tendrás una nueva ventana donde nombrar y especificar las reglas que se aplicaran a la bandeja inteligente. Como ves, hay multitud de características del clip que puedes concretar para clasificarlo (nombre, código de tiempo, resolución, fecha, etcétera). En nuestro ejemplo, para la cámara Canon se ha especificado que el nombre de cada clip importado contenga MVI.

Figura 3.21. Nombrando y filtrando por nombre los clips en una bandeja inteligente.

Crea una bandeja inteligente con este criterio y haz la prueba con un par de clips que tienes en la carpeta Igualar color. Como verás, las posibilidades de la bandeja inteligente son inmensas. Es posible crear otra bandeja inteligente para que separe los clips dependiendo de la fecha en la que se grabó, o que contenga un determinado código de tiempo, o incluso con estos dos criterios —o más— simultáneamente.

Sincronizar audio y vídeo

Otra función muy útil de la pestaña Medios es la de sincronizar audio y vídeo de manera automática. Verás lo rápido y sencillo que resulta. Teníamos un par de clips de la entrevista a Pakito Guerra ya importados, ¿recuerdas? Un clip de vídeo y otro de audio, grabados en el mismo momento, solo que con una cámara (y su sonido ambiente) y un grabador de audio independiente. Sincronizar el clip de audio con el vídeo era un trabajo que, hasta hace poco tiempo, era algo tedioso. En Resolve se lleva a cabo de manera automática.

Selecciona los dos clips —el de audio y el de vídeo— que ya tienes en el Panel multimedia mediante un lazo haciendo clic y arrastrando con el ratón. Verás que están seleccionados porque las miniaturas están rodeadas de color rojo. Ahora con el botón derecho del ratón busca en el menú emergente la opción Sincronizar audio automáticamente según>Forma de onda. El programa se encargará de hacer el resto.

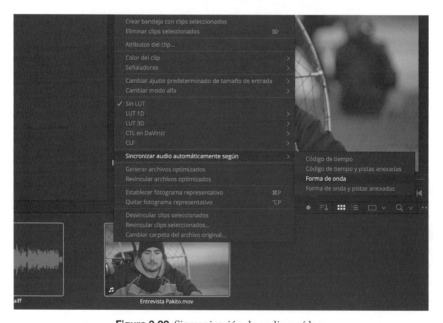

Figura 3.22. Sincronización de audio y vídeo.

Reproduce el clip de vídeo y verás que ahora el audio se escucha correctamente y está sincronizado con el vídeo. Lo que hace Resolve es comparar el audio de ambiente del clip de vídeo con el audio de la grabadora y añadir ese audio sincronizado dentro del clip de vídeo. De hecho, el clip de vídeo sigue conservando su audio original además del nuevo que se ha incluido sincronizado. En los atributos del clip de vídeo puedes mirar los datos de audio y configurarlo como quieras. Accede desde el menú contextual (recuerda, botón derecho). El audio integrado es el que se grabó en cámara y el vinculado es el que se ha sincronizado del clip de audio.

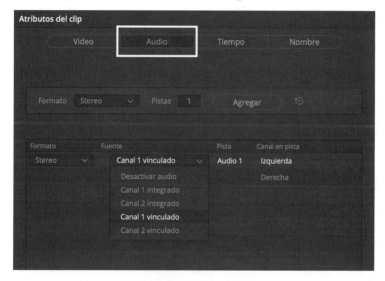

Figura 3.23. Atributos del clip.

Si se hubiese grabado con un generador de código de tiempo, tanto el audio como el vídeo, también podría sincronizarse de manera automática. Además, cuando se sincroniza audio y vídeo no es necesario que las duraciones de los clips sean iguales. De hecho, en este caso no coinciden en su duración. Fíjate en la ventana de los metadatos en cómo las duraciones de cada clip son diferentes.

Metadatos	Panel multimedia	•••	≡↓	Metadatos	Panel multimedia	•••	≡↓
Entrevista Pakito.mov		00:01:33:12		Audio Pakito.aiff		00:01:26:03	
/Volumes/Resolve/MI Resolve/Material alumnos/Clips de vídeo/sincr...				/Volumes/Resolve/MI Resolve/Material alumnos/Clips de vídeo/sincr...			
Apple ProRes 422 LT	25.000 f/s	1280 x 720		Entrada de vídeo			
AAC	48000 Hz	2 Ch		Linear PCM	48000 Hz	2 Ch	
Información del clip				Información del clip			

Figura 3.24. Ventana de metadatos donde se aprecia que las duraciones de los clips de audio y vídeo son diferentes.

Sincronizar grabaciones multicámara

Y hablando de sincronizar, veamos otra de las posibilidades que Resolve ofrece desde la pestaña Medios. Cada vez se suele usar más la opción de grabar con varias cámaras un evento deportivo, musical o de cualquier otro tipo. La mayoría de las veces, sobre todo en producciones sin mucho presupuesto, no usan un generador para que todas las cámaras tengan el mismo código de tiempo, y lo más frecuente es grabar audio de ambiente en cada cámara para luego en edición sincronizarlo. Con Resolve también se hace la sincronización multicámara de forma muy sencilla. Veamos.

Crea una bandeja nueva en el Panel multimedia. Recuerda: desde el menú contextual en un área gris vacía elige Agregar bandeja. Nómbrala Multicam, por ejemplo. Localiza, luego, la carpeta Concierto multicam en los clips de ejemplo del libro. Observa que hay un clip de audio —el máster grabado desde la mesa de sonido— y varios de vídeo de cada una de las cámaras. Arrastra los clips de vídeo y el de audio a la nueva bandeja creada en el Panel multimedia.

Figura 3.25. Clips de la carpeta Concierto multicam.

Ya tienes todo en el Panel multimedia. Ahora selecciona todos los clips —audio y vídeo— y con el menú contextual del botón derecho selecciona Crear clip multicámara con clips seleccionados… (figura 3.26).

La nueva ventana que se abre permite poner nombre, código de tiempo y, lo más importante, seleccionar el tipo de sincronización que usará Resolve. En nuestro caso, en el campo Sincronizar ángulo vas a elegir Sonido y en el Nombre del ángulo seleccionas Nombre del clip para que sea más fácil identificar las cámaras. Ya solo queda nombrar el clip multicámara —o deja el que te pone automáticamente— y mantener el resto de los ajustes predeterminados. Con la última opción de Cambiar los clips fuente a la bandeja Clips originales, se genera una nueva bandeja para alojar a los clips originales (figura 3.27).

Figura 3.26. Crear clip multicámara con los clips seleccionados.

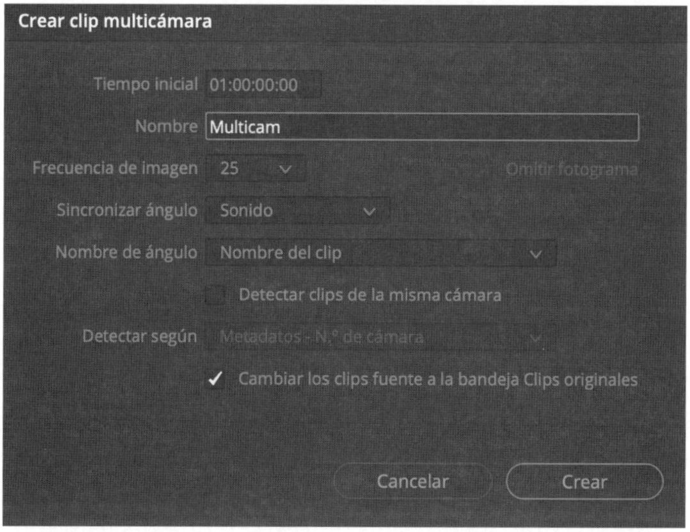

Crear clip multicámara

Tiempo inicial	01:00:00:00
Nombre	Multicam
Frecuencia de imagen	25 Omitir fotograma
Sincronizar ángulo	Sonido
Nombre de ángulo	Nombre del clip
	Detectar clips de la misma cámara
Detectar según	Metadatos - N.º de cámara
	✓ Cambiar los clips fuente a la bandeja Clips originales

Cancelar   Crear

Figura 3.27. Ventana de ajustes para la creación de un clip multicámara.

Buen momento para darle al botón Crear y dejar que Resolve se encargue de sincronizar el audio y todas las cámaras. Verás una barra de progreso mientras lo hace.

Una vez terminado esto, tendrás un clip multicámara y una bandeja nueva llamada Clips originales. Observa ahora el clip multicámara. En la parte inferior izquierda de la miniatura, en vez de dos notas musicales —dos corcheas— que tienen los clips de vídeo con audio, ahora aparece un símbolo de cuatro cuadrados, uno de ellos relleno. Este icono indica que es un clip multicámara. Si haces clic verás en el visor todas las cámaras simultáneamente y sincronizadas. Es posible reproducirlo, pero la fluidez irá en función de la potencia del equipo. En mi caso, con el portátil me va a tirones y, sin embargo, con el de sobremesa me va muy fluido.

Ya has dado el primer paso —la sincronización— para editar una grabación multicámara. El siguiente es ir seleccionando en la edición la cámara que más te guste. Lo trabajarás más adelante cuando uses la pestaña Edición.

Detectar cortes de escenas

Esta herramienta es muy interesante. Como siempre, recurriré a un ejemplo para explicar su uso. Un amigo ha editado un concierto y quiere darle un toque especial con el color. Como ni sabe ni tiene herramientas para hacer la corrección de color, te llama para ver si lo ayudas con eso. Como serás un fuera de serie como colorista cuando termines este libro, en principio no debería de haber ningún problema, pero… hace tiempo que lo editó, ya no tiene los brutos de cámara y lo que te entrega es un único clip con el concierto. Eso ya no es una idea tan buena porque, por pura lógica, cada plano necesitará sus propios ajustes de color. Si todo está en un único clip, cuando se ajuste el color afectará a todo el concierto completo, y eso no es lo que quieres.

Se podría crear una línea de tiempo con el clip completo y dedicarte a cortar de forma manual —ya abordaremos cómo más adelante— cada vez que veas un corte de cámara, pero resultaría un trabajo bastante tedioso.

Para ayudarte con esta situación, Resolve cuenta desde la pestaña Medios con una herramienta muy útil que se llama Detectar cortes de escenas. Al lío con el ejemplo práctico que es como mejor se aprende.

Abre la carpeta Detección de escenas de los clips de ejemplo de este libro en el Explorador multimedia. Encontrarás un clip de un concierto de un guitarrista que conozco —Bernd Voss— en una actuación con un trío. Lo que ves es un clip único (como ya he comentado). Lo que necesitamos es trocearlo por cada corte de edición que se hizo originalmente; y vamos a hacerlo antes de llevarnos el clip al Panel multimedia.

Para tenerlo todo más organizado y antes de abrir la ventana de detección de cortes, crea una bandeja nueva en el Panel multimedia y nómbrala Concierto. Asegúrate de que está seleccionada esta bandeja. Ahora, con el clip seleccionado en el Explorador multimedia, de nuevo haz clic con el botón derecho del ratón para desplegar el menú contextual y optar por Detectar cortes de escena...

Ya tenemos la ventana para realizar los cortes de escena del clip. Es sencilla de entender y se divide en tres áreas principales:

- **Visores,** en la parte superior.
- **Gráfica,** en la parte inferior.
- **Lista de cortes de edición,** en la parte inferior derecha.

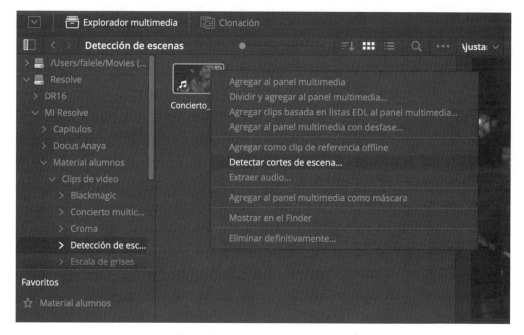

Figura 3.28. Detectar cortes de escena.

En vez de detallar la funcionalidad de cada área, en el ejemplo práctico se explicarán y aclararán mejor. Pulsa el botón de la parte inferior izquierda de la ventana Detección automática de escenas y observa lo que ocurre. Resolve ha analizado el clip y por cada corte de edición nos muestra una línea vertical en la gráfica. Cuanto más larga sea la línea, más claro tiene el programa que se trata de un corte de edición.

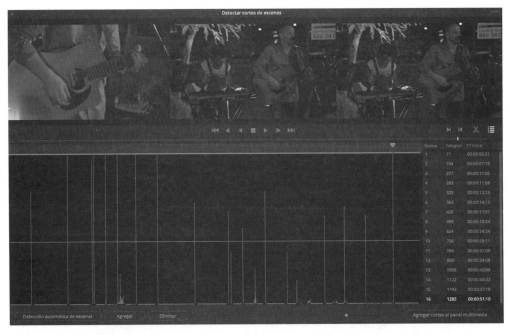

Figura 3.29. Análisis automático del clip para detectar cortes de escena.

De todas formas, no pienses que es infalible y ahora verás por qué. Las líneas verticales de color verde indican que han sobrepasado el umbral de detección (que es la línea horizontal magenta) y se creará un corte de edición. Prueba a mover la línea magenta hacia arriba o abajo y advertirás cómo se incluyen (línea vertical verde) o descartan (línea gris) los cortes analizados. Observa también cómo se actualiza la lista de los cortes de edición de la izquierda. Para moverte por el clip, utiliza el cabezal de reproducción situado entre los visores y la gráfica, o los botones que tienes justo debajo del visor central.

Vuelve a dejar la línea horizontal magenta aproximadamente donde estaba después del análisis. Hablemos ahora de los visores. Hay tres:

- El visor izquierdo indica el último fotograma antes del corte.
- El visor central muestra el primer fotograma del corte.
- El visor derecho enseña el segundo fotograma después del corte.

El corte perfecto es aquel que muestra un fotograma diferente en el visor izquierdo, mientras que en los dos restantes es la misma imagen. Si se muestra la misma imagen en los tres visores, el corte que ha detectado Resolve no es correcto. ¿Y por qué no es correcto? Porque, al tratarse de un análisis que hace el software, este no «entiende» cuándo hay un cambio de plano; lo que hace es comprobar cambios bruscos de brillo o color entre fotogramas.

Observa con atención ahora. Haz clic en el corte número 4 desde la lista de cortes de edición. Verás en todos los visores el plano detalle de la guitarra Fender. Resolve ha entendido que es un corte de edición porque un foco verde ha aumentado el brillo en la parte inferior izquierda de la imagen.

Figura 3.30. Falso corte de edición.

La lista de cortes de edición nos muestra el número de orden del corte, el fotograma donde empieza y el código de tiempo. Observa que en el corte 5 y 6 ocurre algo similar: muestra la misma imagen en los visores. El programa ha detectado un falso corte porque hay un cambio de color en la escena.

Elimina ahora los cortes erróneos. Haz clic sobre el corte número 4 desde la lista de cortes de edición y pulsa el botón Eliminar de la parte inferior de la ventana (figura 3.31).

La línea vertical verde ha desaparecido y, por lo tanto, ya no se considerará un corte de edición en este clip. Haz lo mismo con el resto de falsos cortes que veas.

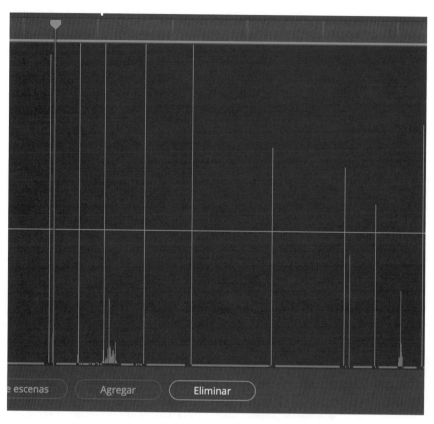

Figura 3.31. Eliminar cortes de edición.

Al igual que hay errores en los cortes analizados por el programa puede ocurrir que no se detecte tan claramente un corte de edición y quede fuera del umbral. Observa la gráfica. Hay dos líneas grises verticales cercanas a la línea magenta del umbral de detección. Baja la línea horizontal hasta que se incluyan esos dos cortes de edición en la lista. Ahora deberías tener 14 cortes de edición en la lista porque se han añadido el 8 y el 10. De los dos nuevos cortes que se han incluido, uno es correcto y el otro es un falso corte. Elimina el que pienses que no es correcto (figura 3.32).

Ya está todo listo para incluir el clip troceado del concierto en el Panel multimedia y tratar de forma independiente cada clip en la corrección de color más adelante. Para importarlo, clica en el botón Agregar cortes al Panel multimedia. Una vez que pulses el botón ya puedes cerrar la ventana. Ahora tienes en el Panel multimedia un clip por cada corte de edición en la bandeja que creaste con anterioridad (figura 3.33).

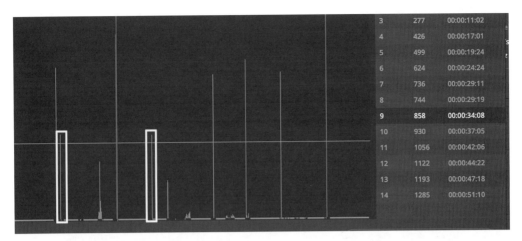

Figura 3.32. Dos nuevos cortes de edición se han añadido al bajar el umbral de detección.

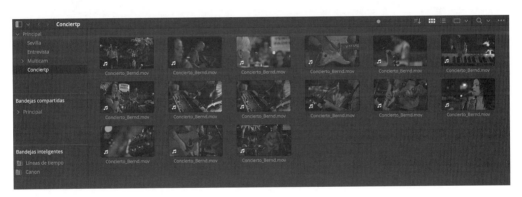

Figura 3.33. El clip ya troceado en el Panel multimedia.

Por último, genera una nueva línea de tiempo desde el Panel multimedia con todos los clips. De esa forma, el concierto estará en una línea de tiempo y con todos los cortes de edición. Puedes seleccionar todos de forma manual con un lazo o, si lo prefieres, con el atajo de teclado Cmd-A (Ctrl-A en Windows) que es más rápido. Ahora, con todos los clips seleccionados, y desde el menú contextual —recuerda, botón derecho del ratón—, elige Crear línea de tiempo con clips seleccionados... (figura 3.34).

Desde la ventana que te aparece dale nombre a la línea de tiempo y pulsa el botón Crear. Tendrás la nueva miniatura de la línea de tiempo en el Panel multimedia. Presta atención al símbolo que tiene en la parte inferior izquierda de la miniatura, que indica que es una línea de tiempo. Ahora desde la pestaña Montaje puedes comprobar que el clip del concierto está completo y con sus cortes de edición.

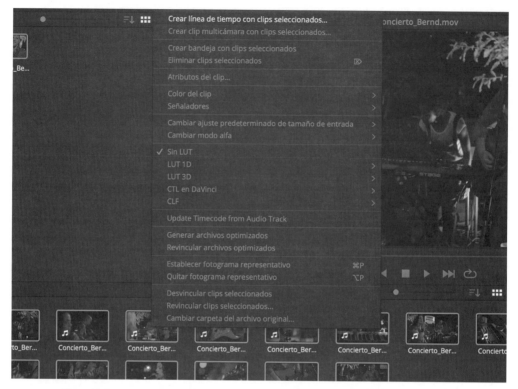

Figura 3.34. Crear línea de tiempo con los clips seleccionados en el Panel multimedia.

Clonación

La herramienta de clonación no está activa por defecto en la pestaña Medios, pero es sencilla de usar y útil para realizar copias de archivos sin necesidad de salir del programa. Realmente es lo mismo que si hicieras una copia de carpetas desde el propio sistema operativo, salvo con la diferencia —muy importante— de que Resolve hace un chequeo durante el proceso de copia para garantizar que los archivos se han copiado correctamente, libre de errores.

Haz clic en Clonación —parte superior izquierda de la interfaz— para activar la ventana. A la izquierda del visor se te abrirá la nueva ventana.

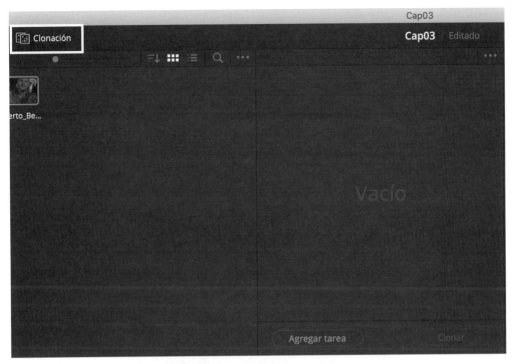

Figura 3.35. Ventana de Clonación.

La mayor utilidad que tiene esta función es la de realizar una copia de seguridad de los archivos de cámara después de grabación. Eso es oro puro en un rodaje. El encargado de esa función es el DIT (Técnico de Imagen Digital) que realiza copia de todos los clips del rodaje diario desde su almacenamiento original hasta otras unidades de disco. El almacenamiento depende de cada cámara, pero en la actualidad se suelen guardar en tarjetas de memoria de estado sólido.

Recurro a un ejemplo práctico, como siempre. ¿Recuerdas la carpeta Material alumnos que agregamos a favoritos en el Explorador? Es la carpeta donde se alojan los clips de ejemplo para este libro. Realicemos una copia de seguridad en una unidad externa como un *pendrive*.

- Inserta el *pendrive* en el equipo. Debería aparecer de inmediato en el Explorador.
- Localiza la carpeta de los clips de ejemplo Material alumnos desde el Explorador multimedia.
- Ahora pulsa el botón Agregar tarea de la ventana de Clonación.
- Arrastra la carpeta de los clips de ejemplo desde el Explorador hasta la parte superior de la ventana donde se indica Original.

- A continuación, desde el Explorador arrastra la unidad de *pendrive* hasta justo debajo del anterior destino. Lo indica como Final.
- Por último, pulsa el botón Clonar.

Verás una barra de progreso roja y un tiempo estimado en la parte inferior de la ventana. Cuando haya finalizado, el programa lo indicará con un texto de color verde en la parte superior derecha de la ventana.

Figura 3.36. Clonando la carpeta en un pendrive.

Y nada más, ya está copiado. Listo. Por último, en la parte superior derecha de la ventana tienes un par de opciones más. La primera es si quieres mantener el nombre de la carpeta original en el proceso de clonación. En este caso se crearía la carpeta Material alumnos.

La otra opción es la de seleccionar el método de chequeo que realizará Resolve para garantizar el correcto clonado. Por defecto usa el método MD5 que suele tener buen equilibrio entre rapidez y seguridad a la hora de copiar los archivos. Es posible optar por no poner ningún control de seguridad o por el contrario usar el método SHA que es más lento que el resto, pero bastante más seguro al copiar los archivos. El programa generará un fichero de texto del chequeo en el directorio de destino.

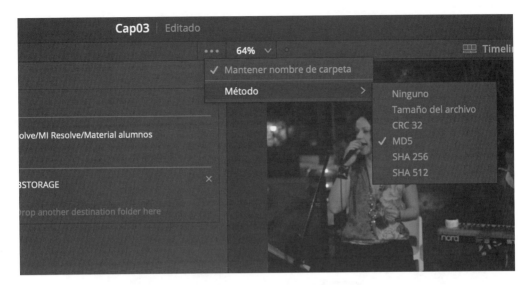

Figura 3.37. Distintos métodos de chequeo de la ventana Clonar.

Bueno, final del capítulo. Es solo una pequeña muestra de lo potente que es la pestaña Medios y de las posibilidades que ofrece.

4

Las herramientas del montador

En este capítulo aprenderás a:

- Manejar los modos de edición.
- Usar las herramientas de la línea de tiempo.
- Manipular las propiedades del clip desde el Inspector.
- Integrar efectos en el montaje.
- Acceder rápidamente a los elementos del montaje desde la ventana de Registro.
- Crear una base de datos de sonidos.

Ahora sí. Es el momento de meternos de lleno en el apasionante mundo de las herramientas de edición de vídeo. Cuando un electricista, o cualquier otro profesional, llega a tu casa, suele venir con un maletín lleno de utensilios para su trabajo. Hemos visto teoría, organizado el material, sincronizado, incluso realizado una edición rápida en la pestaña Montaje. Ahora veremos dónde está el martillo, destornillador y llave inglesa de los montadores. En este capítulo haremos un primer repaso del módulo Edición.

Si has trabajado con algún editor de vídeo, es probable que te resulte familiar el entorno, ya que Resolve, en líneas generales, lo que ha hecho es unir en la misma interfaz lo mejor de cada software. Tiene un poco de Premiere, de Media Composer, incluso del antiguo Final Cut Pro 7. Eso ha facilitado mucho la migración de los editores a Resolve, porque todo el entorno les resulta mucho más familiar.

Alternaremos la finalidad de cada herramienta con algunos ejemplos, cuando se requiera, para que se comprenda mejor. Desarrollaré, primero, las dos grandes áreas —visores y línea de tiempo— desgranando las funciones más destacadas de cada una. Posteriormente, daré un vistazo general al resto de ventanas de la interfaz.

El módulo Edición

La diferencia fundamental entre la pestaña de Montaje y la de Edición es que esta última ofrece muchas más herramientas para afinar y enriquecer el montaje. Todo dependerá de lo que quieras hacer, claro. Si tu trabajo se centra en subir contenido rápido para redes sociales, es más que probable que no necesites muchas de las herramientas de la pestaña Edición.

Empecemos desde cero. Crea un nuevo proyecto y nómbralo Cap04. Importa la carpeta Sevilla al Panel multimedia (igual que hicimos en el capítulo anterior). Ahora pulsa la pestaña Edición y echa un primer vistazo a la interfaz (figura 4.1).

Como ves, es un entorno muy parecido al que ya has visto en el módulo Montaje: básicamente, visores en la parte superior y línea de tiempo en la inferior. Si activas la ventana del Panel multimedia, en la parte superior izquierda apreciarás los clips de vídeo que acabas de importar.

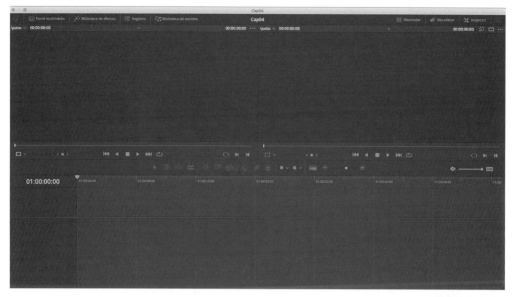

Figura 4.1. La interfaz del módulo Edición. Dos visores arriba y línea de tiempo abajo.

Figura 4.2. Activando el Panel multimedia en Edición se visualizan los clips importados desde el Panel multimedia.

Una novedad de esta pestaña es que no hay un único visor. Ahora tenemos dos visores independientes. El de la izquierda muestra el material original importado en el Panel multimedia; y el de la derecha lo que se encuentra en la línea de tiempo. Es una interfaz clásica de edición.

> **NOTA:**
>
> *Si te encuentras más cómodo con un único visor en este módulo, puedes activarlo en el menú Área de trabajo>Solo un visor.*

Usa ahora el atajo de teclado Cmd-N (Ctrl-N en Windows) para generar una línea de tiempo. La ventana que te aparece ya te es familiar. Dale nombre a la secuencia y pulsa el botón Crear. La miniatura de la nueva línea de tiempo se ha incluido en el Panel multimedia. Ahora arrastra un clip, cualquiera, desde su miniatura hasta el visor izquierdo.

Visores

Veamos los visores. Los dos comparten mucha información en la parte superior:

- **Tamaño:** cuando cargas un clip en el visor se ajusta automáticamente el porcentaje de tamaño respecto al visor. Si haces clic sobre él, es posible aumentar o disminuir ese porcentaje y acercar o alejar la imagen. Para volver al ajuste automático, pulsa Ajustar en el menú.

- **Duración:** este campo representa mediante el esquema de horas:minutos:segundos:fotogramas la duración total del clip o la de los puntos de entrada-salida (en el caso de que se lo hayas marcado).

- **Indicador de fotogramas por segundo:** cuando el clip está en reproducción te mostrará el número de fotogramas por segundo. Un punto verde indica que el clip se reproduce correctamente a tiempo real. Si el rendimiento del ordenador —fundamentalmente de la tarjeta gráfica— no alcanza para reproducir el clip en tiempo real, lo indicará con un punto rojo.

- **Nombre del clip:** muestra el nombre del clip (visor izquierdo) o de la línea de tiempo (visor derecho). Si se ha cargado más de un clip o hay más de una línea de tiempo, puedes seleccionarlo desde la lista desplegable. El nombre aparece en rojo cuando está activo el visor.

- **Código de tiempo:** enseña el código de tiempo, tanto del clip original como de la línea de tiempo.

Figura 4.3. Información y controles de la parte superior del visor.

Continuamos. Pasamos ahora a los controles de la parte inferior de los visores:

- **Reproducción lenta:** al hacer clic en el control y arrastrar hacia la izquierda o derecha puedes moverte lentamente por el clip o la línea de tiempo.

- **Controles de transporte:** estos controles incluyen, de izquierda a derecha: ir al primer fotograma, reproducir hacia atrás, parar, reproducir, ir al último fotograma y bucle.

- **Hacer coincidir fotogramas:** herramienta muy común y útil en edición que consiste en localizar el fotograma en el clip original o en la línea de tiempo. Imagina que tienes un montaje con muchos clips y te interesa cargar rápidamente uno de ellos en el visor izquierdo, porque necesitas usar parte de su contenido. Te sitúas sobre el fotograma en la línea de tiempo y pulsas el icono Hacer coincidir fotogramas en el visor derecho, o bien su atajo con la tecla F. El clip original se cargará en el visor izquierdo exactamente en ese fotograma. También puedes hacer lo contrario: desde el visor izquierdo buscar un clip que se encuentre en la línea de tiempo. Lógicamente, si no está el clip en el montaje, no hallarás nada.

- **Marcar punto de entrada-salida:** es otra forma de marcar los puntos de edición tanto en el clip original como en la línea de tiempo.

Figura 4.4. Controles de la parte inferior del visor.

Además de la información y los controles comunes en los visores, dispones de menús emergentes en cada uno de ellos. En el visor izquierdo de los clips originales:

- **Sincronizar visores:** cuando está activado, la reproducción de los dos visores está sincronizada y se moverán al unísono. Esto quiere decir que cada vez que avances o retrocedas en uno de ellos también lo hará el otro. Es un menú muy práctico para hacer coincidir el tiempo transcurrido en un clip original respecto al de la línea de tiempo. Al activar la opción en un visor, se activa automáticamente en el otro.

- **Previsualizar contenidos:** sirve para ojear en el visor el contenido de los clips de la misma forma que con las miniaturas. Sitúate en la miniatura y, sin hacer clic, mueve el cursor a la derecha o la izquierda. Lo que veas en la miniatura lo tendrás también en el visor.

- **Mostrar todos los fotogramas:** cuando la potencia del equipo no es suficiente para reproducir un clip a tiempo real, si activas esta función, Resolve dará prioridad para mostrar todos los fotogramas, aunque la reproducción vaya más lenta y el audio se quede entrecortado. Si está desactivada esta función, notarás que hay saltos de fotogramas. Esta opción también la tienes en el visor de la línea de tiempo.

- **Mostrar onda de audio ampliada:** representa en el visor la imagen del clip y la forma de audio ampliada. Una maravilla que no sé cómo no la tienen otros editores clásicos. Ya lo copiarán, ya.

- **Mostrar toda la onda de audio:** similar a la anterior opción solo que con la diferencia de que se muestra la forma de onda de todo el audio (figura 4.5).

- **Mostrar información de marcadores:** si al clip se le han añadido marcadores, verás la información superpuesta en el visor cuando el cabezal de reproducción se encuentre sobre uno de ellos. Si activas esta opción, en el visor derecho también se visualizarán los marcadores que tengas en la línea de tiempo.

Figura 4.5. Mostrar toda la onda de audio en el visor.

- **Marcadores:** al acceder al menú de los marcadores listados por su nombre, posibilita saltar al marcador cuando se seleccione. Este menú se localiza en ambos visores.

- **Mostrar códigos de tiempo superpuestos:** ofrece visualización de los códigos de tiempo de todas las pistas —de vídeo y audio— de la línea de tiempo. Solo está disponible, lógicamente, en el visor derecho.

Figura 4.6. Códigos de tiempo de las pistas incluidas en la línea de tiempo.

Para terminar con las herramientas, observa la parte superior derecha del visor de la línea de tiempo. Justo al lado izquierdo del menú emergente hay dos iconos. El más próximo conmuta entre los dos visores tradicionales y un único visor. Ya lo habías usado antes con el atajo de teclado.

El icono de Desactivar ajustes cromáticos y efectos de Fusion deshabilita las correcciones de color y los efectos que hayas creado en la pestaña Fusion para posibilitar una reproducción más fluida de los clips en la línea de tiempo.

Figura 4.7. Desactivar ajustes cromáticos y efectos de Fusion.

Modos de edición

Los modos más básicos de edición, como insertar y sobrescribir los clips en la línea de tiempo, son los mismos que ya has visto. En la parte superior de la línea de tiempo tienes sus iconos.

Figura 4.8. Iconos de Insertar y Sobrescribir en las herramientas de la línea de tiempo.

Añade tres clips a la línea de tiempo mediante los iconos con cualquiera de los métodos que conoces. En el ejemplo que tienes, he puesto los dos clips del río y el del tranvía.

Además de los modos que ya has usado, que suelen ser los más habituales en una edición, hay otros más específicos. El desaparecido Final Cut Pro 7 tenía una forma muy peculiar de añadir clips a la línea de tiempo. Resolve lo ha heredado y me parece particularmente interesante. Hasta ahora, añadías clips a la edición mediante sus respectivos iconos, mediante menús o arrastrándolos directamente a la línea de tiempo.

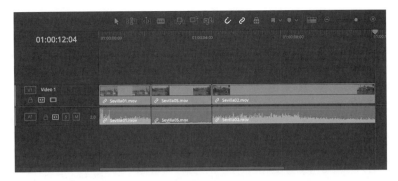

Figura 4.9. Tres clips añadidos a una línea de tiempo vacía.

Veamos ahora otra forma. Incluye ahora el clip Sevilla03 para ver cómo se comporta con los nuevos modos de edición. Arrástralo al visor izquierdo y marca una entrada-salida de, aproximadamente, dos segundos de duración. Recuerda que en la parte superior izquierda del visor es posible ver su duración. Sitúa, a continuación, el cabezal de reproducción de la línea de tiempo entre el primer y segundo clip.

Ahora viene lo interesante. Haz clic y arrastra la imagen desde el centro del visor izquierdo al derecho y no sueltes el botón del ratón. Observa que aparece una nueva ventana encima del visor con siete modos de edición. Selecciona el que desees poniéndote encima de él.

Figura 4.10. Clip marcado con dos segundos de duración y cabezal de reproducción entre dos clips de la línea de tiempo.

Elige el primero, Insertar. Este modo ya lo conoces porque lo has usado con anterioridad. Cuando sueltes el ratón sobre ese modo, el nuevo clip se añadirá a la línea de tiempo a continuación del primero (que es donde estaba el cabezal de reproducción) y empujará al segundo para abrirse hueco. La edición aumenta dos segundos más su duración.

Figura 4.11. Ventana de los modos de edición sobre el visor de la línea de tiempo.

El siguiente modo, Sobrescribir, también lo conoces. A partir del cabezal de reproducción (recuerda: estaba entre el primer y segundo clip) se añade el nuevo clip, pero, a diferencia del modo anterior, esta vez el segundo clip de la línea de tiempo no se desplaza. Fíjate en la figura 4.12. Esto quiere decir que solo sus dos primeros segundos se sustituyen por el nuevo clip y, a partir de ahí, se mantiene lo que había en la línea de tiempo. La duración total de la edición permanece igual.

Turno para el siguiente: Reemplazar. Aquí entra en juego la posición del cabezal de reproducción, tanto del clip que se va a meter como el de la línea de tiempo. Los puntos de entrada-salida del clip que has marcado se ignoran. ¿Y qué utilidad conlleva esto? Pues, verás: imagina que tienes un montaje y te interesa que el clip que vas a meter esté sincronizado, por ejemplo, con una parte de la música. Has intentado hacerlo y no hay manera de cuadrarlo perfectamente. Con este modo te resultará más fácil porque lo que haces es sustituir el clip del visor izquierdo por el de la línea de tiempo, teniendo en cuenta la posición de ambos cabezales de reproducción. Resumiendo este ejemplo: pones el cabezal de reproducción del visor izquierdo en el fotograma que quieres sincronizar con el momento exacto de la música; a continuación, localizas el punto de audio en la línea de tiempo y usas el modo Reemplazar. Como no hay puntos de entrada-salida, la duración del nuevo clip viene dada por la que tuviera el clip de la línea de tiempo (figura 4.13).

Figura 4.12. Observa cómo el clip añadido a la línea de tiempo ha sobrescrito solo los dos segundos iniciales del segundo clip.

Figura 4.13. Los cabezales de reproducción del clip original y de la línea de tiempo se usan como referencia para reemplazar el clip.

Justo debajo se localiza el siguiente modo: Insertar y ajustar duración. Esta función es útil para conservar la duración del clip que tienes en la línea de tiempo, pero con la sustitución por otro conservando sus puntos de entrada-salida. Eso significa que el nuevo clip adaptará su duración a la que hubiera en la línea de tiempo. Por lo tanto, si es menor se «estirará» cambiando su velocidad y ralentizando el clip hasta alcanzar la duración; si, por el contrario, su duración es mayor que el clip de la línea de tiempo, se acelerará, «acortando» su duración original. Se distingue el nuevo clip en el montaje porque tiene un icono con forma de velocímetro —que indica el cambio de velocidad— y su brillo es menor al resto.

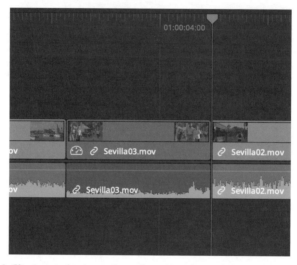

Figura 4.14. Clip insertado ajustando su duración a la que había en la línea de tiempo.

A continuación, tienes el modo Superponer. Mucho más fácil de entender. Su misión es colocar el clip en una pista superior. El funcionamiento de las pistas de vídeo es sencillo: siempre tiene prioridad la pista que está más arriba. Será la única que se verá. Las que queden por debajo estarán ocultas, salvo que se modifiquen transparencias o escalas de los clips de pistas superiores. Si no está creada una pista de vídeo superior, Resolve lo hará (figura 4.15).

El siguiente también lo has visto antes: Añadir al final. Uno de mis preferidos, porque no importa dónde se encuentre el cabezal de reproducción de la línea de tiempo, siempre lo añade al final.

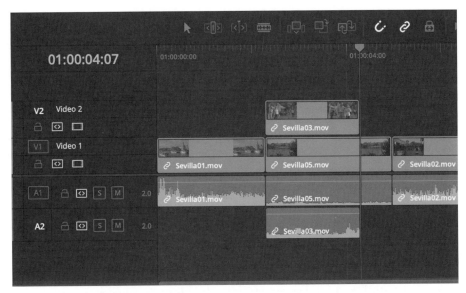

Figura 4.15. Superponiendo un clip a las pistas 2 de vídeo y audio.

Por último, Sobrescribir y propagar lo que hace es sustituir completamente el clip de la línea de tiempo y la edición se adapta a la nueva duración. Si el nuevo clip dura menos, la edición se acorta; y si, por el contrario, dura más, el montaje se alarga.

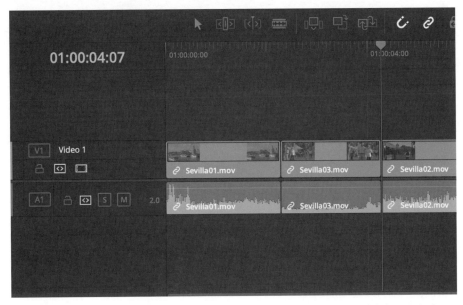

Figura 4.16. Al sobrescribir y propagar sí se tiene en cuenta la duración del clip original y sustituye a la que había en la línea de tiempo.

Puedes usar cualquiera de los modos anteriores y elegir entre añadir solo vídeo o audio. Para eso, en vez de arrastrar desde el centro de la imagen, hazlo desde uno de los dos iconos que se muestran en la parte inferior del visor izquierdo.

Con esto, ya hemos terminado con los nuevos modos de edición, no sin antes recordar que siempre tienes la posibilidad de usarlos desde el menú Edición o con sus respectivos atajos de teclado que también se visualizan desde el mismo menú.

Herramientas de la línea de tiempo

Observa la parte superior de la línea de tiempo. Como se aprecia a simple vista, ofrece muchas más herramientas de las que habías usado anteriormente. Esto es así porque, dependiendo del proyecto que abordemos, a veces se hace necesario el uso de herramientas más específicas. Echemos un vistazo a cada una de las partes para conocer su funcionalidad.

Figura 4.17. Herramientas de la parte superior de la línea de tiempo.

A diferencia de la línea de tiempo dual con la que trabajamos en anteriores proyectos, ahora te encuentras con una única línea de tiempo pero mucho más personalizable en sus vistas. Puede que te resulte más cómodo ver las pistas de audio con mayor tamaño y su gráfica de onda, o quizás ver los clips de vídeo como fotogramas consecutivos. En resumen, es posible elegir cómo visualizar la línea de tiempo. A la derecha de las herramientas, tienes el icono de Vista de línea de tiempo.

Figura 4.18. Vista de línea de tiempo.

Cuando haces clic en el icono te aparece una ventana emergente para personalizar la apariencia de la línea de tiempo. Cuentas con las siguientes opciones:

- **Vista de línea de tiempo:** permite escoger si se muestran o no determinados elementos de la interfaz como múltiples líneas de tiempo, subtítulos o forma de audio.

- **Vista de vídeo:** cambia la apariencia de las pistas de vídeo para mostrarlas como una tira de película, como miniaturas o de forma simple.

- **Vista de audio:** si has seleccionado previamente ver la forma de audio, puedes decidir cómo se representará en la línea de tiempo: centrada, completa o con un borde negro para visualizarla mejor.

- **Altura de pista:** sirve para tener de forma independiente la altura de las pistas de audio o de vídeo.

Figura 4.19. Ventana de ajuste de la vista de la línea de tiempo.

Justo a la derecha de este icono se halla el deslizador para aumentar o disminuir el tamaño de la línea de tiempo y tener una visión global de todo lo editado o, por el contrario, ampliar a una parte concreta de algún clip. Puedes hacerlo mediante el deslizador o mediante los iconos + y -.

Figura 4.20. Herramienta para aumentar o disminuir el tamaño de la línea de tiempo.

Figura 4.21. Controles de audio.

Continuamos con más herramientas. Fíjate en la parte superior izquierda de la línea de tiempo. De forma predeterminada se localiza la herramienta de selección, representada por el cursor con forma de flecha. Es el modo habitual de moverse por la interfaz para seleccionar, hacer clic, arrastrar o realizar las funciones más comunes. A su derecha se hallan tres herramientas con las que se trabaja de manera puntual pero igualmente necesarias. Veámoslas todas:

- **Selección:** se emplea para trabajar de forma predeterminada en la pestaña. La tecla A es su acceso directo.

- **Recorte:** sirve para entrar en el modo de ajuste fino entre los clips. ¿Recuerdas el modo Rollo, Rizo y Desplazar? Pues eso, con el atajo de teclado T entras en ese modo.

- **Recorte dinámico:** es una herramienta muy interesante ya que combina el modo de recorte entre clips con las teclas de reproducción J, K y L. Usa la tecla W para acceder.
- **Corte:** imagina que tienes una cuchilla como herramienta. Al hacer clic sobre un clip, lo que consigues es crear un corte de edición y «aislarlo» en distintas partes. Su acceso directo es la tecla B.

Figura 4.22. Herramientas de selección y recorte.

El siguiente bloque de herramientas es el de los modos de edición más habituales que ya hemos visto: Insertar, Sobrescribir y Reemplazar. Las teclas F9, F10 y F11 son respectivamente sus atajos de teclado.

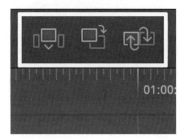

Figura 4.23. Modos de edición básicos en las herramientas de la línea de tiempo.

Pasemos al siguiente bloque. Cuando te mueves con el cabezal de reproducción por la línea de tiempo no se tiene mucha precisión para posicionarlo justo en una unión de clips o corte de edición. Para hacerlo más rápido y preciso se utiliza la herramienta Atraer cabezal (tecla N para el atajo de teclado) representada por un icono de imán. Haz una prueba y muévete por la línea de tiempo activando-desactivando la herramienta. Cuando está activada, el cabezal se pega a los cortes de edición como si de un imán se tratara.

El siguiente icono a su derecha es un eslabón de una cadena. Es la herramienta Vincular audio y vídeo. Cuando metiste los clips en la línea de tiempo has visto que se ha creado un clip para el vídeo (color azul) y otro para el audio (color verde).

Si mueves uno, también se mueve el otro. El audio y el vídeo están sincronizados. En ocasiones puede que te resulte necesario desvincular ambos y tratar de forma independiente cada uno de ellos. Para eso se usa esta herramienta. Si los clips de audio y de vídeo están sincronizados de origen —como en este caso— y los desvinculas para moverlos a distintas partes de la línea de tiempo, Resolve te mostrará cuántos fotogramas con falta de sincronización hay entre ellos.

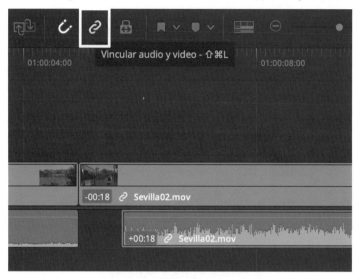

Figura 4.24. Cuando en la línea de tiempo se desvincula y se desplaza una de las pistas de audio o vídeo en un clip original, se produce una desincronización. Resolve indica en color rojo los fotogramas desplazados.

Esta herramienta también es válida para lo inverso, es decir, para hacer que un clip —o varios— de audio y vídeo que no están vinculados en origen se puedan vincular para tratarlos como un clip único. Tan solo seleccionas (con un lazo o haciendo clic con la tecla Ctrl o Cmd) y pulsas el icono. Como siempre, cuando está activo, es de color blanco; y cuando está desactivado, de color gris.

Cuando tenemos un montaje casi terminado, a falta tan solo de algunos retoques finales, se hace necesario asegurarnos de que no se va a mover ningún clip en la línea de tiempo. Cualquier descuido podría suponer un trabajo tedioso para volver a recomponer todo tal y como estaba. Para evitar esto, tienes el icono de Bloquear. Como su propio nombre indica, lo que hace es evitar que todas las pistas de audio y vídeo se muevan libremente por la línea de tiempo, tanto en horizontal como en vertical. Un icono de candado cerrado aparece también al inicio de cada pista para indicarnos que está activo. Aunque tengas el bloqueo de pistas activado, es posible afinar la edición con las herramientas de recorte, eso sí.

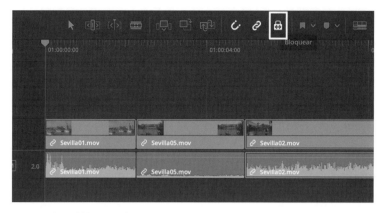

Figura 4.25. Al bloquear las pistas evitas que puedan moverse accidentalmente.

Por último, y para terminar con las herramientas de la línea de tiempo, tenemos los señaladores y los marcadores. Ambos identifican mediante colores un determinado clip, con la diferencia de que el señalador es para todo el clip y el marcador es para un determinado fotograma. Para incluirlo en un clip basta con seleccionarlo previamente y escoger cualquiera de las dos opciones. Si no hay ningún clip seleccionado, el marcador (no el señalador) se pone donde esté situado el cabezal de reproducción en la línea de tiempo.

El uso de marcadores es muy habitual en edición. Su atajo es la tecla M. Una vez incluido en el clip o en la línea de tiempo, es posible acceder a los ajustes del señalador y del marcador haciendo doble clic sobre él.

Figura 4.26. Anotaciones en un marcador de un clip original.

Pistas de la línea de tiempo

Hasta ahora se ha trabajado poco con las pistas de la línea de tiempo, ya que básicamente solo has usado una única pista. Es el momento de ver las posibilidades disponibles para trabajar con ellas y personalizarlas.

Fíjate en la parte izquierda de las pistas. El inicio de pista contiene diferentes controles para seleccionar, bloquear y habilitar las pistas.

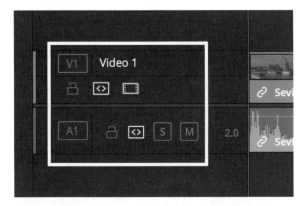

Figura 4.27. Controles en las pistas de la línea de tiempo.

Para añadir una nueva pista solo tienes que elegir Agregar pista desde el menú contextual (clic con el botón derecho del ratón) en el inicio de pista, justo debajo del código de tiempo. Si quieres cambiar el color de una pista ya creada, usa también el menú contextual y selecciona Cambiar color de pista.

Veamos ahora los controles:

- **Número de pista:** aparece bordeada en color rojo cuando la pista está seleccionada para la edición, en color blanco cuando no está seleccionada —porque se ha seleccionado otra pista— y en gris cuando está seleccionada pero no activa para la edición. Es una forma de tener el control de cada una de las pistas cuando usas cualquier modo de edición. Por ejemplo, quieres incluir un nuevo clip en la pista de vídeo 3 y de audio 5, pues asegúrate de que las tienes seleccionadas de color rojo en sus números de pista.

- **Nombre de pista:** de forma predeterminada tiene el mismo nombre que el número de pista (V1, A1, V2, etcétera), pero es posible renombrarlo a tu gusto haciendo clic y escribiendo el nuevo nombre. Yo suelo identificar las pistas con nombres personalizados como músicas, ambientes, recursos o cualquier otro nombre que ayude a identificarlas con facilidad.

- **Bloqueo de pista:** se muestra como un icono de color blanco cuando está activado el bloqueo y gris cuando está desactivado. Con una pista bloqueada es imposible modificar nada sobre ella. La pista aparece en color gris y con entramado. No debe confundirse con el bloqueo de pistas de la línea de tiempo que vimos anteriormente que solo bloqueaba el desplazamiento de los clips, pero se podía ajustar. El icono del candado es ligeramente diferente en cada uno de los casos.

- **Selección automática:** está activado de forma predeterminada. En color blanco cuando está activado; y gris desactivado. Las pistas que están activas con esta función se ven afectadas en la edición por el rango de entrada-salida de la línea de tiempo o por la posición del cabezal de reproducción.

- **Habilitar pista:** permite visualizar, o no, una pista de vídeo en la línea de tiempo. Si se deshabilita la pista de vídeo, aparece el icono en rojo cruzado por una línea diagonal. Todos los clips de esa pista se mostrarán de color gris y no se verán en el visor. Para las pistas de audio se correspondería con enmudecerlas —dejar de oírlas— y se localiza en el icono cuadrado con la letra M. Y ya que hablamos de las pistas de audio, hay una función (que se localiza a la izquierda) llamada Solo que es contraria a la anterior. Si la activas pulsando el icono con la letra S, se anulan todas las pistas menos la que está activada.

Como sé que has entendido todas las funciones, pero te has quedado pillado con la selección automática de las pistas, lo vemos con un ejemplo que entenderás rápidamente.

- A partir de los tres clips que ya tienes en la línea de tiempo, crea una nueva pista de vídeo y otra de audio.
- Selecciona el número de las pistas 2 —las recién creadas— tanto de audio como de vídeo.
- Ahora desactiva la selección automática de las pistas 1.
- Sitúa el cabezal de reproducción sobre la mitad del segundo clip de la línea de tiempo.
- Marca un clip (con un par de segundos para que lo veas más claro) del Panel multimedia y con el modo Insertar añádelo a la línea de tiempo.
- Observa en la figura 4.28 cómo se ha insertado el nuevo clip. Las pistas 1 de vídeo y audio no se han modificado. No les afecta la inserción.

Figura 4.28. Las pistas 1 de vídeo y audio tienen desactivada la selección automática y, por lo tanto, no se ven afectadas por la inserción del nuevo clip en la pista 2.

- Recupera el paso inicial con el atajo de teclado Cmd-Z (Ctrl-Z en Windows) para deshacer la última acción.

NOTA:

Puedes ver un amplio historial para hacer-deshacer acciones en el menú Edición.

- Ahora activa también la selección automática en la pista de vídeo 1. Fíjate en lo que ocurre. Es muy parecido al paso anterior, pero con la diferencia de que a la pista de vídeo 1 también le afecta la inserción y ha dejado un hueco en su pista para «empujar» lo que había a continuación. Observa en la figura 4.29 cómo el audio 1 del último clip de la línea de tiempo no se ha visto afectado y, por lo tanto, se ha desincronizado con el de vídeo que sí se ha desplazado.

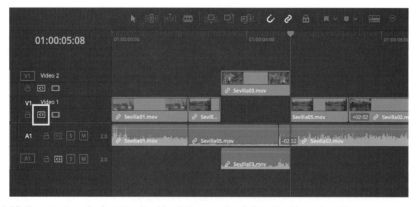

Figura 4.29. En este ejemplo, la pista de vídeo 1 tiene activada la selección automática y, por consiguiente, crea un hueco y desplaza parte del clip en el inserto. La pista 1 de audio no se ve afectada y, por consiguiente, se desincroniza.

Más ventanas de la pestaña Edición

Además del Panel multimedia para ver los clips importados y que ya has usado antes, también cuentas con la opción de activar la visualización de más ventanas dependiendo de las necesidades a la hora de editar. A medida que activas ventanas, la interfaz se va modificando para mostrar, u ocultar, otras ventanas en función de la resolución del monitor (o monitores) con que trabajes.

El Inspector

Una de las ventanas más versátiles de la pestaña Edición es el Inspector. Este personaliza los parámetros de composición, recorte, escala, así como la modificación de los efectos incluidos en la línea de tiempo. Pulsa el icono Inspector de la parte superior derecha de la interfaz. Se te abre la nueva ventana en la parte derecha con los parámetros de cada clip. Como comentaba antes, hay que tener en cuenta que, si la resolución del monitor no es suficiente para mostrar los dos visores junto al Inspector, el visor de los clips originales quedará oculto.

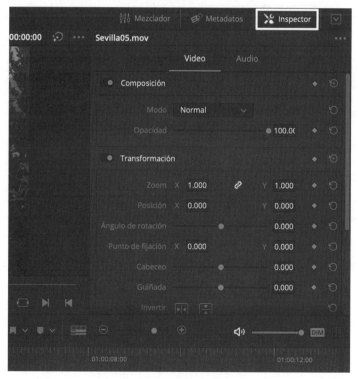

Figura 4.30. El Inspector.

En función del clip o efecto que se seleccione en la línea de tiempo, la ventana se adaptará para mostrar distintos parámetros y pestañas. Por ejemplo, si seleccionas un clip que contiene vídeo y audio, sus ajustes respectivos independientes se hallarán en la parte superior.

Trabajemos con algo práctico para entenderlo mejor. Sobre los tres clips que ya tienes en la pista 1 de la línea de tiempo, añade un nuevo clip en la pista de vídeo 2. Recuerda que el modo Superponer es el idóneo para este caso. Coloca el cabezal de reproducción sobre el nuevo clip incorporado al montaje y observa la ventana con sus parámetros. Tienes una pestaña para los ajustes de vídeo y otra para los de audio.

Figura 4.31. Pestañas de Vídeo y Audio en el Inspector.

Cambiemos ahora el tamaño de ese clip. Reduce el valor del campo Zoom hasta 0.500 aproximadamente. El valor de x e Y está vinculado (observa la cadena que hay entre los dos), por lo que cuando cambias uno se modifica el otro en igual medida. Como se aprecia, el tamaño del clip ha disminuido y ahora se ve el clip que estaba justo debajo.

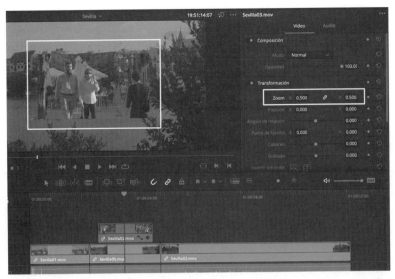

Figura 4.32. Reduciendo el tamaño de la imagen de la pista 2 de vídeo, se verá parte de la pista 1.

Modifica ahora la posición del clip en sus respectivos ejes. Al igual que estos dos parámetros que tienes en el campo Transformación y que ya has cambiado, es posible escoger una gran variedad de ajustes del clip que también puedes alterar. El último icono de la derecha de cada parámetro restablece los ajustes predeterminados.

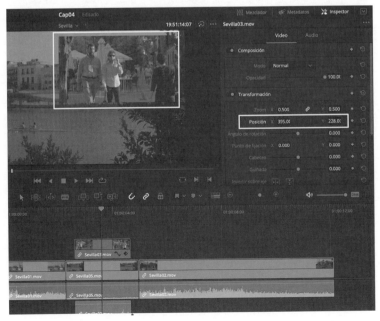

Figura 4.33. Modificando la posición del clip de la pista 2 de vídeo.

Metadatos

La ventana Metadatos es idéntica a la que se localiza en la pestaña Medios. Al seleccionar un clip, la cabecera de la ventana ofrecerá la información fundamental además de datos complementarios que puedes escoger desde el último icono de la derecha.

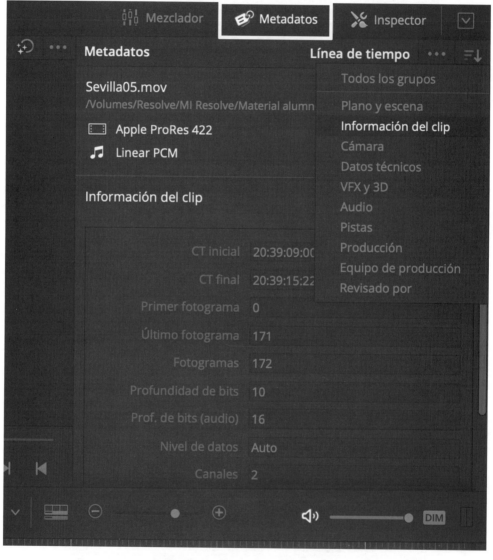

Figura 4.34. La ventana de Metadatos.

Adicionalmente a los metadatos originales grabados en cámara, también puedes incluir más datos en edición y así personalizar la información de cada clip.

Biblioteca de efectos

Cuando quieras introducir transiciones, filtros o efectos de audio en el montaje, pulsa el icono de Biblioteca de efectos y un listado ordenado por categorías se desplegará en la nueva ventana abierta. El procedimiento es idéntico al que ya usaste anteriormente: arrastrar el efecto hasta el clip o la transición hasta un corte de edición. Una vez incorporado el efecto, ya podrás modificar sus parámetros desde la ventana del Inspector.

Figura 4.35. La Biblioteca de efectos.

Recuerda que es posible hacer un corte de edición para aislar una parte de un clip y añadirle un efecto mediante la herramienta Corte (el icono con forma de cuchilla).

Mezclador

Cada pista de audio de la línea de tiempo se corresponde con un canal de audio independiente. Pulsa el icono Mezclador y se mostrará una ventana en la parte inferior izquierda de la interfaz con deslizadores para ajustar los niveles y medidores de audio para cada pista, junto a un canal maestro que regula el nivel general de todas las pistas.

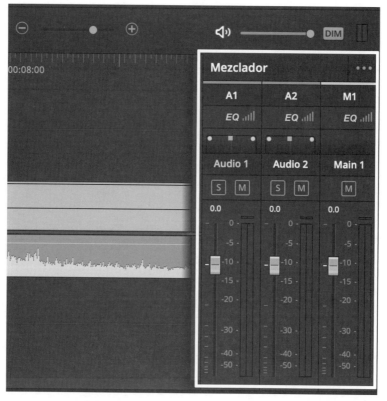

Figura 4.36. El Mezclador de audio activado aparece a la derecha de la línea de tiempo.

Registro

Esta es otra de mis ventanas preferidas para editar, ya que permite un control rápido y preciso de cada elemento que tengas en el montaje. Haz clic en Registro y te aparecerá la ventana a la izquierda de la línea de tiempo. Observa que te muestra en modo de lista todos los clips del montaje, con información en columnas que puedes personalizar. Desde el menú contextual sobre las columnas es posible escoger cómo quedan distribuidas.

De forma predeterminada, no se aplica ningún filtro, pero existe la posibilidad de seleccionar lo que interesa ver en la ventana desde el menú superior derecho.

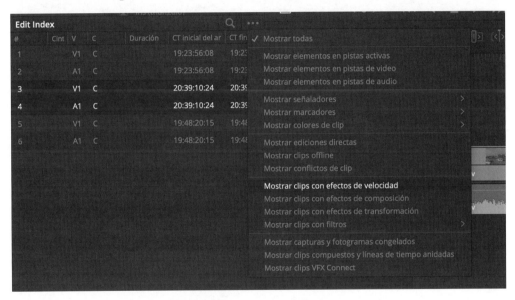

Figura 4.37. La ventana de Registro.

Haciendo clic sobre cualquier elemento de la lista, el cabezal de reproducción de la línea de tiempo se posicionará instantáneamente en ese punto.

Biblioteca de sonidos

Piensa por un momento lo operativo que resulta que por cada directorio con músicas o efectos sonoros que tengamos en un disco, o en red, puedas crear una base de datos y localizar rápidamente cualquier archivo mediante el buscador. Eso es lo que hace la ventana Biblioteca de sonidos.

Desde el menú superior derecho puedes agregar un directorio para añadirlo a una base de datos. Una vez seleccionado el directorio, Resolve lo incluye en la base de datos (de forma predeterminada en la misma donde se crean los proyectos) y ya puedes localizar cualquier archivo por su nombre o descripción. Una vez encontrado el archivo, es posible usarlo en la edición arrastrándolo hasta la línea de tiempo. Simple y efectivo.

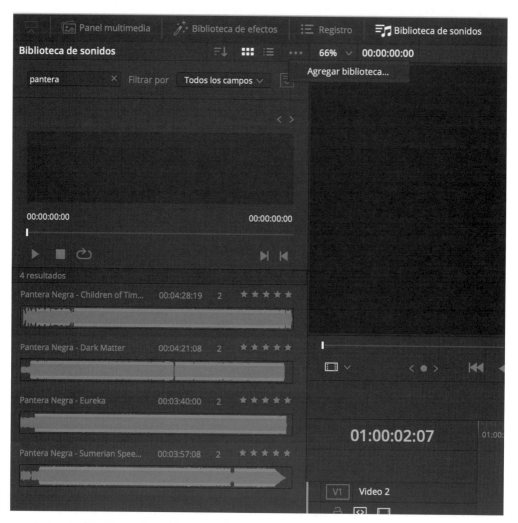

Figura 4.38. Biblioteca de sonidos con archivos de audio localizados por un criterio de búsqueda.

5

Editor nivel experto

En este capítulo aprenderás a:

- Cambiar la velocidad de un clip.
- Utilizar zoom dinámico a un clip.
- Aplicar fotogramas clave.
- Renderizar un efecto.
- Editar en multicámara.

¿Qué tal si profundizamos y nos convertimos en un editor experto? No es que vayas a montar una película de Hollywood —no es la idea—, pero sí conocer de primera mano las situaciones más frecuentes con las que se encuentran los profesionales a la hora de editar. Y además lo aprenderás de manera práctica, como siempre.

Rutinas tan habituales como cambiar la velocidad de un clip, crear movimiento o editar la multicámara que ya habías sincronizado anteriormente, serán a las que te enfrentarás en este capítulo.

Empieza con un nuevo proyecto, dale el nombre del capítulo, importa los cinco clips de la carpeta Sevilla y crea una línea de tiempo. Vamos, lo que has estado haciendo anteriormente.

Cambios de velocidad y curvas

Comenzamos a saco. Llévate a la línea de tiempo el clip Sevilla02. No es necesario que marques puntos de entrada-salida, puedes poner todo el clip completo.

Ahora imagina que quieres modificar el movimiento interno del plano (el del tranvía y la gente de la calle) y cambiar su velocidad. La manera más rápida de hacerlo es mediante su atajo de teclado. Selecciona el clip y pulsa la tecla R. Te aparecerá una ventana con los ajustes para cambiar la velocidad del clip. Es posible usar también el menú contextual y seleccionar Cambiar velocidad... (figura 5.1).

En el cuadro de velocidad, que tiene valor 100 (indica que es velocidad normal), pon 50. El clip se reproducirá a la mitad, en otras palabras, irá a cámara lenta. Pulsa Aceptar y observa lo que pasa cuando reproduces el clip. Si has prestado atención, te habrás dado cuenta de que la duración del clip en la línea de tiempo es la misma, aunque la velocidad se haya modificado. Eso significa que se ha cambiado la velocidad solo a una parte del clip, para evitar que al ponerlo en cámara lenta la duración total en la línea de tiempo sea el doble. Abre de nuevo la ventana de ajustes de velocidad y marca ahora la casilla Propagar secuencia (el término propagar de la traducción es un poco confuso, lo sé. Con el verbo extender creo que se hubiese entendido mejor). Vea la figura 5.2.

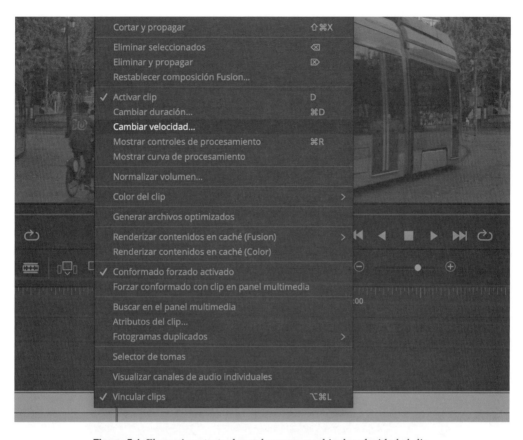

Figura 5.1. El menú contextual para hacer un cambio de velocidad al clip.

Figura 5.2. Ventana de ajustes de velocidad.

Ahora la duración del clip en la secuencia es el doble. Esto tienes que considerarlo cuando tengas más clips en la línea de tiempo y si te interesa, o no, conservar la duración original del montaje.

Vuelve a dejar el clip con su velocidad normal mediante el maravilloso atajo de teclado Cmd-Z (Ctrl-Z en Windows) o volviendo a sacar la ventana de ajustes de cambio de velocidad, como quieras.

Lo siguiente que harás es modificar la velocidad del clip, pero interactuando con él en la línea de tiempo. Haz clic con el botón derecho sobre el clip para sacar el menú contextual y elige Mostrar controles de procesamiento.

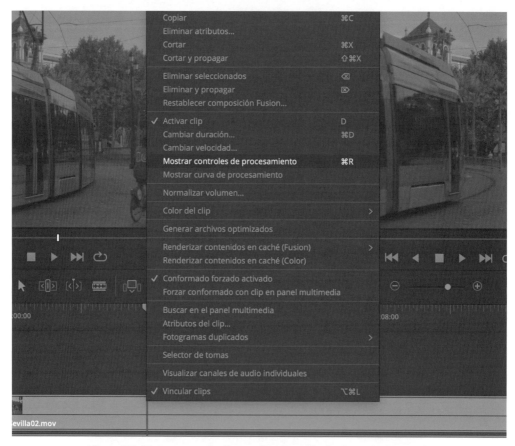

Figura 5.3. Mostrar controles de procesamiento desde el menú contextual.

No se ha modificado nada, pero la apariencia del clip en la línea de tiempo ha cambiado y es más ancha. En la parte superior aparece ahora la indicación de que se puede hacer un cambio de velocidad manual. Desde el extremo derecho del clip y en su parte superior, cuando te aparezca una flecha de doble sentido de color negro, haz clic y arrastra hacia la derecha o la izquierda. Si observas el porcentaje de velocidad del clip en la parte inferior central, verás que varía en función de cuánto arrastres y en qué sentido lo hagas. Hacia la derecha, el porcentaje disminuye y tendrás cámara lenta. Hacia la izquierda, aumenta y tendrás cámara rápida.

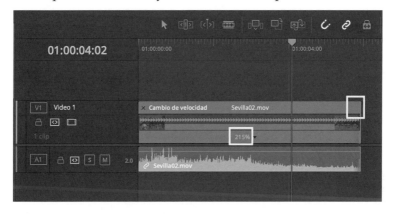

Figura 5.4. Modificando la velocidad del clip.

Hay otro indicativo del cambio de velocidad muy visual. Presta atención a la línea de flechas de color azul. Para cámara rápida las flechas están más unidas y, por el contrario, para cámara lenta las flechas se separan y cambian a color amarillo.

Continuamos con más formas de variar la velocidad de un clip. Despliega el menú del porcentaje de velocidad en la parte inferior del clip mediante un clic sobre la flecha de su derecha. Elige Restablecer a 100 %. Esta es otra forma de dejar el clip en su velocidad normal.

Figura 5.5. Restablecer la velocidad del clip a su velocidad normal.

Reproduce, de nuevo, el clip. Sería interesante, por ejemplo, que empezara con su velocidad normal, después se hiciera una cámara lenta y, por último, fuera a velocidad rápida. Distintas velocidades dentro de un mismo clip. Lo vemos.

- El inicio del clip vas a dejarlo con su velocidad normal.
- Posiciona el cabezal de reproducción justo cuando entra el chico de la mochila corriendo. Es aproximadamente un segundo después del inicio.
- Haz clic en el menú del porcentaje de velocidad de la parte inferior del clip.
- Elige Agregar punto de velocidad. Observa que se ha incluido una marca donde está el cabezal de reproducción. Ese será el inicio para la cámara lenta.
- Desplaza el cabezal de reproducción unos tres segundos hacia delante, justo antes de que aparezca el chico de la bicicleta.
- Añade otro punto de velocidad. Aquí finalizará la cámara lenta.
- Ahora, con los dos puntos de velocidad marcados, deberías tener troceado el clip en tres partes. Haz clic sobre el segundo porcentaje de velocidad y selecciona Cambiar velocidad>50 %.

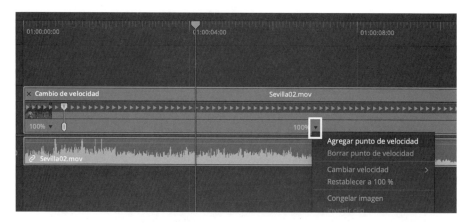

Figura 5.6. Agregar punto de velocidad.

Si reproduces el clip verás que, justo donde has marcado los puntos de cambios de velocidad, comienza y termina una cámara lenta. Para acelerar la parte final del clip, cambia el valor del último porcentaje a 400 %. Ya ves, sobre un mismo clip has modificado distintos valores de velocidad.

Figura 5.7. Modificar la velocidad del clip desde el menú.

Para terminar con los cambios de velocidad desde la ventana de ajustes, realiza otra de las funciones habituales de un editor: congelar un fotograma. Vamos, lo que viene siendo dejar la imagen parada durante cierto tiempo. Para ello:

- Añade el clip Sevilla03 a continuación del que tienes en la línea de tiempo. Tampoco es necesario que marques puntos de entrada-salida en el clip. Usa el modo de edición Añadir al final que es más rápido y no tiene en cuenta dónde está situado el cabezal.

- Ahora posiciónate, más o menos, donde se queda en la imagen el hombre hablando por teléfono. Está casi al final.

- Comprueba que está seleccionado el clip y pulsa la tecla R para que aparezca, de nuevo, la ventana de ajustes de velocidad.

- Activa la casilla Congelar imagen.

- Pulsa Aceptar.

Resolve ha marcado un corte de edición donde estaba el cabezal y ha dividido el clip en dos partes. El inicio se reproduce a velocidad normal y a partir del punto de corte se ha congelado la imagen. Puedes cambiar, si quieres, la duración del congelado arrastrando desde el extremo derecho del clip hacia la izquierda o la derecha.

Figura 5.8. Desde la ventana de ajustes de velocidad se puede congelar un clip.

Además de realizar los cambios de velocidad manualmente o mediante menú, es posible variarlo gráficamente. Selecciona la primera parte del segundo clip, la que se reproduce a velocidad normal. Con el menú contextual, elige Mostrar curvas de procesamiento. En la parte inferior del clip se ha abierto una gráfica que muestra una línea diagonal ascendente. Es un tipo de gráfico que se encuentra en muchos programas de posproducción. El eje vertical representa cada fotograma en el clip de origen y el horizontal en la línea de tiempo. La diagonal indica que hay una correspondencia progresiva entre cada fotograma del original y de la línea de tiempo, por lo que su velocidad es normal o del 100 %.

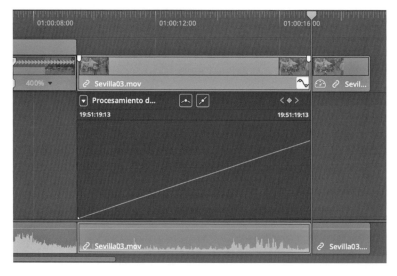

Figura 5.9. Curva de velocidad normal, sin modificar, de un clip.

Ahora, con el mismo procedimiento, visualiza la gráfica del primer clip, el que tenía varios cambios de velocidad. Fíjate en que la línea diagonal contiene los dos puntos de velocidad que marcaste anteriormente. Siempre que el punto de la izquierda sea más bajo que el de la derecha, el movimiento del clip es hacia delante. Con segmentos más cortos y empinados se crean movimientos más rápidos en el clip y, al contrario, se crean velocidades más lentas.

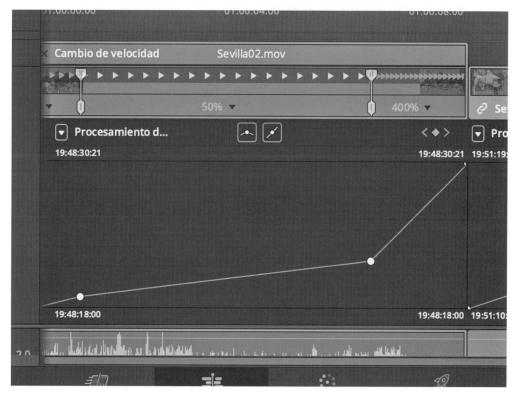

Figura 5.10. Los cambios de velocidad de un clip desde la gráfica de curvas.

Este tipo de gráfica posibilita un mayor control sobre la velocidad de un clip. La que tienes ahora está compuesta por varios segmentos de línea recta unidos por sus puntos de velocidad. Si prestas atención a cómo son los cambios dentro de este clip, te darás cuenta de que no son progresivos, es decir, que pasa de una velocidad lenta a una rápida sin pasos intermedios.

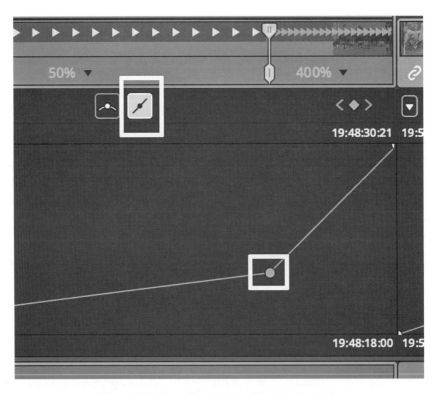

Figura 5.11. Punto lineal en la gráfica de velocidad.

Es posible modificar los puntos para que el cambio entre una velocidad y otra sea gradual. Aquí entran en juego las denominadas curvas de Bézier. Haz clic sobre cualquiera de los dos puntos de velocidad. Observa que ha cambiado a color rojo para indicar que está seleccionado y, lo más importante, de los dos iconos de la parte superior de la gráfica se ha activado el de la derecha.

El icono activado indica que el punto de velocidad es lineal. Si haces clic sobre el otro icono de la izquierda, aparecen sobre el punto dos pequeños tiradores que permiten transformar en curva lo que antes era la unión de dos rectas. Con ello conseguimos suavizar la transición en el punto de velocidad y que sea más progresiva. Haz clic sobre un tirador y arrástralo para alargarlo. De esa forma consigues transformar la línea recta en una curva de Bézier. Cuanto más arrastres, más suave será la curva (figura 5.12).

Haz la misma operación en el otro punto de velocidad y reproduce el clip. En este momento los cambios de velocidad son mucho más suaves que antes y se pasa progresivamente de un punto a otro.

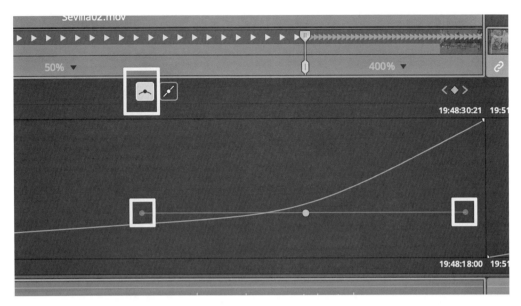

Figura 5.12. Curva de Bézier con sus tiradores en un punto de velocidad.

Zoom dinámico

Bueno, has modificado el movimiento interno del plano —acelerando, congelando o ralentizando— y, por consiguiente, alterado su velocidad. Ahora varía su movimiento externo, simulando el que se hubiese hecho en cámara durante la grabación. Resolve cuenta con una función específica para realizar el movimiento de zoom de cámara, se denomina Zoom dinámico. Lo vemos con otro ejemplo:

- Añade el clip de los piragüistas al final de la edición, detrás del plano congelado. Tampoco es necesario que marques puntos de edición, puedes poner todo el clip completo. Realiza un zoom para acercar la imagen a la piragua.

- A continuación, selecciona el clip desde la línea de tiempo y activa la ventana Inspector.

- Dentro de la pestaña de vídeo, localiza la opción de Zoom dinámico. De forma predeterminada es la única función que viene desactivada. Habilítala con un clic en el icono de interruptor a la izquierda del nombre.

- Ahora desde el visor de la línea de tiempo, en la parte inferior izquierda, haz clic en el icono de transformación y localiza el efecto Zoom dinámico para activar la visualización.

Figura 5.13. Configuración del Inspector y el visor para realizar un Zoom dinámico.

- Una vez activado, observa que aparecen dos rectángulos en el visor, uno verde y otro rojo. La zona de la imagen delimitada por los rectángulos será la de inicio (verde) y final (rojo) del efecto. Vas a pasar de un plano general a uno más corto de los deportistas. Por lo tanto, el rectángulo de inicio verde estará para el plano general y el rojo para centrarnos en la piragua.

- Haz doble clic desde el Inspector en el efecto Zoom dinámico para desplegar sus ajustes.

- Invierte la posición de los rectángulos con el botón Intercambiar del Inspector. Ahora el verde está en el exterior de la imagen para comenzar en un plano general. Está correcto.

- Posiciona el cabezal de reproducción de la línea de tiempo al final del clip.

- En el visor, haz clic y arrastra el rectángulo rojo desde su esquina superior derecha para reducir un poco el tamaño.

- Por último, desde el centro del rectángulo rojo, arrastra y céntralo sobre la piragua para que quede aproximadamente en el tercio inferior (figura 5.14).

Ya puedes reproducir el clip para ver el efecto creado. Para evitar la visualización de los ajustes del zoom cuando se detiene la reproducción, desactiva el icono del efecto mediante un clic sobre él en la parte inferior izquierda del visor. Recuerda que un icono en blanco indica activado; y en gris, desactivado.

Figura 5.14. Modificando el rectángulo rojo ajustas el final del Zoom dinámico.

Desde el Inspector tienes un ajuste de velocidad del efecto por si prefieres que sea lineal o tenga aceleraciones de velocidad en el inicio y final del movimiento. Prueba con los distintos ajustes y elige el que estimes más apropiado.

Uso de fotogramas clave

Consultar a un profesional de la posproducción si en su trabajo maneja fotogramas clave (*keyframes*) es como si le preguntas a un panadero si ha usado alguna vez harina. Forma parte de la faena diaria. Cuando manipulas cualquier parámetro de un clip, ya sea de vídeo o audio, tienes la posibilidad de guardar esos ajustes.

La utilización de efectos o animaciones en el campo de la posproducción con programas de edición de vídeo, masterización de audio, composición de efectos visuales o corrección de color requiere el uso cotidiano de fotogramas clave cada vez que se manipula un elemento multimedia.

Veamos dos métodos diferentes de trabajar con fotogramas clave: desde la línea de tiempo y desde el Inspector.

Fotogramas clave desde la línea de tiempo

Cuando has trabajado con las curvas de velocidad te habrás dado cuenta de que visualmente es muy fácil manipular parámetros que de forma numérica resultaría mucho más complicado. Es por eso por lo que personalizar las vistas de los clips de la línea de tiempo, según nuestras necesidades, es fundamental a la hora de obtener rapidez y operatividad con un proyecto. Por ejemplo, puede resultar mucho más sencillo manipular los niveles de audio desde la misma onda de la línea de tiempo que desde otro sitio.

Sitúate sobre el segundo clip de la línea de tiempo, el de la gente caminando por la calle. Reproduce el clip para escuchar el audio de ambiente. Vas a interactuar directamente sobre la onda para ajustar distintos niveles de audio. Para ello, desde el icono de Vista de la línea de tiempo:

- Comprueba que tienes activado Formas de onda.
- En la Vista de audio, activa Onda completa.
- Por último, aumenta la Altura de pista de Audio con el deslizador hasta que tengas una buena visualización de la onda de audio en tu monitor.

Figura 5.15. Ajustes para una buena visualización del audio en la línea de tiempo.

Amplía la vista del clip y observa que en la representación de la onda de audio tienes una delgada línea horizontal. Si te acercas con el cursor, te darás cuenta de que el icono pasa de ser una flecha negra —la herramienta de selección que tienes normalmente— a dos flechas verticales blancas de direcciones opuestas. Este icono sirve para ajustar el nivel de audio de todo el clip desde la misma línea de tiempo. Haz la prueba. Arrastra suavemente la línea hacia abajo o arriba y presta atención a cómo cambia a tiempo real la onda de audio. Además, te indica numéricamente el valor que estás modificando. Déjalo, aproximadamente, sobre 5 dB.

Figura 5.16. La línea de nivel de audio de un clip.

De esta forma es posible ajustar los niveles de todos los clips que tengas en la línea de tiempo y es probable que te resulte más cómodo incluso que hacerlo desde el mezclador de audio. Es cuestión de gustos. Sin embargo, con este método el nivel de audio del clip sigue siendo constante. Más bajo o alto, pero constante. ¿Qué tal si hacemos como con los cambios de velocidad y modificas distintos niveles de audio dentro del mismo clip? Para eso tenemos que añadir fotogramas clave en el audio. Veamos cómo se hace:

- Con la tecla Alt presionada haz clic en la línea del nivel de audio casi en la parte final del clip, donde los niveles son más elevados. Fíjate en que se ha insertado un círculo blanco. Indica que se ha marcado un fotograma clave.

- Marca otros tres fotogramas clave más adelante con el mismo método y aproximadamente con la misma distancia entre ellos (figura 5.17).

- Has marcado cuatro fotogramas clave, pero no se ha modificado ningún valor de ellos. Haz clic sobre el segundo —se pondrá en color rojo para indicar que está seleccionado— y baja suavemente su nivel. Haz lo mismo con el tercer fotograma clave.

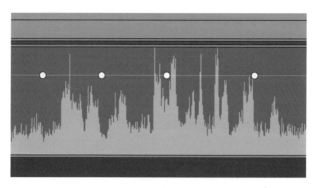

Figura 5.17. Fotogramas clave en la pista de audio.

Has hecho una bajada de nivel de audio en el segundo fotograma clave, se ha mantenido bajo en el tercero y vuelve a subir a su nivel inicial en el cuarto. Puedes incluso tener mayor control gráficamente con los fotogramas clave haciendo uso de las curvas de Bézier. Recuerda que ya las empleaste para los cambios de velocidad. Haz clic en el icono inferior derecho del clip de audio. Se desplegará una ventana, justo debajo, donde seguirás teniendo los cuatro fotogramas clave, pero ahora con la posibilidad de modificar la bajada lineal por una curva. En la parte superior de la nueva ventana puedes seleccionar el tipo de ajuste (Bézier solo a la derecha, a ambos lados, a la izquierda y lineal). Solo es cuestión de seleccionar el fotograma clave, el tipo de curva y arrastrar los tiradores. Observa la figura 5.18 y aprecia cómo se ha suavizado la bajada de nivel usando las curvas.

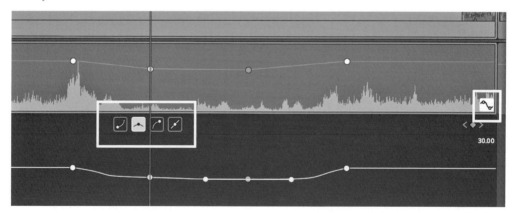

Figura 5.18. El nivel de audio se puede suavizar con curvas de Bézier.

Para suavizar las entradas y salidas de audio de un clip no es necesario marcar fotogramas clave porque de forma predeterminada tienes acceso desde la misma línea de tiempo. Observa que, cuando te sitúas sobre uno, aparece en los extremos del audio una pestaña de color blanco. Si te posicionas sobre el icono y lo arrastras hacia el interior del clip, obtendrás un suavizado —de entrada o de salida— del nivel.

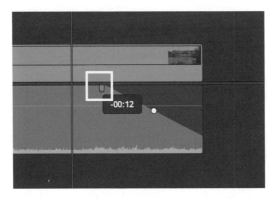

Figura 5.19. Arrastrar el tirador permite suavizar los niveles de entrada-salida de audio.

TRUCO:

La misma operación puedes hacerla con el vídeo y conseguir fundidos de entrada y salida de negro.

Fotogramas clave en el Inspector

¿Recuerdas, cuando vimos por primera vez el Inspector, que modificaste los datos de posición y tamaño del clip? Pues imagina que ahora necesitas que esos parámetros varíen a lo largo de tiempo: que tengan un valor, por ejemplo, cuando comienza el clip y otro diferente cuando termina. Eso se realiza mediante fotogramas clave. Al lío con el ejemplo práctico que lo entenderás mucho mejor:

- Localiza el clip Sevilla01 y añádelo al final de la línea de tiempo. Al igual que con los anteriores clips, no es necesario que marques puntos de entrada-salida, usa todo el clip completo.

- A continuación, carga en el visor izquierdo el clip Sevilla04. Vas a poner este clip por encima del que acabas de meter en la secuencia, pero lo haremos de manera diferente. Pon el cabezal al inicio del clip y no marques ningún punto de edición en el visor izquierdo.

- Ahora, en la línea de tiempo, marca entrada-salida al inicio y final del clip del río. Atento, porque estamos marcando los puntos de edición en la línea de tiempo en vez de en el visor del clip original. Aprecia cómo la región situada entre los puntos de entrada-salida queda resaltada en la línea de tiempo.

Figura 5.20. Puntos de entrada-salida en la línea de tiempo.

- El siguiente paso es arrastrar la imagen desde el visor izquierdo al derecho y seleccionar Superponer. Observa lo que ha pasado. Se ha incorporado el nuevo clip por encima, en la pista 2 que ha creado Resolve, y su duración es idéntica a la del clip inferior. Eso es así porque has limitado la duración del clip añadido con los puntos de edición que habías marcado en la línea de tiempo. Ya has visto la utilidad que puede tener marcar puntos de entrada-salida en la edición.

Ahora tienes los dos clips en el montaje, pero solo es posible ver el de arriba porque siempre —recuerda— tiene prioridad la pista de vídeo superior. Lo que harás será modificar sus parámetros para que la escala (zoom) de la pista superior sea menor que la de abajo. Además, añadirás fotogramas clave para animar ese clip a través del tiempo.

- Selecciona el clip Sevilla04 de la línea de tiempo, pon el cabezal en su inicio y abre el Inspector.

- Reduce la visualización del visor a un 50 % para ver los márgenes exteriores.

- Desde el Inspector, dale valor 0.300 en el campo de Zoom. Será para los dos ejes, x e Y. Esto reducirá el tamaño del clip y dejará ver el de abajo.

- Introduce 300 en el recuadro Y de Posición. El clip se desplazará hacia la parte superior del visor.

- La posición en el eje x la pondrás mediante el desplazamiento manual del clip dentro del visor. Para eso, selecciona Transformación en el menú inferior izquierdo del visor y asegúrate de que queda activado de color blanco.

Figura 5.21. Ajustes para iniciar una animación desde el Inspector y el visor.

- Ahora, desde dentro del visor, arrastra el clip hacia la izquierda. El valor de x puede ser, aproximadamente, de -1300. Eso sacará al clip fuera del visor. Esa es la idea. La animación comenzará desde fuera. No te preocupes si el valor de Y se modifica al arrastrar, siempre podrás ponerlo numéricamente en el recuadro, mediante doble clic, una vez posicionado en X.

- Ya tienes el clip situado y es hora de guardar esos parámetros. Observa el icono con forma de rombo que tienes a la derecha del campo Y. Sirve para añadir fotogramas clave. Haz clic en el campo Zoom y Posición. Fíjate en que el icono se pone de color rojo. Indica que tienes activos fotogramas clave.

Figura 5.22. Añadir fotogramas clave desde el Inspector.

Una vez que están guardados los parámetros en el inicio del clip, el siguiente paso es añadir más fotogramas clave a lo largo de la línea de tiempo. Haremos una animación para que el clip salga de la parte izquierda de la imagen, permanezca unos segundos parado y más tarde vuelva a desaparecer por el mismo sitio. Empecemos con la animación:

- Observa el código de tiempo del visor de la parte superior derecha. Adelanta el cabezal un par de segundos. Aquí terminará el primer movimiento del clip.

- Arrastra hacia la derecha el clip que tienes fuera del visor. Mientras lo realizas, fíjate en el campo x de Posición y sitúalo, aproximadamente, sobre un valor de -600. Intenta no modificar el valor de Y. Si lo haces, recuerda que siempre cuentas con la opción de volver a teclearlo de nuevo en su campo mediante doble clic. Una línea punteada en el visor indica la trayectoria que tendrá el movimiento.

Figura 5.23. Desde el visor es posible modificar la posición del clip.

- Mira cómo al arrastrar el clip hacia la nueva posición se ha incluido un fotograma clave —color rojo en el icono— automáticamente en el valor de Posición. Esto es así, porque Resolve ha detectado que hay un cambio en ese parámetro. Observa que el icono del fotograma clave del campo del tamaño (Zoom) tiene color gris porque no se ha modificado nada. Fíjate en que a la izquierda del icono aparece ahora una flecha. Su utilidad es moverse entre fotogramas clave, hacia delante o detrás.

- Desplaza el cabezal, de nuevo, otro par de segundos hacia delante. Vuelve a hacer clic en el icono de fotogramas clave del campo Posición. Esto hará que permanezca unos segundos parado el clip.

- Para terminar la animación, sitúa el cabezal al final del clip en la línea de tiempo. A continuación, arrastra el clip desde el visor hacia la izquierda para, de nuevo, sacarlo fuera. Acuérdate de seguir sin modificar el valor de Y en su posición.

El mismo icono que inserta fotogramas clave también se emplea para eliminarlos, basta con posicionarse sobre uno creado y hacer clic sobre el icono para suprimirlo. Recuerda: en rojo tienes guardado un fotograma clave y en gris no hay ninguno.

Ya has terminado la animación. Listo. Desde el visor, desactiva el icono de Transformación de la parte inferior y encaja el tamaño de la imagen —parte superior izquierda— seleccionando Ajustar.

Prueba a reproducir en la línea de tiempo la animación creada. Es probable que no sea fluida. Dependerá del rendimiento del ordenador. No te preocupes si es así, enseguida veremos cómo solucionarlo.

Renderizar en caché

Si en el ejercicio anterior has comprobado que la reproducción va a saltos, es porque los recursos de los que dispone el ordenador —procesador, memoria RAM, unidad de almacenamiento o tarjeta gráfica— no son suficientes para que Resolve pueda enseñarlo. Tranquilo, que es algo muy común en los sistemas de posproducción. En la gran mayoría de las máquinas, cuando se crea un determinado efecto o una animación, no es posible verlo a tiempo real y se necesita aplicar lo que se denomina «render» para que el programa pueda mostrarlo con una reproducción fluida después de procesarlo.

Vamos a activar la renderización automática en caché para ver correctamente la animación que has creado.

En informática, la caché es un almacenamiento de datos para su uso con mayor rapidez cuando sea solicitado.

Localiza y activa el menú Reproducir>Renderizar en caché>Automático. Fíjate en cómo al activarlo ha aparecido una barra horizontal roja en la parte superior de la línea de tiempo, en el tramo donde tenías la animación creada con fotogramas clave. El programa está indicando que necesita procesar esa información y guardarla para después mostrarla a tiempo real.

Una vez activado, Resolve hace uso del denominado renderizado en segundo plano. Consiste en esperar un tiempo de inactividad en el programa —de forma predeterminada son cinco segundos— para comenzar el cálculo del render. En cada tramo procesado de la línea de tiempo, la barra roja cambia a color azul. Una vez realizado todo el render, ya es posible reproducir la línea de tiempo a velocidad normal y de manera fluida.

Si has activado la renderización automática en caché y no te aparece la línea roja indicando que necesita render, te doy la enhorabuena porque significa que el ordenador donde realizas el ejercicio es lo suficientemente potente como para mostrar a tiempo real la animación.

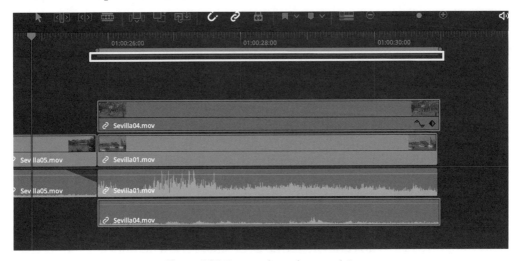

Figura 5.24. Proceso de render en caché.

Cada vez que se procesa el render en la caché se almacenan datos en la unidad de disco, por lo que a veces se hace necesario borrar esa información. Para ello, desde el menú Reproducir>Eliminar renderización en caché>Todo… puedes eliminar los datos y evitar un almacenamiento innecesario. Desde el mismo menú también es posible discriminar si quieres hacerlo con los clips sin utilizar o con los seleccionados.

Una ventana de advertencia te pedirá si estás seguro de borrar los datos del render en caché.

TRUCO:

Desactiva primero el render automático y luego haz el borrado. De esa forma evitas que una vez borrado se inicie de nuevo el cálculo del render.

Edición multicámara

No sé si recordarás que la edición multicámara la teníamos incompleta. La habías sincronizado desde la pestaña Medios, pero quedaba pendiente la edición. Mi compañero de trabajo, el realizador Manolo Correa, me cedió el material de grabación de un concierto del grupo Avíate. He esperado hasta ahora para finalizar la edición, fundamentalmente, porque te resultará más sencillo realizarlo conociendo a fondo las herramientas de edición. Sobre el mismo proyecto que ya tienes abierto con este capítulo, te refrescaré los pasos que ya has visto antes::

- Desde la pestaña Medios, localiza la carpeta Concierto multicam de los clips de ejemplo en el Explorador multimedia y, desde el menú contextual, selecciona Agregar carpetas y subcarpetas al Panel multimedia (crear bandejas).
- Ya tienes los clips del concierto en el Panel multimedia. Ahora selecciona todos —las seis cámaras y el audio masterizado— y con el menú contextual opta por Crear clip multicámara con clips seleccionados…
- Desde la nueva ventana abierta, en el campo Sincronizar ángulo, escoge Sonido y en el Nombre del ángulo indica Nombre del clip.
- Pulsa el botón Crear y deja que Resolve se encargue de sincronizarlo. Verás la barra de progreso mientras lo realiza.

Una vez finalizado el proceso, ya tienes el clip multicámara sincronizado en el Panel multimedia. Es posible verlo en el visor, pero recuerda que la reproducción irá más o menos fluida en función de la potencia del equipo. Ten en cuenta que intentas ver, de forma simultánea, seis clips sincronizados en alta definición y una pista de audio. Hasta aquí lo que tratamos en el anterior capítulo. Pasemos ahora a la pestaña Edición.

Asegúrate de que solo está activa la ventana Panel multimedia para tener acceso al clip multicámara y trabajar con los dos visores de la interfaz. Haz doble clic sobre el clip para cargarlo en el visor izquierdo y reprodúcelo.

Como aprecias, las duraciones de cada cámara y del audio son muy diferentes. La idea era hacer el ejercicio práctico de la sincronización en Resolve con distintas duraciones de los clips para poner a prueba el programa. Por lo tanto, tendrás que dar puntos de entrada-salida para cerciorarte de que el clip añadido a la línea de tiempo contenga todas las cámaras y no haya ninguna en negro.

Figura 5.25. Puntos de entrada-salida en un clip multicámara.

Realmente el trabajo de edición con un clip multicámara es como el de uno de vídeo, con una diferencia: siempre puedes seleccionar la cámara que te interesa ver en cada momento. Veamos el proceso:

- Sitúate en el inicio del clip y marca un punto de entrada cuando ya veas todas las cámaras en el visor. Reprodúcelo lentamente para afinar al máximo el punto de edición.

- Haz lo mismo con el punto de salida. Básicamente lo que interesa es incluir el estribillo completo de la canción, así que muévete casi al final y, antes de que se te vaya a negro alguna cámara, marca el punto de salida.

- Presta atención al visor izquierdo. Haz clic en el menú desplegable de su parte inferior izquierda y selecciona Multicámara. Las imágenes del visor permanecen idénticas, pero han cambiado los controles de la parte inferior.

- De los tres iconos centrales —vídeo, vídeo-audio, audio—, asegúrate de tener seleccionado el primero por la izquierda, el de vídeo. Esto es muy importante, indica que solo se hará multicámara en la pista de vídeo (figura 5.26).

- Vuelve a seleccionar en el menú desplegable la opción Original y carga de nuevo el clip en el visor. Es el momento de escoger qué cámara comenzará primero.

Figura 5.26. Modo multicámara en el visor y selección de solo pista de vídeo.

- Fíjate en las imágenes del visor. De forma predeterminada está seleccionado —color rojo— el audio. Ahora haz clic en la imagen de la cámara 1 y observa lo que ocurre. Para indicar lo que has elegido, se ha bordeado de color verde el audio y de azul el vídeo de la cámara 1 con el plano general. El vídeo del clip se editará y el audio permanecerá intacto. Ten en cuenta que la pista de audio tratada en posproducción en el estudio es la que nos interesa que tenga continuidad a lo largo del tiempo y no es necesario editarla.

- Crea una nueva línea de tiempo con el atajo Cmd-N (Ctrl-N en Windows) y nómbrala como Multicam.

- Añade el clip multicámara con el método Insertar o Sobrescribir; es indiferente porque no hay nada en la línea de tiempo.

Figura 5.27. Clip multicámara añadido a la línea de tiempo.

Ya tienes el clip multicámara en la línea de tiempo. Aparentemente es como un clip normal, pero no es así. Si le das a reproducir en la línea de tiempo, verás el audio del concierto sincronizado con una única cámara (la del plano general). Es el momento de elegir las distintas cámaras como si de un realizador se tratase.

Ahora viene lo más interesante:

- En el visor izquierdo, haz clic en el menú desplegable de su parte inferior izquierda y selecciona, de nuevo, Multicámara.
- Avanza y sitúa el cabezal unos segundos (tres, por ejemplo) en la línea de tiempo.
- Haz clic —comprueba que el icono es una cuchilla— en la imagen de la cámara 2 del visor izquierdo.
- Observa que se ha producido un corte de edición en la línea de tiempo y se ha cambiado la visualización de la cámara 1 por la 2. ¡Has empezado a editar la multicámara!
- Sigue el mismo procedimiento anterior para el resto del clip. Avanza y selecciona en el visor izquierdo la cámara que te parezca más interesante.

Una vez finalizada la selección de cámaras del concierto, dale a reproducir y mira si estás contento con el resultado. La ventaja que tiene este tipo de edición es que siempre puedes modificar la duración y el ángulo de cada cámara.

Si necesitas cambiar una cámara por otra, solo te sitúas con el cabezal de la línea de tiempo sobre esa parte, observas las imágenes en el visor y eliges la nueva cámara desde el menú contextual Cambiar ángulo de cámara.

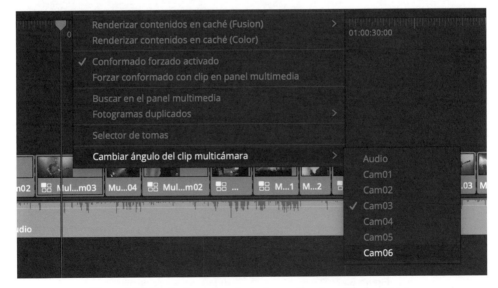

Figura 5.28. Desde el menú contextual se realiza el cambio de cámara.

Para modificar la duración de una cámara, te posicionas en la unión del corte de edición; cuando el icono de flecha se cambie por otro con dos corchetes y dos flechas —¿recuerdas el modo Rollo?—, arrastra hacia la derecha o izquierda dependiendo de lo que quieras cambiar.

TRUCO:

Para obtener una reproducción más fluida en la línea de tiempo una vez terminada la edición, quita Multicámara del menú del visor izquierdo y vuelve a ponerlo en Original.

Archivos de intercambio de edición

Hagamos otro ejercicio de memoria. ¿Recuerdas cuando un amigo hizo la edición de un concierto y te llamó para que le dieras un toque especial con el color? En aquel ejemplo, te dio lo editado como un único clip y tuviste que trocearlo con la herramienta de detección de escenas. Ahora, para este ejemplo, supón que quiere darte el montaje tal y como lo tiene en su programa de edición. La mala noticia es que no usa Resolve y que tampoco tienes el programa con el que lo editó. En resumen, necesitas tener el montaje exactamente igual que lo tiene tu amigo, pero en Resolve. Para eso se utilizan los ficheros de intercambio. Se trabaja en un determinado programa y, de forma paralela, otro profesional es capaz de continuar el proceso de posproducción con otro diferente. Este flujo de trabajo es muy frecuente en las grandes producciones, donde el producto audiovisual pasa por muchos departamentos (edición, sonido, efectos, color y acabado) hasta terminar en su distribución final.

Básicamente es un fichero que solo contiene datos sobre lo que se ha editado (nombre y orden de los clips en la línea de tiempo, códigos de tiempo, número de pistas, parámetros modificados, duración, tipo de transiciones, etcétera). Es por eso por lo que su tamaño es relativamente pequeño, como si se tratara de un fichero de texto. Existen tres tipos:

- **EDL,** Listado de Decisiones de Edición. El más veterano de los tres y aún vigente en la actualidad.
- **AAF,** Formato Avanzado de Autoría. Presente en programas como Avid Media Composer, Adobe Premiere o Pro Tools.
- **XML,** Lenguaje de Marcas Extensible. El más versátil de todos y no solo orientado a la edición de vídeo. Lo usan programas como Final Cut Pro, Mistika o Nuke.

DaVinci Resolve es compatible, tanto en importación como en exportación, con los tres tipos de ficheros. Veamos cómo se trabaja con los ficheros de intercambio:

- Elige el menú Archivo>Importar línea de tiempo>Importar archivos AAF/EDL/XML...
- Navega por tu directorio y localiza la carpeta XML del material para los alumnos.
- Haz clic en el archivo Sevilla. Es un fichero XML de Apple Final Cut Pro X.
- Pulsa Abrir.

Te saldrá un cuadro con los ajustes de importación del XML. Desactiva la casilla Importar clips automáticamente al Panel multimedia. Harás esto porque los clips ya los tienes importados. En el caso de abrir un fichero de intercambio y no estar seguro de tener sus archivos originales importados en el Panel multimedia, debes tener activada esta casilla. El resto de los ajustes pueden mantenerse de forma predeterminada (figura 5.29).

Si te pide que nombres la línea de tiempo es porque ya tienes una con el mismo nombre. Le pones otro, y solucionado. Cuando pulses Aceptar, te pedirá la localización en el Panel multimedia de los archivos originales; y, una vez localizados, aparecerá una nueva línea de tiempo. Como puedes ver, en el ejemplo hay fundidos de entrada y salida en el montaje, transiciones, cámara lenta en el primer clip e incluso cambios de tamaño en el último. Dependiendo del tipo de fichero de intercambio y de la versión que utilices, tendrás más o menos compatibilidad con los datos de edición de un programa a otro (figura 5.29).

Para exportar un fichero de intercambio desde Resolve, asegúrate de tener activa la línea de tiempo y accede al menú Archivo>Exportar archivos AAF/XML. Navega por el directorio para guardar el fichero y en el menú desplegable de la parte inferior de la ventana podrás seleccionar el tipo de fichero de intercambio (figura 5.30).

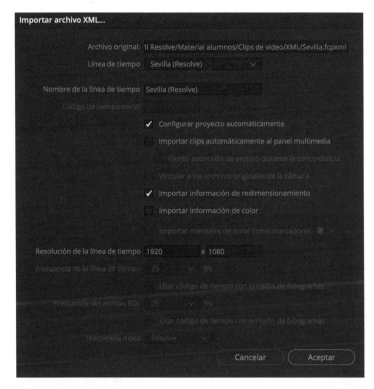

Figura 5.29. La ventana de ajustes de importación de un archivo XML.

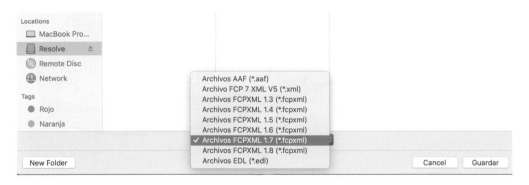

Figura 5.30. Los tipos de fichero de intercambio que se pueden exportar desde Resolve.

6

El cerebro, ese gran mentiroso

- Comprender la luz, el color y la visión humana.
- Entender el círculo cromático.
- Conocer el funcionamiento de las ruedas de color Offset y Log.
- Interpretar los instrumentos de medida y control.
- Realizar una corrección primaria.

En este capítulo vas a iniciarte en la corrección de color: un mundo apasionante —o al menos a mí me lo parece— y que forma parte fundamental en el proceso de posproducción audiovisual. Técnicamente, a esta fase se le denomina etalonado (*color grading*) y consiste en ajustar la imagen en cuanto a color y luminosidad se refiere. Opino, al igual que el colorista Luis Ochoa, que la definición inglesa de «graduación del color» es más correcta que el término «corrección de color» que solemos usar. No siempre se corrige la imagen y realmente lo que se hace es graduar el color, dar la calidad que le corresponde. Aun así, seguiremos usando la terminología «corrección de color» que está mucho más extendida.

El etalonado es una de las partes más delicadas del proceso posterior a la edición y permitirá que el montaje sea visualmente más creíble. De hecho, un proyecto no etalonado —o con errores de iluminación, contraste y color entre sus tomas— puede desfavorecer todo el trabajo anterior de grabación y edición.

La iluminación de la escena a grabar es un tema muy delicado, eso lo sabe muy bien el director de fotografía, que es su máximo responsable. En un rodaje en exteriores, las condiciones de luz en un día y a una hora concreta no son las mismas que las de otro a esa misma hora, a pesar de que sean similares en cuanto a condiciones meteorológicas. En producciones audiovisuales de gran nivel, es frecuente el retraso porque las mediciones de luz —incluidas las correcciones con focos— no se ajustan a unos niveles similares (con un margen, lógicamente) con respecto a tomas grabadas en la misma situación con anterioridad.

Una secuencia que dura varios días puede tener distintos tipos de luz (más dura, más suave...) y en el proceso de corrección de color es donde se encuentra un punto común para que parezca que se ha grabado el mismo día. Para ello, el colorista hará uso de todas las herramientas y técnicas hasta alcanzar una homogeneidad en todas las secuencias.

Aprovechando las distintas sensaciones que cada color nos sugiere, hay otro recurso narrativo que es posible trabajar en el proceso de etalonado. La creación de ambientes cálidos o fríos —en función del tipo de color dominante— puede ayudar a crear más dramatismo o cualquier otra sensación que se quiera transmitir. Es posible, por lo tanto, realizar un trabajo para conseguir un color correcto y equilibrado o, por el contrario, resaltar alguna tonalidad concreta para lograr un ambiente y obtener un color creativo. El director de fotografía —siguiendo la línea marcada por el director— establece indicaciones al colorista para conseguir el aspecto deseado mediante las herramientas de corrección de color. Se necesitan muchos años de trabajo para formar el ojo de un colorista y que aprecie todos los matices de su tarea.

Este capítulo contiene mucha teoría porque para comenzar a trabajar con la corrección de color es importante conocer —sin profundizar mucho, por supuesto— algunos conceptos básicos de la luz, el color, la visión humana y las herramientas habituales de un colorista. Espero que te resulten amenos e interesantes.

La luz

Si nos centramos a nivel físico, la luz es una excitación del campo electromagnético producida por una corriente de fotones. Antes de que te hagas el harakiri, voy a intentar aclararlo. La radio, la televisión, los teléfonos móviles, el microondas, la wifi, los mandos a distancia, una máquina de bronceado y hasta las radiografías tienen una cosa en común: todos estos dispositivos hacen uso de las ondas electromagnéticas para su funcionamiento. Todos usan una corriente de fotones. El fotón es la partícula del campo electromagnético, la unidad mínima de energía. Fíjate en el orden que he puesto en cada aparato, no es al azar. Cada uno de ellos usa unas longitudes de onda diferentes, que van desde las más grandes —kilómetros— de las ondas de radio, hasta las más pequeñas de los rayos x con tamaños de una billonésima parte de un metro.

Pues ahora no te vas a creer lo que te diré: la luz visible, la que hace que los humanos veamos, también está dentro del espectro electromagnético.

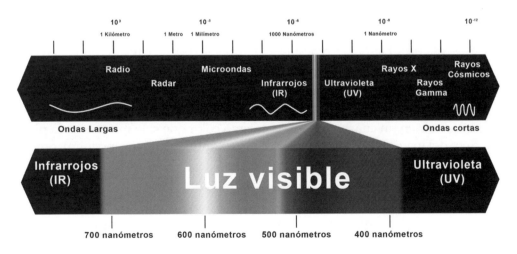

Figura 6.1. La luz visible es una pequeña región dentro del espectro electromagnético.

Una curiosidad. ¿Entonces la luz puede dañar nuestro cuerpo como lo hacen los rayos X? Bueno, llevamos más de 200 000 años como especie en la Tierra y todavía estamos aquí, así que, tranquilo. La diferencia fundamental entre la luz visible y los rayos x —o los ultravioletas— es su energía; y esta es inversamente proporcional a su longitud de onda: a menor longitud de onda, mayor es su poder energético. Las longitudes de onda de la luz visible —y todas las que están por debajo del infrarrojo— no tienen suficiente energía para dañar un tejido vivo, pero sí pueden hacerlo las llamadas ondas ionizantes, que comienzan en los rayos ultravioletas y terminan con la potente radiación cósmica. De ahí que tengamos que ponernos crema protectora en la playa como barrera ante la dañina radiación ultravioleta o cumplir las medidas de seguridad cuando nos hacen una radiografía.

Dicho esto, aclaremos que cuando hablamos de luz visible nos referimos a una pequeña región del espectro electromagnético a la que el sistema visual humano es sensible y que va desde los 760 nm —nanómetros— del color rojo a los 380 del violeta. Un nanómetro es la millonésima parte de un milímetro. Las frecuencias más cercanas a la luz visible —invisibles para los humanos— son las de los infrarrojos y ultravioletas.

El color

En nuestro entorno estamos rodeados de objetos. Para distinguir su color necesitan estar iluminados, ya sea por una fuente de luz natural —el sol— o artificial. A su vez, la luz que le llega al objeto puede ser directa o reflejada por medio de otros objetos, como la pared o el techo. El color es un fenómeno asociado a las combinaciones de la luz y relacionado con las diferentes longitudes de onda del espectro visible que se perciben a través de los órganos de la visión. Cuando un cuerpo se ilumina, absorbe —dependiendo de su composición— una parte de las ondas electromagnéticas y refleja las restantes. Las ondas reflejadas son captadas por el ojo e interpretadas como colores, según las longitudes de onda correspondientes.

Cada color depende de las propiedades del objeto, pero también de la fuente que lo ilumina. Piensa por un momento que un folio de papel blanco iluminado por una única vela en un cuarto no tiene el mismo color que si lo miraras en la playa a las doce del mediodía. Son blancos distintos (aunque sea el mismo folio), porque la luz que lo ilumina es diferente.

La luz del sol que nos llega a la superficie terrestre es continua, lo que quiere decir que llega en todas las longitudes de onda, aunque en diferentes cantidades en función de la hora del día. Seguro que más de una vez has visto un precioso arcoíris después de una tarde lluviosa. Las pequeñas gotas en suspensión que quedan en el aire descomponen la luz blanca del sol en todas sus longitudes de onda y nos muestran todo el espectro visible, desde el rojo hasta el violeta.

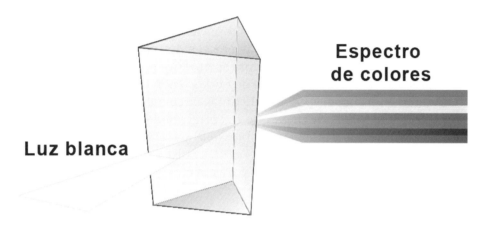

Figura 6.2. La luz blanca atravesando un prisma se descompone en los colores del arcoíris.

La visión humana

De los cinco sentidos que tenemos los humanos, la visión es responsable de casi el 80 % de la información que recibimos del entorno. Es el sentido más importante, sin duda. El proceso simplificado es el siguiente: la luz reflejada por los objetos entra en el ojo y, una vez enfocada por el cristalino, produce imágenes en la retina que contiene los receptores visuales. Estas células fotorreceptoras reaccionan a la luz y producen señales eléctricas hasta el cerebro que se encarga de traducir esa información.

Echa un vistazo a tu alrededor: lo que ves es una interpretación del entorno que hace tu cerebro y existen múltiples formas de engañarlo —ilusiones ópticas—, de ahí el título de este capítulo. La «realidad» del entorno es un término relativo porque cada ser vivo tendrá la suya propia en función de su sentido visual. La mayoría de las aves son sensibles a la luz ultravioleta, que para nosotros es invisible.

Si un objeto refleja todas las longitudes de onda —todos los colores—, nuestro cerebro «suma» toda esa información y la interpreta como blanco. Cuando un material absorbe todas las frecuencias y no refleja ninguna, lo vemos de color negro. El ojo humano solo percibe el color cuando la iluminación es abundante.

Veamos cómo funcionan nuestros ojos. Tenemos dos tipos diferentes de células fotorreceptoras: los bastones y los conos. Las células de tipo bastón (de las que tenemos unos 120 millones) son muy sensibles y permiten la visión con luz débil, de noche. Con poca iluminación solo distinguimos niveles de grises; vemos en blanco y negro. Así que cuando te levantas por la noche, sin encender ninguna luz, no serás capaz de apreciar los colores de los objetos.

Los conos (muchísimos menos, unos 7 millones), por el contrario, solo se excitan con abundante luz. Hay un dato muy importante para tener en cuenta en el proceso de etalonado y que determina cómo vemos el color. La interpretación de los distintos colores en nuestro cerebro se produce porque no todos los conos son sensibles a las mismas longitudes de onda. Tenemos tres tipos de conos: L, M y S. Cada uno de ellos responde a distintas frecuencias. Los conos L (*long*) lo hacen a largas longitudes de onda que se corresponden con el color rojo; para frecuencias intermedias trabajan los M (*medium*) cercanos al verde y para las más cortas tenemos a los S (*short*) sensibles al azul. La proporción también es peculiar, por cada 12 conos para el rojo, hay seis para el verde y tan solo uno para el azul.

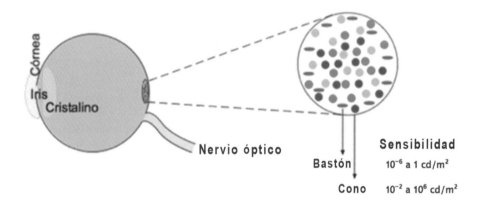

Figura 6.3. La visión humana. La máxima concentración de células fotorreceptoras se encuentra en una región de la retina llamada fóvea.

Por la combinación de estos tres colores básicos —rojo, verde y azul—, que se denominan primarios, es posible obtener todos los demás. Por lo tanto, los humanos somos tricromáticos, porque para la percepción del color usamos tres canales (conos) independientes. Esto quiere decir que el color blanco no solo es posible obtenerlo por la suma de todas las frecuencias del espectro visible, como en el caso del sol, sino que también se consigue por la adecuada mezcla de luz de los tres colores primarios. Este proceso se denomina mezcla aditiva. En la figura 6.4 aprecia la combinación de los colores rojo, verde y azul con sus resultantes. Un color secundario es el resultado de la suma de dos primarios. Es habitual nombrar los colores por sus iniciales en inglés: rojo (*Red*), verde (*Green*) y azul (*Blue*) para los primarios; cian (*Cyan*), magenta (*Magenta*) y amarillo (*Yellow*) para los secundarios. El término RGB hace referencia, por tanto, a los tres colores primarios, y CMY a los secundarios.

Como curiosidad, en el mundo animal hay mucha variedad en la visión del color dependiendo del número de tipos de conos, desde los dos que tienen algunos mamíferos hasta los doce de algunos crustáceos marinos que pueden percibir el espectro infrarrojo, ultravioleta e incluso luz polarizada.

Luz, focos, pantallas...

Figura 6.4. Mezcla aditiva de luces.

Hay otro tipo de mezcla, la sustractiva, que combina pinturas o tintas. Un buen ejemplo podría ser una impresora, que a partir de sus tres colores primarios —amarillo, cian y magenta— reproduce el resto. Lo pongo como aportación puntual y sin profundizar mucho más porque para la corrección de color nos interesa conocer la mezcla aditiva, la de luces.

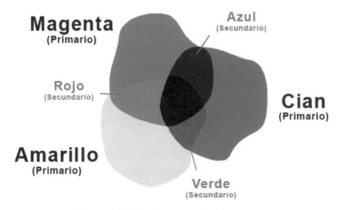

Figura 6.5. Mezcla sustractiva de pigmentos.

Propiedades del color

Las combinaciones de los diferentes colores entre sí son casi infinitas. Por este motivo, es necesario un sistema de clasificación para organizar todas las variaciones que es posible obtener. Esta clasificación se fundamenta en las tres propiedades del color: tono, saturación y brillo.

- **Tono.** Cuando hablamos de tono al describir un color —también llamado *hue*, tinte o matiz—, nos estamos refiriendo a los colores del espectro de la luz visible, desde el rojo al violeta. Dentro de cada tono encontramos una enorme diversidad de matices o de colores subjetivos; por ejemplo, el rosa y el burdeos son matices del rojo. El tono es una cualidad del color que nos permite diferenciar, nombrar y designar los colores. Cuando hablamos —por ejemplo— del color azul, en realidad solo estamos definiendo una de sus cualidades, el tono.

TONO (H)

rojo	amarillo	verde	cyan	azul	magenta	naranja

Figura 6.6. El tono define el color y está relacionado con su longitud de onda.

- **Saturación.** La saturación es el grado de pureza de un color. Se refiere a la intensidad de un tono. Cuando un color no tiene ninguna mezcla, contiene su máxima saturación. Por ejemplo, si al azul le añadimos blanco, aumenta su luminosidad y disminuye su saturación (pureza). Para desaturar un color sin que varíe su luminosidad, hay que mezclarlo con gris.

SATURACIÓN (S)

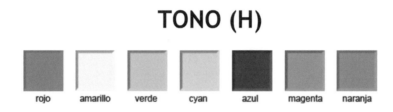

Desaturar sin alterar brillo se acerca al gris

100%	85%	65%	55%	35%	25%	0%

Desaturar alterando el brillo se acerca al blanco

Figura 6.7. La saturación es la pureza del color. Si se añade gris o blanco, se desatura.

- **Luminosidad.** Llamamos luminosidad —también conocida como brillo o luminancia— al grado de oscuridad o claridad de un color. Cuando un color lo mezclamos con blanco, da como resultado ese mismo color, pero más claro. La luminosidad de un color genera una escala cromática que termina en el blanco. Un dato importante: cada color tiene su propia luminosidad; por ejemplo, el azul tiene una más baja que el amarillo o el verde mayor que el rojo. Si has observado alguna vez las barras verticales de color que se usan para ajustar los equipos o las emisiones de TV, están ordenadas de izquierda a derecha por niveles de luminosidad: desde el blanco hasta el negro, pasando por el resto de colores primarios y secundarios. Si una imagen solo tiene luminosidad, carece de color y se verá en blanco y negro.

Figura 6.8. La luminosidad es el grado de oscuridad o claridad.

Estas tres propiedades las tendremos muy presentes a la hora de trabajar con la corrección de color, ya que están directamente relacionadas entre sí. Cuando cambiamos la luminosidad de un tono, también lo hacemos con su saturación e, igualmente, si cambiamos la saturación, alteraremos su luminosidad. Los colores que no tienen saturación —acromáticos— y que solo representan niveles de luminosidad se denominan neutros: son el blanco, negro y toda la escala intermedia de grises.

Círculo cromático

Una de las herramientas principales a la hora de trabajar con el color es el círculo cromático o ruedas de color. Es una representación de todos los colores en un círculo, donde primarios y secundarios se ordenan según su tono. En la figura 6.9 se aprecia una rueda de seis colores y la disposición de los tres primarios y secundarios. Observa que entre dos colores primarios siempre se encuentra su secundario.

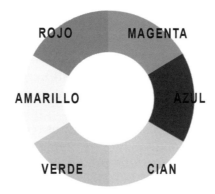

Figura 6.9. Círculo cromático con los seis colores, tres primarios y tres secundarios.

Si unes cada color primario con una línea imaginaria, te darás cuenta de que se encuentra cada uno en el vértice de un triángulo. Lo mismo ocurre con los colores secundarios.

Si unes cada color primario con una línea imaginaria, te darás cuenta de que se encuentran cada uno en el vértice de un triángulo. Lo mismo ocurre con los colores secundarios.

Colores primarios

Colores secundarios

ROJO
AZUL
VERDE

MAGENTA
AMARILLO
CIAN

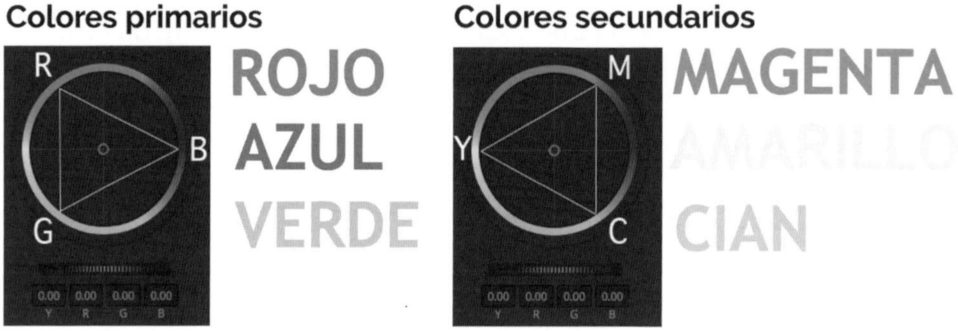

Figura 6.10. Los colores primarios y secundarios se hallan en el vértice de cada triángulo.

Ahora presta atención a la rueda. Localiza un color primario y traza mentalmente una línea recta pasando por el centro hasta su opuesto en el círculo. Es su color complementario. Cada primario tiene justo enfrente del círculo a un color secundario, y viceversa. Por ejemplo, el rojo tiene como complementario al cian, que a su vez es la mezcla de los dos primarios —verde y azul— restantes. Este dato tiene muchísima importancia en las correcciones de color para equilibrar una imagen si tuviera alguna dominante de color. Si una imagen tiene exceso (dominante) de azul, se puede compensar mezclando en la rueda su complementario, el amarillo.

Colores complementarios

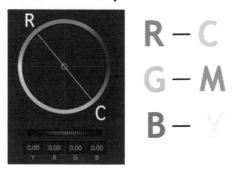

Figura 6.11. El complementario de un color se encuentra enfrentado en el círculo cromático.

La explicación de por qué una dominante se corrige de ese modo es sencilla a nivel teórico. Imagina los tres colores primarios como situados en una triple balanza. El equilibrio perfecto se consigue cuando los tres colores «pesan» lo mismo. Cuando uno —el azul, en este caso— tiene más peso que el resto, la balanza se desequilibra y solo es posible igualarla añadiendo mayor carga sobre los otros dos primarios —rojo y verde— o con la suma de ambos, que es su secundario, el amarillo.

Ruedas de color en Resolve

Los programas de corrección de color usan las ruedas de color como herramienta principal para el trabajo del colorista. De hecho, su uso es tan intensivo que la mayoría de ellos trabajan con superficies de control externas para agilizar todo el proceso. Antes de profundizar en las distintas ruedas de Resolve, veamos los aspectos comunes que hay en ellas.

De las tres propiedades del color (tono, saturación y brillo), dos de ellas están directamente relacionadas con la percepción del color: el tono y la saturación. Esos dos parámetros son los que se modifican desde la rueda: el tono en función de la dirección del color hacia la que te acercas en la rueda y la saturación dependiendo de la distancia del centro. Como ya sabes, si la imagen no tiene color o —dicho más correctamente— carece de saturación y por lo tanto también de tono, solo vemos niveles de brillo. Una imagen en blanco y negro muestra únicamente valores de luminosidad. El ajuste de los niveles de brillo se halla justo debajo de cada rueda. El icono de la parte superior derecha tiene como objetivo restablecer los ajustes predeterminados.

Rueda de color

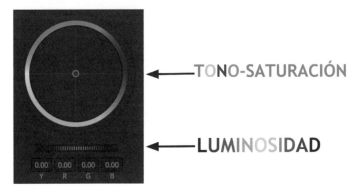

TONO-SATURACIÓN

LUMINOSIDAD

Figura 6.12. La rueda de color ajusta tono y saturación, mientras que la luminosidad se modifica en el deslizador de la parte inferior.

Rueda Offset

Avanzaremos en el conocimiento de las distintas ruedas de color en dependencia del modo en el que afectan a la imagen. Empezaremos con la más simple de entender, la rueda Offset que modifica por igual a todos los colores primarios, RGB. De esta manera, si quieres subir o bajar el brillo de toda la imagen, basta con aumentarlo/disminuirlo en el control de luminosidad debajo de la rueda Offset, de forma similar a como lo harías con una cámara abriendo o cerrando el diafragma.

Para tintar de manera global una imagen con un color determinado —por ejemplo, un sepia para darle un aspecto antiguo—, tan solo necesitas alterar el tono y la saturación desde esta rueda de color.

Círculos de ajustes primarios

Estas ruedas son algo más restrictivas que la anterior, ya que afectan a zonas en concreto de la imagen en función de su luminosidad.

- **Lift.** Actúa de manera decreciente desde el negro de la imagen, donde tiene su valor máximo, hasta el blanco que se ve inalterado. Esto significa que afectará —en cualquiera de sus tres variables de tono, saturación o brillo— mucho más a las zonas oscuras, próximas al negro, que a las claras.

Figura 6.13. Lift afecta de forma decreciente desde el negro al blanco.

- **Gamma.** Esta rueda tiene su eje central en el gris medio. A partir de ahí, y de forma decreciente hacia el negro y el blanco, los valores van disminuyendo.

Figura 6.14. Gamma modifica los valores desde el gris medio hasta el negro y el blanco.

- **Gain.** Es justo lo contrario de la rueda Lift. Ahora el valor del blanco es el que se verá más alterado por las modificaciones que hagas en la rueda, y de forma decreciente hacia el negro donde dejará de tener efecto.

Figura 6.15. Gain afecta de forma decreciente desde el blanco al negro.

Ruedas Log

Otra variante en Resolve son las ruedas Log, que te permiten ser aún más restrictivo en las modificaciones que se hagan sobre la imagen. Al igual que las de ajustes primarios, tienen tres zonas que se corresponden con distintos niveles de brillo.

- **Sombras.** Cubre las partes oscuras de la imagen, desde el negro hasta la zona baja de grises. La rueda no influye en el rango de grises altos hasta llegar al blanco.

Figura 6.16. El modo Log es mucho más restrictivo. La rueda de sombra altera de forma decreciente desde el negro hasta la zona baja de los grises.

- **Tonos medios.** Afecta exclusivamente a la zona intermedia de grises. No se modifican las partes más oscuras ni más claras de la imagen.

Figura 6.17. Los tonos medios solo afectan a la zona central de grises.

- **Luces.** Cuando realizas modificaciones sobre esta rueda, las partes más claras se alterarán desde el blanco hasta la zona alta de grises. Las partes de sombras (grises bajos y negro) permanecen inalteradas.

Figura 6.18. Luces solo modifica desde el blanco hasta la zona alta de grises.

Hasta aquí he expuesto toda la teoría de ruedas de color que has de saber antes de ponerla en práctica con el programa. Un dato para tener en cuenta en todas ellas es que son muy sensibles en la modificación de los parámetros, vamos, que tienes que actuar con mucho cuidado cuando las manejes para que no se te disparen los valores.

Instrumentos de medida y control

Ya vimos que la percepción del color es algo subjetivo. El cerebro de cada persona interpreta las señales eléctricas que le llegan de las células fotorreceptoras y en una visión normal, sin ningún tipo de anomalía, se identifican todos los colores del espectro visible. Hasta ahí bien, pero es que, además de la sensación personal de cada uno, hay otros factores —calidad y ajuste de la pantalla, iluminación de la sala— que influyen sobre la visión de un color cuando trabajamos en la fase de etalonado. Entonces, ¿cómo asegurarse de tener una representación objetiva, real? Al igual que cuando se trabaja con audio se requiere un buen sistema de altavoces, con la corrección de color lo recomendable es disponer de un monitor bien calibrado y, también, trabajar al mismo tiempo con herramientas de medida y control. De esa forma, garantizamos que los distintos parámetros de la imagen se muestren de manera objetiva.

Los instrumentos de medida y control más frecuentes y con los que trabajarás en Resolve son:

- **Forma de onda.** Permite medir mediante una representación gráfica, el brillo de la señal y evaluar las referencias de nivel máximo y mínimo —blanco y negro—. La relación entre el nivel más bajo y el más alto determina el contraste de la imagen. La posición del blanco queda situada en la parte más alta de la gráfica y el negro justo lo contrario. Las zonas oscuras de la imagen se localizarán cerca del nivel de negro y las más claras sobre el de blanco.

Las imágenes subexpuestas —insuficiente luz— mostrarán el pico máximo muy por debajo del nivel de blanco. Para el caso de las imágenes sobreexpuestas, o con exceso de luz, las zonas claras de la imagen sobrepasarán el nivel máximo de blanco.

En imágenes con mucho contraste, es importante evaluarlas de forma global para evitar que picos muy concretos estén situados en el nivel de blanco y, sin embargo, la mayor parte de la información se quede en un área restringida. En estos casos es preferible ajustar la imagen globalmente, aunque queden sobreexpuestos los máximos niveles de pico. Otra cuestión que se nos puede presentar es la de imágenes con las zonas oscuras muy pegadas al nivel de negro. En este caso, la imagen no tendrá detalle en esas zonas.

En resumen: el monitor Forma de onda nos ayuda a medir los valores de luminosidad para ajustar los niveles de blanco, de negro y su relación de contraste.

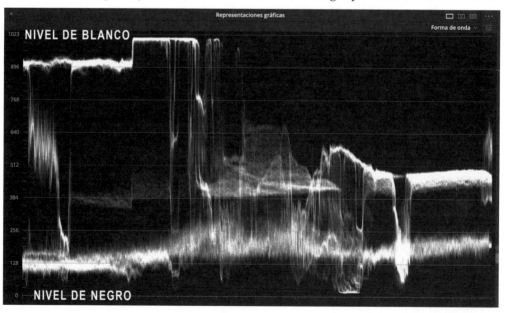

Figura 6.19. La observación del monitor Forma de onda permite valorar los niveles de luminancia de la imagen. El ajuste correcto de los niveles de blanco y de negro hará que la imagen quede debidamente contrastada.

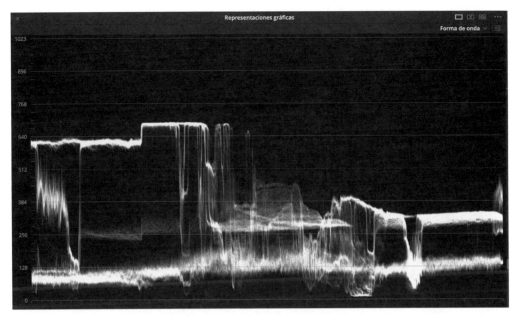

Figura 6.20. En esta ocasión el nivel de blanco está por debajo de lo recomendable, mostrando una imagen subexpuesta con falta de información en las zonas claras.

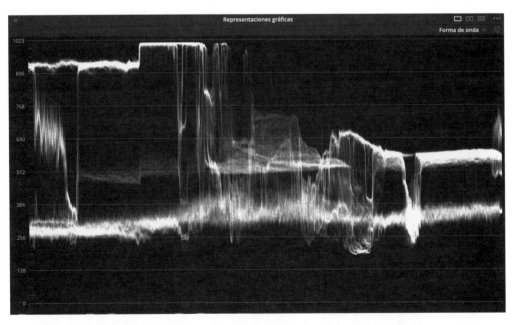

Figura 6.21. En esta imagen se aprecia un ejemplo de un nivel de negro por encima de lo aconsejable. La imagen está «lavada», con falta de información de píxeles negros.

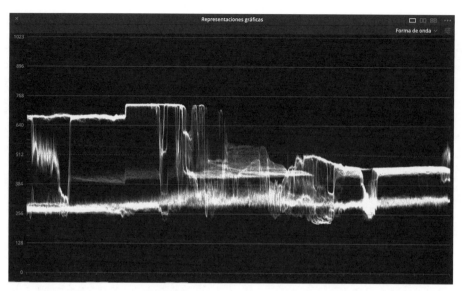

Figura 6.22. La relación entre los píxeles blancos y negros determina el contraste de la imagen. Cuando observamos en el Forma de onda una imagen poco contrastada, el nivel de negro está muy alto y el de blanco por debajo de su nivel.

- **Gráfica RGB.** Es una herramienta muy similar al Forma de onda. Muestra valores de luminosidad, pero de cada color primario, RGB, por separado. Al mostrar de forma independiente cada color, se convierte en la herramienta ideal para corregir dominantes en una imagen. Es solo cuestión de equilibrar la gráfica para que cada primario tenga valores similares de luminosidad.

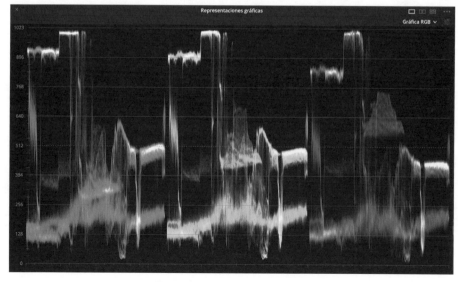

Figura 6.23. Imagen equilibrada.

Figura 6.24. Imagen con dominante.

- **Vectorscopio.** Hasta ahora solo hemos analizado en las herramientas una única propiedad del color, la luminosidad. El vectorscopio permite ver de forma objetiva las otras dos restantes. Muestra una distribución cromática —tono— de la imagen y sus niveles de saturación. Por lo tanto, con este instrumento analizamos únicamente la información de color (tono y saturación) de una imagen y no de luminancia.

  Los colores primarios (RGB) y secundarios (CMY) quedan referenciados en una circunferencia que abarca todo el círculo cromático. El centro de la circunferencia marca el nivel de saturación cero; y, a medida que la imagen representada se aleja del centro, los niveles de saturación aumentan. Es fácil distinguir qué partes de la zona tienen más dominantes de color, por el ángulo donde se localicen en la circunferencia; y sus niveles de saturación, por la distancia que lo separa del centro.

  El ojo humano es muy sensible al tono de la piel que se muestra en una imagen. El vectorscopio, mediante una línea de referencia situada entre el color rojo y amarillo, ayuda a situar correctamente la coloración de la piel en caso de un color incorrecto. Obviamente, es solo una guía visual, pues dependerá mucho del tono de la piel de la persona y de la iluminación.

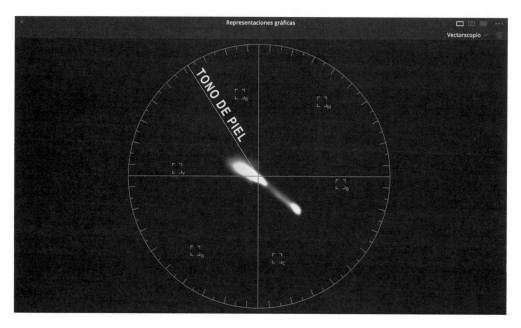

Figura 6.25. El vectorscopio mide el tono y la saturación de una imagen.

- **Histograma.** Representa una gráfica con la cantidad de píxeles que hay en la imagen en valores de luminosidad. Es otra manera, similar a la Gráfica RGB, de observar los niveles de brillo y contraste de la imagen de cada color primario. El eje horizontal distribuye las diferentes luminosidades desde el negro (izquierda) hasta el blanco (derecha) y la altura de cada gráfica determina el número de píxeles que hay por valores de luminosidad. En verdad, el histograma es un simple gráfico estadístico.

  Si observamos que la representación es más alta a la izquierda y disminuye a medida que nos acercamos a la derecha, nos hallamos ante una imagen subexpuesta (demasiado oscura). Si representa lo contrario y acumula los valores en la zona derecha quedando vacío el lado izquierdo, nos encontraremos ante una imagen sobreexpuesta (quemada). En una imagen equilibrada el histograma recoge valores a lo largo de toda la gráfica con información completa del rango de luces y sombras. Esta herramienta es de uso frecuente en fotografía digital.

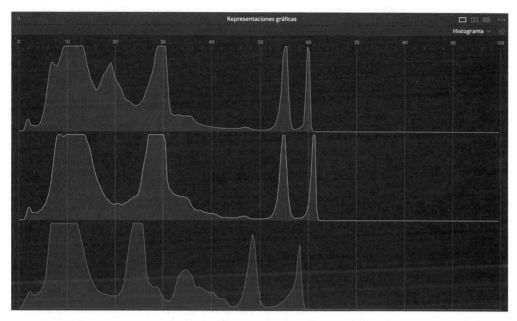

Figura 6.26. Histograma con falta de información en las zonas claras (parte derecha del histograma). Imagen subexpuesta.

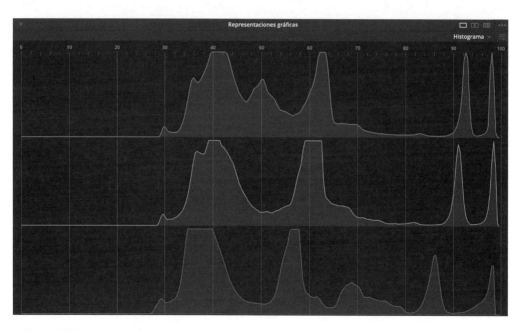

Figura 6.27. Imagen con falta de información en las zonas oscuras. Vemos ausencia de información en la parte izquierda del histograma. Imagen lavada.

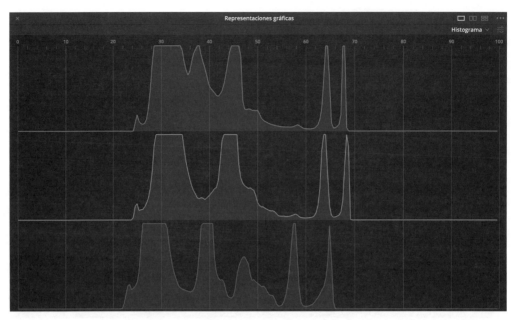

Figura 6.28. En las imágenes con poco contraste hay falta de información en los extremos del histograma.

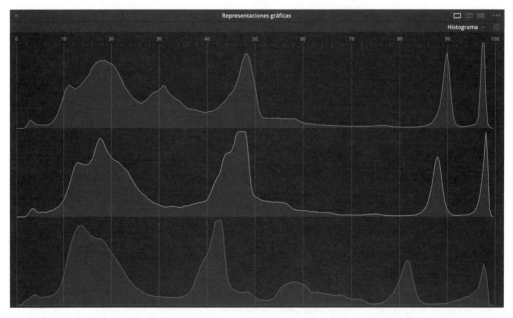

Figura 6.29. En una imagen correcta, hay información representada a lo largo de todo el histograma.

La pestaña Color

Hasta aquí toda la teoría básica. Verás algo más a medida que avancemos, pero ya va siendo hora de abrir de nuevo Resolve y echar un primer vistazo al corazón del programa, el módulo de corrección de color. Desde ahí trabajarás a partir de ahora y localizarás todos los controles disponibles para manipular el color, contraste, crear diferentes efectos y construir una estética totalmente personalizable en la imagen. Es una de las ventanas más veteranas de este software que, como sabes, comenzó en sus inicios solo como herramienta de corrección de color.

Empecemos por crear un nuevo proyecto con el nombre del capítulo: vas a importar desde la pestaña Medios el clip del río que hay en la carpeta Primaria del material que tienes para los ejercicios prácticos. De momento, solo ese clip. La imagen del río Guadalquivir ya la conoces y la otra, que usaremos para el siguiente ejercicio, es de una grabación que hice de un anciano paseando por la calle en la aldea onubense de Carboneras a primera hora de la mañana.

Crea también una línea de tiempo con el clip para que sea posible trabajar con él en la pestaña Color.

ADVERTENCIA:

Para trabajar con un clip en la pestaña Color es indispensable que esté incluido en una línea de tiempo. En caso contrario, nunca podrás manipular el clip con las herramientas de corrección de color.

Una vez creada la línea de tiempo, haz clic en el icono Color para entrar en la ventana. Asegúrate de tener desactivado todos los iconos de la parte superior de la interfaz, que para este capítulo no serán necesarios. En la parte inferior, haz clic sobre el tercer icono de la izquierda Círculos cromáticos y el segundo de la derecha Representaciones gráficas.

Figura 6.30. Círculos cromáticos y Representaciones gráficas en la parte inferior de la interfaz de Color.

De esta forma tenemos tres zonas principales: un visor en la parte superior para ver la imagen del clip, las ruedas de color a la izquierda para realizar modificaciones y los instrumentos de medida a la derecha para garantizar una medición objetiva de la señal. Dependiendo del tamaño y resolución del monitor que estés usando es probable que también aparezca en la parte inferior central la gráfica de curvas.

El visor es muy similar al resto de otras pestañas. Muestra el fotograma donde se halla el cabezal de reproducción. En la parte superior central se aprecia el nombre de la línea de tiempo y a la derecha el código de tiempo original del clip. El nombre de la línea de tiempo permite alternar en un listado entre todas las creadas en el proyecto. En su parte izquierda contiene tres iconos para dividir las vistas del visor y resaltar zonas, que usarás más adelante cuando realices otros ejercicios.

Desde la parte inferior accedes a los controles para reproducir el clip, código de la línea de tiempo, activar-desactivar la reproducción de audio y elegir qué controles se muestran. De momento, no es necesario que actives ninguno de los iconos de la parte izquierda.

Vamos con el ejercicio práctico. Observa la imagen del visor. Como se aprecia, está tintada de rojo. Es el mismo clip que ya has usado antes, pero con la saturación quitada —con lo cual se queda en blanco y negro— y a continuación se le añadió una dominante de color rojo. ¿Recuerdas el ejemplo que vimos cuando hablé sobre la teoría del color y cómo compensar una dominante? Pues vas a ponerlo a prueba. Según la teoría, si hay una dominante roja se equilibra la imagen añadiendo su color complementario. Vas a centrarte en la rueda Offset, pero antes, en el lado derecho, echa un vistazo a los instrumentos de medida. Comprueba desde el menú desplegable que está seleccionada la Gráfica RGB.

Figura 6.31. Listado de los instrumentos de medida.

No es necesario mirar con lupa en la gráfica para darse cuenta de que el color rojo se muestra muy diferente a los otros dos primarios. El máximo valor de brillo, situado en el valor 1.023, solo tiene cerca al rojo. Indica que las zonas claras de la imagen están con dominante roja. Lo ideal es que los tres colores tuvieran la misma altura cerca del valor del blanco.

Lo mismo le ocurre en la parte baja de la gráfica, donde se sitúan los negros en la imagen. El hecho de que el rojo esté alejado del valor 0 muestra que las zonas oscuras están tintadas de ese color. Lo perfecto sería que los tres colores primarios estuvieran sobre el mismo nivel.

Ahora presta atención a la rueda Offset. Localiza el color rojo y traza una línea mental hacia su color opuesto en la rueda. En efecto, es el color cian —situado entre sus dos primarios: el verde y el azul— el que nos servirá para equilibrar la dominante que tiene la imagen.

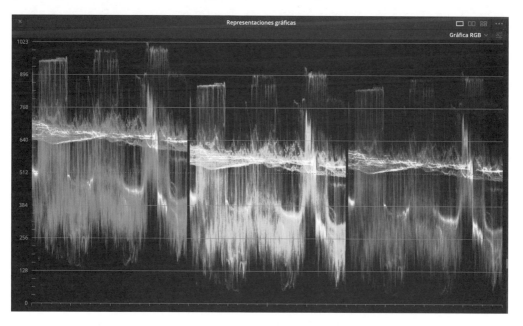

Figura 6.32. La gráfica RGB muestra una imagen con evidente dominante roja.

Sitúa el cursor del ratón en el centro de la rueda. Haz clic y arrastra, poco a poco, el círculo central hacia el color cian. Mientras lo haces, observa la gráfica de la derecha para asegurarte de que los niveles de los tres primarios están alineados. Cuando lo consigas, mira la imagen del visor y podrás comprobar que está únicamente en blanco y negro, sin ningún color. Has compensado el tintado de rojo añadiendo color cian.

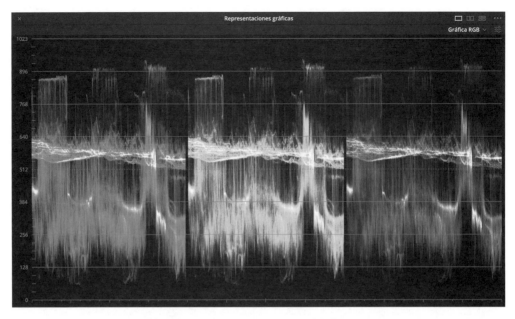

Figura 6.33. La gráfica muestra una imagen equilibrada.

Corrección primaria

Una vez que ya has puesto en práctica la teoría de la compensación mediante el complementario, vas a realizar otro ejercicio para corregir una imagen mal balanceada. Se dice que hay un mal balance de blancos cuando una dominante de un color, normalmente azul o amarillo, está presente en la imagen. Esto se debe a que las cámaras de vídeo —a diferencia del ojo humano— necesitan un blanco de referencia para, a partir de ahí, mostrar el resto de colores. Ya vimos con la teoría del color que un folio blanco en función de la fuente (una vela, el sol o cualquier otra) que lo ilumine tendrá un color más amarillento o azulado. La medida de las diferentes situaciones se basa en la denominada temperatura de color. A menor temperatura, mayor longitud de onda, y más rojiza será la fuente de luz. Por ejemplo, la vela emite una luz rojiza-amarillenta que hace que el blanco del papel tome ese color. Su temperatura, que se mide en grados Kelvin, no alcanza los 2000°. Sin embargo, la luz del sol puede llegar a sobrepasar los 6000° (incluso más) dependiendo de la hora del día, por lo que los objetos blancos se muestran más azulados. Hay dos valores estandarizados en la grabación de vídeo que sitúan el ajuste de balance de blancos en los 3200° para luces de interior y 5600° para las grabaciones en exteriores con luz solar. Así, se equilibra la luz y el blanco grabado no contiene ninguna dominante. Un mal ajuste de balance en la cámara hace que las imágenes se muestren rojizas en un interior y azuladas en los exteriores.

Y toda esta teoría tiene que ver con el ejercicio práctico que realizarás a continuación. Importa el clip que tenías pendiente del anciano por la calle y añádelo al final de la misma línea de tiempo.

Figura 6.34. El clip del anciano añadido a la línea de tiempo permite manipularlo en la pestaña Color.

Desde el módulo de corrección de color, comprueba la Gráfica RGB y verás que se produce una situación similar al ejercicio anterior. Hay una evidente dominante en la imagen, esta vez de color azul. Otra diferencia fundamental es que, en este caso, la imagen sí está en color. Hay un mal balance de blancos en el exterior y, por consiguiente, tiene dominante azul.

Haremos lo que se denomina corrección primaria, que no es ni más ni menos que tratar la imagen de manera global modificando los parámetros básicos de brillo, contraste, color o compensación de dominantes. Hasta ahora lo has visto todo en la teoría, es el momento de ponerlo en práctica.

Analiza la gráfica RGB del clip del anciano.

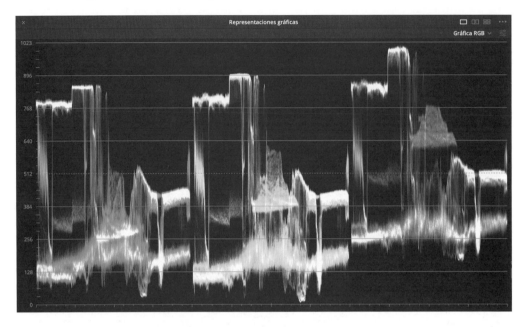

Figura 6.35. La gráfica RGB del clip del anciano.

En efecto, la imagen está azulada y la gráfica lo refleja con claridad. La representación del color azul muestra niveles diferentes a los del rojo y verde. Empecemos por equilibrar las zonas oscuras. Desde la rueda Lift, arrastra el pequeño círculo central hacia el amarillo —complementario del azul para compensarlo— hasta que veas en la gráfica que están alineados los tres colores en la parte inferior. Esta rueda altera las zonas oscuras y lo que hemos hecho es añadir amarillo para compensar la dominante azul en los valores cercanos al negro. Ya tienes ajustada la parte inferior de la gráfica.

Es el turno de las zonas más claras de la imagen. Te cambias a la rueda Gain y haces el mismo procedimiento. Ve con cuidado porque, como puedes comprobar, el ajuste de las ruedas es muy sensible. Lo importante es que la representación gráfica esté alineada con los tres colores (figura 6.37).

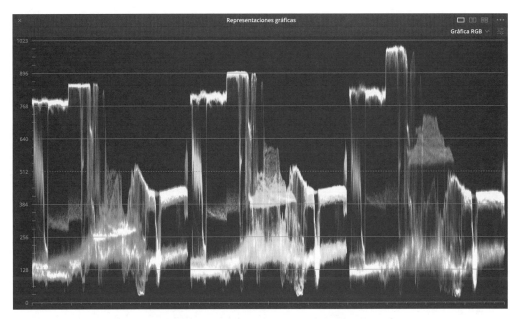

Figura 6.36. Los niveles de negro están equilibrados.

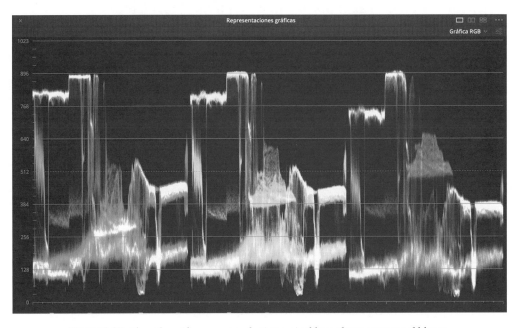

Figura 6.37. Ahora la gráfica muestra al mismo nivel los valores cercanos al blanco.

El siguiente paso es equilibrar un poco la zona de los grises medios, vamos, las partes que ni son oscuras ni claras de la imagen. Es un ajuste muy sutil. Presta atención a la gráfica del azul y observa que sobre el valor 384 está algo más bajo que el resto. En las zonas medias de la imagen —en las partes como las paredes en la sombra o el suelo— les falta azul (figura 6.38).

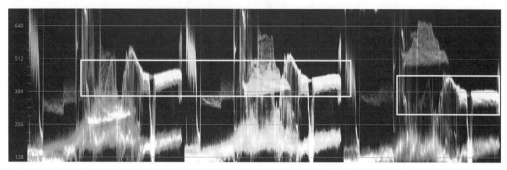

Figura 6.38. Los grises medios de la imagen están ligeramente faltos de azul.

Desde la rueda Gamma arrastra el círculo en dirección al azul con mucho cuidado. Ten en cuenta que es muy leve. Con 0.04 de valor en el azul es suficiente. Le añades azul porque tiene un tono amarillento.

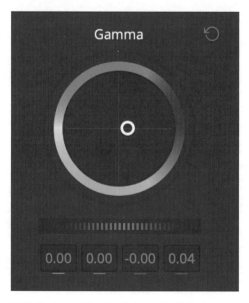

Figura 6.39. El ajuste del valor de la rueda Gamma es muy sutil.

¡Enhorabuena!, ya tienes la imagen compensada de la dominante azul. Si quieres comprobar los ajustes que le has hecho con los que tenía el clip original, pulsa el icono de la parte superior derecha del visor Desactivar ajustes cromáticos y efectos de Fusion. A mí me gusta usar más el atajo de teclado Cmd-D (Ctrl-D en Windows). La gráfica RGB que deberías tener, si has seguido los pasos correctamente, es la de la figura 6.40.

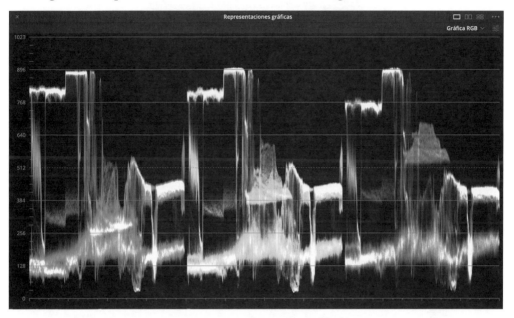

Figura 6.40. La gráfica RGB muestra una imagen equilibrada en todas sus zonas.

Ya solo nos queda un último paso antes de finalizar el ejercicio. Observa los niveles de luminancia —o brillo, como prefieras decirlo— de los tres primarios. Están alineados, pero situados sobre el valor 896, cuando el nivel de blanco debería marcar 1.023. Es preciso aumentar el nivel de brillo en las zonas cercanas al blanco de la imagen. Para eso, desde la rueda Gain (que es la encargada de modificar esos valores), localiza el deslizador de luminancia que está situado justo debajo de la rueda y arrastra hacia la derecha para aumentar el valor.

Figura 6.41. Debajo de la rueda tienes la opción de modificar los valores de luminancia.

Acabas de realizar una corrección primaria a un clip que tenía una evidente dominante azul. En la figura 6.42 tienes la diferencia de la gráfica RGB antes y después de la corrección de color.

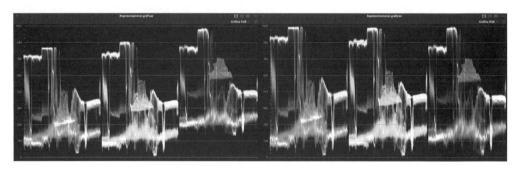

Figura 6.42. Comparativa de la gráfica RGB antes y después de la corrección primaria.

Has hecho un trabajo minucioso para lograr un equilibrio tonal y un contraste en la imagen de forma manual. En la mayoría de mis clases me preguntan los alumnos si no hay un botón mágico que sea capaz de realizar automáticamente todo este proceso. Y sí que lo hay. Otra cosa es que te guste, o no, cómo lo hace la máquina. Dependerá mucho de la imagen. A mí, particularmente, no me gusta, pero si quieres probarlo tienes la opción en la parte inferior izquierda de la interfaz, en el icono de Balance automático representado por una A mayúscula.

Mamá, quiero ser colorista

En este capítulo aprenderás a:

- Trabajar con curvas.
- Manejar el árbol de nodos.
- Guardar los estilos creados.
- Hacer correcciones secundarias.
- Crear versiones y grupos.

Ya has dado un primer paso como colorista equilibrando una imagen con una evidente dominante azul. No siempre será así. En la mayoría de los casos —salvo excepciones—, los ajustes suelen ser muy sutiles, casi imperceptibles. Lo constataste en el ajuste de los grises medios en la corrección primaria que ya has hecho. Y es que el proceso de etalonado es tan delicado que basta con excederse un poco con un parámetro para que el resultado final no sea el deseado. Para eso, por suerte, contamos con la ayuda de los instrumentos de medida, pero también hay un aspecto que pertenece exclusivamente al colorista a la hora de evaluar una imagen: tener capacidad de análisis global.

No hay que tomar los valores de las gráficas como un credo absoluto. Si la imagen a tratar es un plano corto de la hierba de un campo de fútbol, es evidente que la dominante será verde, al igual que tenderá al azul si se trata de un cielo despejado. El ojo crítico de un colorista siempre debe evaluar detenidamente el entorno de la imagen y prevalecer, con sentido común, sobre lo que indican los distintos parámetros de los instrumentos de medida y control.

Conocer más a fondo los círculos cromáticos

Las posibilidades a la hora de trabajar en la corrección de color van mucho más allá del ajuste en las ruedas de color que has realizado. Dominar las herramientas para llevar a cabo todo el proceso creativo del etalonado se convierte en algo indispensable si quieres sacar el máximo rendimiento a un programa tan versátil y potente como DaVinci Resolve.

Vamos a repasar el resto de los controles que se encuentran en las ruedas de color y que seguro serán de utilidad en determinadas ocasiones.

Controles de los círculos primarios

En la parte inferior de los Círculos de ajustes primarios se encuentran dos páginas de controles para trabajar otros aspectos más específicos de la imagen. Veámoslos (figura 7.1).

- **Contraste.** Uno de los parámetros más determinantes para el ajuste correcto de la imagen. Al modificar su valor, incrementamos o reducimos la distancia entre las zonas más claras y oscuras. La gráfica de forma de onda es indispensable para encajar bien estos valores.

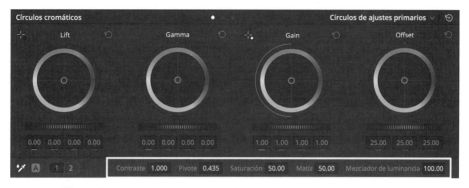

Figura 7.1. Primera página de controles adicionales en las ruedas de color.

- **Pivote.** Directamente relacionado con el valor anterior. Cambia el centro sobre el cual se expandirán o reducirán los niveles durante el ajuste de contraste. Para imágenes oscuras es aconsejable tener un valor más bajo del pivote para evitar aplastar demasiado las sombras al estirar el contraste, mientras que para las más claras se recomienda aumentarlo para obtener mayor densidad en las zonas oscuras.

- **Saturación.** Incrementa o decrece el nivel de saturación del color en la imagen. Un valor alto produce colores más vivos e intensos. Por el contrario, cuando se disminuye su valor, el color va perdiendo intensidad hasta que en su valor mínimo se muestra una imagen en escala de grises, en blanco y negro.

- **Matiz.** Desplaza los tonos de la imagen en la misma distribución que las ruedas de color. El valor predeterminado de 50 muestra la distribución tonal original.

- **Mezclador de luminancia.** Cuando corriges un canal primario, se alteran también los valores de luminancia de los otros dos restantes. Esto ocurre de forma predeterminada con el máximo valor —100— de este control. Sin embargo, con valor cero, la luminancia solo afecta al canal primario que se modifique.

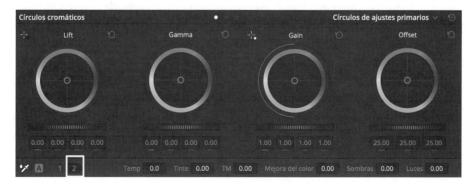

Figura 7.2. La segunda página de controles.

En la segunda página de Círculo de ajustes primarios se localizan los siguientes controles:

- **Temperatura.** Ajusta la temperatura de color de la imagen y corrige un mal balance de blancos, actuando desde los tonos anaranjados hasta el azul.

- **Tinte.** Corrige dominantes de color que se producen con iluminación artificial. Se compensa con mayor o menor presencia de verde o magenta.

- **Tonos medios.** Al incrementar el valor de este parámetro, aumenta el contraste en los tonos medios y la percepción de nitidez. Si disminuimos su valor, se suavizan los detalles de la imagen.

- **Mejora del color.** Las zonas de baja saturación de la imagen pueden reforzarse o reducirse modificando este control.

- **Sombras.** Afecta a los detalles de las sombras: oscurece o aclara dichas zonas.

- **Luces.** Facilita la recuperación de altas luces cuando la imagen presenta un alto contraste o, por el contrario, requiere un aumento en los niveles de blanco.

NOTA:

Al igual que la mayoría de los parámetros de DaVinci Resolve, cuando haces clic y arrastras su valor hacia la derecha o la izquierda, lo aumentas o disminuyes. Al hacer doble clic sobre el número es posible modificarlo numéricamente y un doble clic sobre el nombre del parámetro lo restablece a sus valores predeterminados.

Controles de los círculos Log

El modo Log —recuerda, mucho más restrictivo con el rango de luminancia— también cuenta con los mismos controles ya vistos, aunque añade dos variables más: rango inferior y superior. Para aclarar este concepto, observa la figura 7.3. La zona de sombras se superpone sobre la de grises bajos y lo mismo ocurre con las luces y los grises altos. Ese rango de solapamiento se puede variar para acercarlo más o menos hacia los extremos.

Hagamos un poco de prácticas para descansar de la teoría y con eso afianzamos mejor el conocimiento de las herramientas. Como siempre: nuevo proyecto y dar el nombre del capítulo. En la carpeta Escala de grises tienes un único clip que importarás para crear una nueva línea de tiempo con él. Ahora, a trabajar en la pestaña Color. Fíjate en el clip. Es un degradado de grises desde el negro al blanco puro.

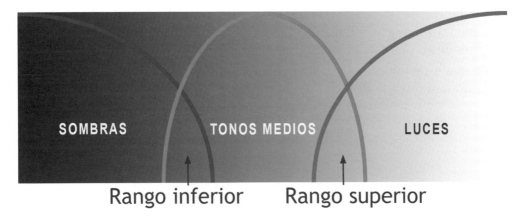

SOMBRAS   TONOS MEDIOS   LUCES

Rango inferior   Rango superior

Figura 7.3. Representación gráfica de las curvas de acción en modo Log.

La idea de este ejercicio práctico es que descubras visualmente y entiendas cómo las distintas ruedas de color afectan los valores de luminancia de la imagen. Tienes de forma ordenada toda la gama de grises en el clip para que compruebes qué zonas se ven alteradas cuando modificas un parámetro. Empecemos por los Círculos de ajustes primarios.

Figura 7.4. El clip de escala de grises en la pestaña Color.

- Haz clic en el menú desplegable de la parte superior derecha de las ruedas de color y asegúrate de que tienes seleccionado Círculo de ajustes primarios.

- Desde la rueda Lift, arrastra el pequeño círculo central hacia el color azul. Observa cómo las zonas grises cercanas al negro son las que se tintan de ese color. Los grises de niveles más altos casi ni se alteran y el blanco permanece puro.
- Vuelve a restablecer el valor predeterminado mediante un clic sobre el icono situado a la derecha del nombre de la rueda.

Figura 7.5. La rueda Lift consigue tintar de azul el negro puro y la zona de sombras cercanas a él.

- Haz la misma operación con la rueda Gamma, tinta los grises de color verde y luego con Gain mediante el color amarillo. Una vez que observes lo que ocurre en cada rueda, restablece su valor predeterminado.

TRUCO:

Resolve te indica con un pequeño punto rojo a la derecha del icono de cada herramienta que se ha modificado cualquier valor. Cuando se restablecen los ajustes predeterminados, el punto desaparece. Es muy útil que quede indicado si has alterado algún parámetro con una herramienta porque a golpe de vista puedes localizarlo en la interfaz.

No he puesto al azar los colores para tintar los grises. Recuerda que cada color puro tiene unos niveles diferentes de brillo. Su orden, de más luminoso a menos, sería el siguiente: amarillo, cian, verde, magenta, rojo y azul. De esa forma, si tintas un blanco de amarillo, se notará más que si lo haces con azul; al igual que añadir azul a las zonas oscuras de la imagen tendrá más presencia que si lo haces con amarillo.

Ahora vamos a realizar el mismo ejercicio, pero con las ruedas Log. Selecciónalo desde el menú.

Figura 7.6. Selección de ruedas Log desde el menú.

- Añade azul a Sombras y no restablezcas los valores predeterminados. Estas ruedas, al ser más restrictivas que las anteriores, apenas se solapan las modificaciones de cada una.

- Haz el mismo procedimiento para Tonos medios con verde y Luces con el amarillo.

- Fíjate en que la imagen de grises se ha tintado con los tres colores y está dividida claramente por el rango de actuación de cada rueda.

- Modifica los valores de Rango bajo y Rango alto para ampliar o reducir las zonas a las que afecta cada rueda y aprecia lo que ocurre.

Como has corroborado, con el manejo de círculos cromáticos tienes mucho control sobre las partes que vas a alterar con la corrección de color. Todo dependerá de si quieres que el parámetro que estás modificando sea más o menos amplio sobre sus valores de luminancia.

Barras de ajustes primarios

Otra variante de los Círculos de ajustes primarios es el manejo, mediante barras, de los valores de luminancia y RGB de manera independiente. Básicamente es lo mismo, solo que ahora tienes más control sobre cada uno de los colores primarios. En el menú desplegable selecciona Barras de ajustes primarios.

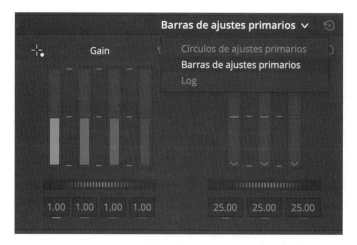

Figura 7.7. Barras de ajustes primarios.

Si haces clic y arrastras una barra, comprobarás que se altera ese parámetro en la imagen: aumenta al subir la barra y disminuye al bajarla. Ten en cuenta también que al modificar la barra blanca de luminancia no alterarás el valor de RGB, al contrario de lo que ocurre si mueves el deslizador horizontal. Haz la prueba, por ejemplo, con el parámetro Gain, y observa los valores numéricos.

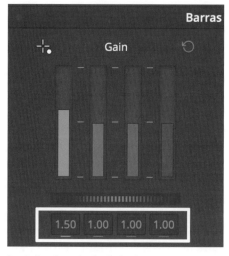

Figura 7.8. Subir los niveles de luminancia desde las barras permite mantener los niveles de RGB.

ADVERTENCIA:

Es importante tener en cuenta que si modificas cualquier valor en los ajustes primarios de las barras también lo haces en los círculos, y viceversa.

Para terminar con todos los controles de los círculos cromáticos, siempre tienes la posibilidad de indicarle al programa dónde está situado el punto máximo de blanco —Gain— y de negro —Lift— para que, a partir de ahí, tome esos valores de referencia y ajuste de manera automática la imagen. Para realizar cualquiera de estas acciones haz clic sobre el icono a la izquierda del nombre y notarás que el cursor de flecha se cambia a una cruz. Ahora ya puedes posicionarte sobre la parte de la imagen que quieras marcarle de referencia al programa y hacer clic. Esta opción solo la tienes disponible en los ajustes primarios.

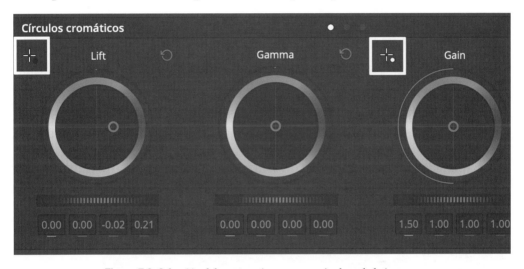

Figura 7.9. Selección del punto más oscuro y más claro de la imagen.

Lo mismo ocurre con el balance de blancos, que hará que Resolve construya el resto de los colores a partir del valor fijado. Localiza el icono de cuentagotas de la parte inferior izquierda de la interfaz. El procedimiento es idéntico al anterior: seleccionas la herramienta haciendo clic en el icono —se cambiará a un cuentagotas—, lo posicionas sobre el blanco más claro que tengas en la imagen y haces clic de nuevo para indicarle al programa el blanco de referencia.

Figura 7.10. Balance de blancos.

Aunque es cierto que para cosas muy puntuales y para acelerar el trabajo puede venir bien hacer uso de estas herramientas, en general no soy muy partidario de los automatismos —ya lo he comentado— y menos aún en este caso que depende de nuestra precisión a la hora de marcar los valores de referencia. Haz la prueba con el clip del anciano y verás cómo difícilmente lograrás hacerle un ajuste de primarias tan preciso como el que realizaste de manera manual.

Uso de curvas

Otra herramienta para modificar valores concretos de la imagen de manera más restrictiva, más precisa, es Curvas. Esta tiene seis modos que proporcionan diferentes métodos para manipular el color y el contraste de una imagen. Cada curva permite ajustar una región según su nivel de luminancia, tono o saturación.

Haz clic en el sexto icono para entrar en el modo Curvas. Se mostrará la curva Personalizada. Dependiendo de la resolución que tengas en el monitor, trabajarás en la parte inferior central —entre los Círculos cromáticos y las Representaciones gráficas— o en la izquierda, sustituyendo a las ruedas de color. La potencia y el nivel de precisión que se alcanza con esta herramienta la convierte en una de las preferidas de los profesionales para su flujo de trabajo diario.

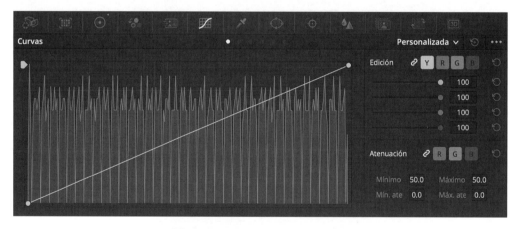

Figura 7.11. La curva Personalizada.

Observa la gráfica: hay una línea recta ascendente que la atraviesa. Esta indica que no se ha realizado ningún ajuste. De fondo puedes apreciar, además, un histograma activado de forma predeterminada como guía para los ajustes que hagas.

La clave del manejo de curvas está en saber interpretar correctamente cada valor que modificas. El eje horizontal representa el rango de la imagen original, desde el negro —a la izquierda— hasta el blanco —a la derecha—, mientras que el eje vertical indica el valor modificado. Cuando se añaden puntos a lo largo de la curva (subiendo y bajando en diferentes regiones), realmente estamos reasignando un nuevo valor a ese parámetro y en esa zona.

A la derecha del editor de las curvas se localizan controles adicionales para seleccionar de forma individual la curva de luminancia (Y) o cualquiera de los colores RGB. Los deslizadores inferiores permiten ajustar la intensidad de cada canal de color. A la derecha de cada valor se encuentra el icono para restablecer los ajustes predeterminados.

Figura 7.12. Selección de la curva a editar y deslizadores para ajustar la intensidad de cada canal.

Sigamos con el ejemplo de la escala de grises para las prácticas. Quitaremos la visualización del histograma para tener más limpia la edición de la curva.

- En la parte superior derecha hay tres puntos para acceder al menú adicional. Haz clic y selecciona Histogramas>Desactivado.

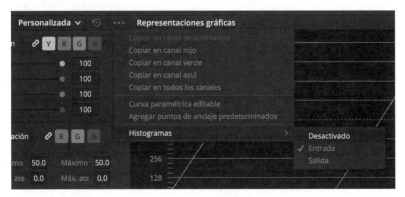

Figura 7.13. Desactivando el histograma de referencia.

- Observa la imagen del visor, la escala de grises. Acerca el cursor al visor y comprueba que el icono cambia a un cuentagotas. Está preparado para coger una muestra de cualquier zona de la imagen.
- Haz clic en la zona intermedia de grises. Un clic coge la muestra de un único píxel; mientras que, si haces clic, arrastras y sueltas, hará un promedio de los valores recogidos.
- Fíjate en que en la diagonal de la curva se ha añadido un círculo pequeño. Está indicando el valor que tiene en la curva la zona muestreada.
- Selecciona, haciendo clic, el canal verde —G— de los controles de la parte superior. Vas a transformar solamente los valores de este color.
- Haz clic y arrastra suavemente el punto de la curva hacia arriba. Mira la imagen del visor. Se ha tintado de verde una amplia zona de los grises medios.

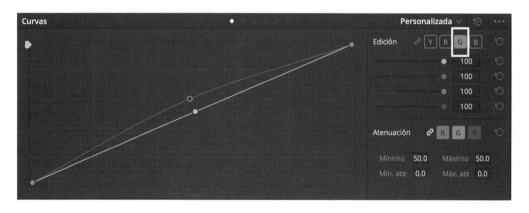

Figura 7.14. A partir de los grises medios se ha tintado la imagen de verde.

La ventaja principal de trabajar con las curvas es que puedes añadir tantos puntos como quieras y en cualquiera de ellas (YRGB). Has tocado el canal verde, pero es posible hacer lo mismo con los niveles de brillo de una zona en concreto de la imagen. De esa forma se acota mucho la región que vas a editar de la imagen. Por ejemplo, reduzcamos drásticamente la zona de grises a tintar de verde.

- Vuelve a dejar la gráfica como estaba originalmente. En la parte superior derecha, justo a la izquierda de los tres puntos del menú adicional, se halla el botón para dejar todas las curvas con los valores predeterminados.
- Recoge otra muestra de un gris medio con un clic con el cuentagotas sobre la imagen del visor.
- Antes de modificar el punto que se ha creado en la curva, limita su rango de acción marcando de forma manual en la curva un punto inferior y otro superior.

- Haz clic en la línea de la curva un poco por debajo del punto. Repite la operación en la parte superior. Deberías tener ahora tres puntos en la curva.

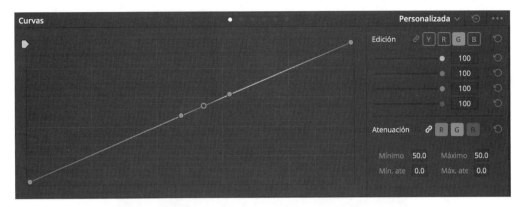

Figura 7.15. Curva con tres puntos en la zona central de grises.

- Asegúrate de que está seleccionado solo el canal verde y desplaza suavemente hacia arriba el punto central.
- Observa la imagen. El tintado de color verde tiene ahora un rango muy pequeño dentro de la escala de grises. Has acotado la zona —inferior y superior— con los puntos próximos al de muestra.

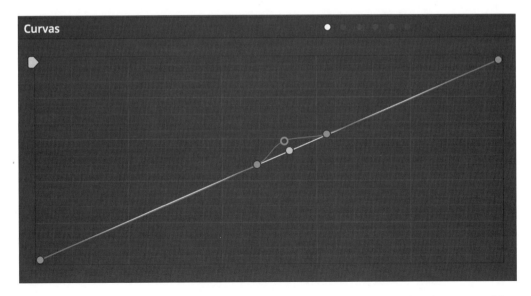

Figura 7.16. Los puntos extremos hacen de limitador en la curva y un área restringida es la que se modifica al alterar el punto central.

Como ves, hay un gran potencial con el uso de las curvas y su precisión es mayor que cualquier otra herramienta. Hasta ahora solo has tocado un tipo de curva, la Personalizada. Veamos otras variantes que son más específicas. Si despliegas el menú superior, aparecerá un listado de ellas.

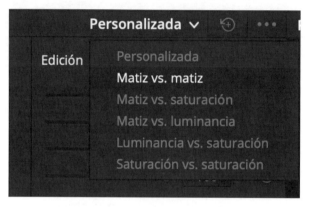

Figura 7.17. El menú desplegable de Curvas.

- **Matiz vs. matiz.** Cuando modificas la curva, cambias la tonalidad seleccionada en la imagen por otra.
- **Matiz vs. saturación.** A partir de una muestra de tono se altera la saturación.
- **Matiz vs. luminancia.** Sobre el tono elegido se cambian niveles de luminancia.
- **Luminancia vs. saturación.** Se selecciona un valor de luminancia y se modifica su saturación.
- **Saturación vs. saturación.** Escoge una muestra de saturación para cambiar su valor en la curva.

La abreviatura «vs.» (versus) indica «frente a», así que la primera de este tipo sería Matiz frente a matiz. El primer parámetro —matiz o tono, en este caso— indica el valor de muestra, el que tomarás de referencia; y el segundo, el modificado en la curva. En otras palabras, seleccionas un color en la imagen y se lo cambias por otro. Lo vemos con un ejemplo, que como siempre se entiende mejor.

- Importa el archivo de la carpeta Curvas y añádelo al final de la línea de tiempo que ya tienes, detrás de la escala de grises. Es una imagen estática

—una carta de color— que nos vale perfectamente porque contiene una gran variedad de tonos y grises. De hecho, usar cartas de color y calibradores de pantalla es uno de los recursos para ajustar correctamente las salas de corrección de color.

- Una vez que tengas la imagen en la línea de tiempo, asegúrate de que has seleccionado la curva Matiz vs. matiz. Recuerda que cuando modificas sus valores, esta curva cambia la tonalidad elegida por otra.
- Observa la gráfica de la curva. Una línea horizontal blanca recorre por el centro todo el espectro de colores, desde el rojo a la izquierda hasta acabar de nuevo en el rojo a la derecha, para cerrar todo el círculo cromático. Las líneas verticales localizan la posición de cada color primario (rojo, verde y azul) y secundario (amarillo, cian y magenta).
- Ahora mira la imagen del visor. Hay un cielo azul en la parte inferior derecha, la del río.
- Acerca el cursor al cielo —cambiará a un cuentagotas cuando te sitúes sobre el visor— y coge una muestra haciendo clic y arrastrando sobre la zona.
- En la curva han aparecido tres puntos. Se corresponde con la tonalidad —azul— seleccionada.
- Arrastra el punto central de la curva hacia arriba y presta atención a la imagen del visor.
- Con un valor aproximado de 75 en Rotar los matices de la parte inferior derecha obtienes una tonalidad verdosa en el cielo.

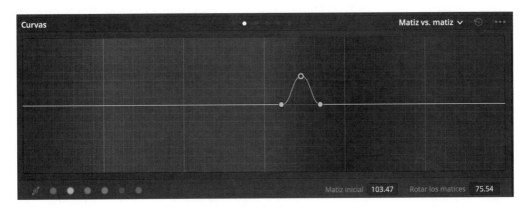

Figura 7.18. Modificando el tono del cielo en la carta de color con la curva Matiz vs. matiz.

Continúa modificando los valores de la curva de forma más drástica, alejando el punto del centro, y hacia abajo. Comprobarás que solo la tonalidad del cielo, y su reflejo en el agua, es la que se modifica. Los puntos en los extremos (a la izquierda y derecha del central) delimitan la zona de acción. Es posible arrastrarlos hacia la derecha o la izquierda para ampliar o reducir el área tonal que se alterará.

Pongo otro ejemplo. Restablece los valores predeterminados de esta curva y selecciona en el menú Matiz vs. saturación. Haz el mismo procedimiento anterior y te darás cuenta de que, en este caso, el cielo azul aumenta o disminuye su saturación, hasta el punto de quedarse en blanco y negro si forzamos la curva hasta abajo para obtener valor cero en Saturación.

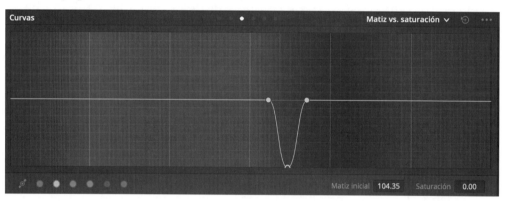

Figura 7.19. El cielo queda en este caso en blanco y negro al dejar sin valor la saturación.

Los anteriores son solo un par de ejemplos que ilustran las posibilidades que ofrece este tipo de curvas. En la parte inferior izquierda tienes la posibilidad de usar curvas de Bézier y de seleccionar primarios y secundarios en la curva. Prueba con el resto para que aprecies todas las combinaciones posibles a la hora de modificar valores de tono, saturación y brillo de una imagen.

Trabajar con nodos

DaVinci Resolve trabaja, en las correcciones de color, con una estructura de «árbol» con nodos. Es un flujo de trabajo muy común en sistemas de composición para efectos visuales (VFX) con programas como Fusion o Nuke. Si estás familiarizado con la interfaz de los programas de edición que trabajan con líneas de tiempo, quizás te parezca un poco extraño trabajar con nodos, pero te aseguro que una vez que entiendas el concepto lo encontrarás potente y, sobre todo, útil.

Un nodo —explicado simple y llanamente— es un contenedor donde se almacenan los ajustes de una corrección de color. De manera predeterminada cada clip tiene un nodo que contiene las primeras correcciones que realices. Sin embargo, también existe la opción de añadir más nodos al clip: cada uno de ellos incluye más correcciones que afectan a la imagen. Si haces muchas modificaciones a un clip, tal vez te resulte más cómodo acceder a cada una ellas de forma independiente, por lo que puedes ir sumando nodos que estarán conectados entre sí con cada cambio hecho.

Avanzaremos más en el trabajo con nodos, pero abordemos la teoría básica en la práctica. Importa el clip de los barcos por el río Guadalquivir. Puedes crear una nueva línea de tiempo o añadirlo a la que ya tienes, como quieras. Una vez situados en el módulo Color, selecciona el icono de Círculos cromáticos que usaste antes para trabajar con las ruedas de color. Ahora pulsa el icono de Nodos de la parte superior derecha de la interfaz.

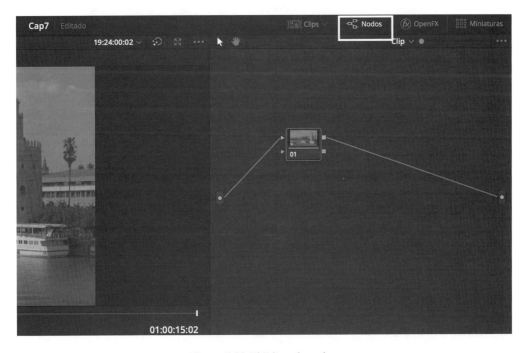

Figura 7.20. El Editor de nodos.

Se ha añadido una nueva ventana a la derecha del visor: es el Editor de nodos, el área donde trabajarás con ellos. De forma predeterminada, hay un primer nodo corrector con la miniatura de cada clip para guardar las correcciones que vayas realizando. Cada nodo tiene dos entradas —triángulo— y dos salidas —cuadrado—, a su izquierda y derecha, respectivamente. Las de color verde claro se corresponden con la señal RGB (la imagen en color) y las azules con el canal alfa de recorte. De momento y para hacerlo de manera más sencilla, solo trabajarás con la señal de color; más adelante lo harás con el canal alfa y entenderás su utilidad.

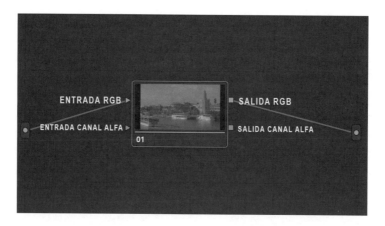

Figura 7.21. Entradas y salidas del nodo predeterminado.

Hagamos la primera corrección, por ejemplo, para dejar el clip en blanco y negro. Localiza el parámetro de Saturación en la parte inferior y dale valor cero. Evidentemente, la imagen se ha quedado sin color, en blanco y negro o en escala de grises, como prefieras decirlo. Observa lo que ha ocurrido en el nodo. Un icono pequeño —tres barras verticales blancas— en la parte inferior indica que se ha modificado la saturación del clip. En el icono de los Círculos cromáticos también ha aparecido un punto rojo en su parte derecha que es la prueba de que se han cambiado sus valores predeterminados. Los dos sirven de guía visual para saber que el clip tiene alguna modificación.

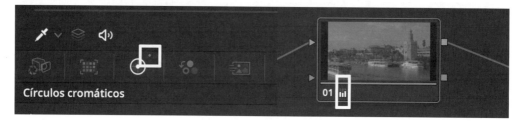

Figura 7.22. El punto rojo al lado del icono de la herramienta y el icono de la miniatura del nodo indican que se han modificado sus parámetros originales.

El siguiente paso es crear un nuevo nodo para almacenar otra corrección. Para ello, desde el menú de la parte superior Color, selecciona Nodos>Agregar nodo en serie. También puedes usar el atajo rápido con las teclas Alt-S. Fíjate en que ahora tienes dos miniaturas que están conectadas entre sí. El nodo 2 que es el que acabas de crear —los nodos se numeran automáticamente a medida que los vas creando— está seleccionado porque está bordeado por una línea roja. Eso indica que puedes trabajar sobre él. Para seleccionar un nodo basta con hacer clic sobre la miniatura.

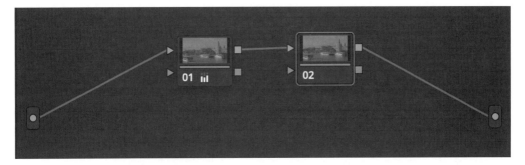

Figura 7.23. Dos nodos conectados en el Editor de nodos.

Los indicadores de modificación que antes tenías en el primer nodo (icono pequeño en la parte inferior y punto rojo a la derecha de la herramienta) ya no aparecen en este porque no has realizado ninguna acción. Cambiemos algo en el clip para tenerlo en este nodo. Tintarlo de color puede ser una buena opción. Localiza la rueda Offset y desplaza su tono hacia el amarillo-naranja para darle un toque de color sepia antiguo. De nuevo, el nodo vuelve a indicarnos con un icono que se ha modificado un parámetro. Ahora tienes en el visor una imagen en blanco y negro tintada de sepia. Si tienes pocos nodos conectados, no hay mucho problema en localizar los ajustes que tiene cada uno, pero imagina que estás trabajando con una cantidad considerable. Para facilitar visualmente la composición de los nodos, lo ideal es nombrar cada uno para identificarlos rápidamente. Con el menú contextual —botón derecho— del nodo, selecciona Cambiar nombre. Poner Blanco-Negro (o BN) en el primero y Sepia en el segundo puede estar bien.

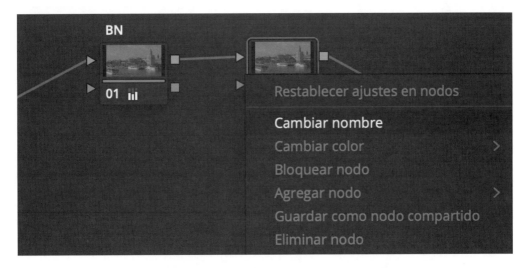

Figura 7.24. Cambiando el nombre al nodo.

Veamos ahora cómo funciona la conectividad entre los nodos. Observa el árbol de conexiones.

- En la parte izquierda tienes una línea que conecta la «entrada» —círculo verde que se corresponde con el clip original importado— con el primer nodo.
- A continuación hay una línea que une ambos nodos. Nos está mostrando que la salida en blanco y negro del primer nodo está conectada a la entrada del segundo.
- Por último, la salida del segundo nodo —color sepia— se conecta con la salida del árbol de nodos —círculo verde a la derecha de la ventana— para así completar el circuito de procesamiento de la imagen.

Los nodos pueden conectarse y desconectarse entre sí para modificar su estructura, según las necesidades que tengas. Desconectemos el primero y dejemos un único nodo —el segundo— completando el circuito de entrada-salida.

- Localiza la primera conexión, la de la izquierda, desde la entrada hasta el primer nodo. Sitúa el cursor sobre la línea de conexión, en su parte derecha. Fíjate en que cambia a color azul.
- Haz clic con el ratón para eliminar la línea de conexión. Ahora el primer nodo está desconectado de la entrada principal.
- Utiliza la misma operación para desconectar la línea que une a ambos nodos.
- Haz clic en el círculo izquierdo de la entrada y, sin soltar el ratón, arrastra la línea que aparece hasta la entrada —triángulo verde— del nodo tintado de sepia. Ahora en el visor se muestra una imagen en color tintada de sepia. El ajuste de blanco y negro ya no está activo porque su nodo está aislado de la conexión.

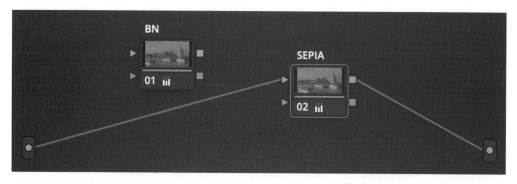

Figura 7.25. El primer nodo se ha desconectado del árbol.

Este es el funcionamiento básico del trabajo con nodos. No solo hay un tipo de nodo, el que has usado es el corrector, pero también tienes disponibles otros como mezcladores, separadores y combinadores. A medida que avancemos en las correcciones precisarás hacer uso de alguno de ellos.

Guardar nuestras correcciones

Imagina por un momento que te interesa la estética que has creado y la corrección que has realizado de la imagen en blanco y negro con el tintado en sepia. Te gusta lo suficiente como para guardarla y usarla luego con otro clip. Lo primero es recuperar la corrección que hiciste. Para eso necesitarás volver a conectar el nodo de blanco y negro que dejaste aislado. El procedimiento es muy sencillo. Tan simple como arrastrar el nodo hacia la línea de conexión izquierda y soltarlo cuando aparezca un signo +. El color de la línea también se vuelve amarillo.

Una vez recuperada la estructura de nodos, es el momento de guardar los estilos. Sitúa el cursor sobre la imagen del visor y con el botón derecho del ratón selecciona Capturar. La corrección ha sido guardada, sin embargo, es imposible localizarla aún porque no tienes abierta la ventana donde se almacenan. Fíjate en el primer icono de la parte superior izquierda de la interfaz: es la Galería de estilos guardados. Haz clic con el ratón para abrir la ventana. En la parte izquierda de la interfaz cuentas ahora con un área donde se almacenan todas las correcciones guardadas. Observa que aparece una miniatura de la corrección sepia que acabas de guardar.

Figura 7.26. La Galería de estilos.

Veamos cómo se usa un estilo previamente guardado. Para ello, primero deja el clip del río con sus ajustes originales, sin ninguna corrección.

- Sitúate con el ratón en un área vacía del árbol de nodos y con el menú contextual —botón derecho— escoge Restablecer ajustes y nodos. El clip vuelve a tener un único nodo vacío, sin ajustes.

- Para comparar la diferencia que existe entre el clip original sin ajuste y con corrección, localiza la miniatura de la Galería y haz doble clic con el cursor sobre ella.

- Observa el visor. El icono de Cortinilla de su parte superior izquierda se ha activado. Mediante esta cortinilla puedes comparar la imagen del árbol de nodos sin corrección con el estilo guardado. Haz clic y arrastra el cursor sobre el visor y tendrás las dos imágenes —original y modificada— separadas por una cortinilla vertical.

Figura 7.27. Cortinilla en el Visor para comparar el estilo guardado con la imagen del árbol de nodos.

- La utilidad de la cortinilla es la de comparar la imagen que tienes en el árbol de nodos con la almacenada en la Galería. Haz clic en el icono Cortinilla para desactivarla o usa el atajo Cmd-W (Ctrl-W en Windows) para activar-desactivar la función más rápidamente. La cortinilla usada de forma predeterminada es la vertical, pero, cuando tienes activa esta función, te aparecerán más opciones en la parte superior derecha del Visor.

- A continuación, recupera el estilo sepia que has guardado. Desde el menú contextual de la miniatura de la Galería, selecciona Aplicar ajustes cromáticos.

El clip vuelve de nuevo a tener la estructura de nodos con la estética sepia. Las miniaturas con los ajustes guardados también pueden nombrarse para facilitar su localización. Desde el menú contextual selecciona Modificar nombre. Una barra vertical parpadeando indica que es posible escribir el nuevo nombre del estilo guardado.

Figura 7.28. Cambio del nombre de un estilo.

Probémoslo con otro clip, el de la piragua sobre el río podría estar bien. Añádelo a la secuencia y vuelve a la pestaña Color. Fíjate en los iconos de la parte superior derecha de la interfaz y pulsa Clips. En la parte central, entre la imagen del visor y las herramientas, se ha abierto una nueva ventana con miniaturas de los clips. Ahora puedes elegir, con un clic en la miniatura, el que usarás para la corrección entre todos los que tienes en la línea de tiempo.

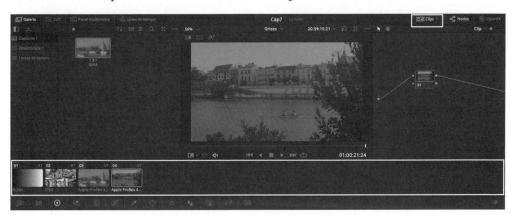

Figura 7.29. Visualización de los clips de la línea de tiempo.

De forma predeterminada en Galería está activada en el menú la opción de Previsualizar clip que permite comprobar cómo quedaría el estilo guardado antes de aplicarlo, simplemente colocando el cursor sobre la miniatura del estilo. Asegúrate de que tienes seleccionado el clip de la piragua y aplica la corrección guardada en la Galería. Ya sabes: selecciona Aplicar ajustes cromáticos desde la miniatura. Ya tienes la estética sepia en el clip.

Los estilos guardados también pueden ordenarse mediante álbumes. En la parte izquierda, en la ventana Galería, tienes un listado con los que trae Resolve de forma predeterminada, pero, por supuesto, es posible añadir más y personalizarlos con nombres para lograr una mejor organización. Hay dos tipos:

- **Capturas.** Es un álbum donde se almacenan los estilos del proyecto en uso.
- **PowerGrade.** Los estilos guardados en este álbum estarán visibles y disponibles para usarlos con cualquier proyecto.

Justo debajo tienes Líneas de tiempo, una función muy útil para recuperar las correcciones de los clips de cada línea de tiempo, sin necesidad de guardarlos en un álbum.

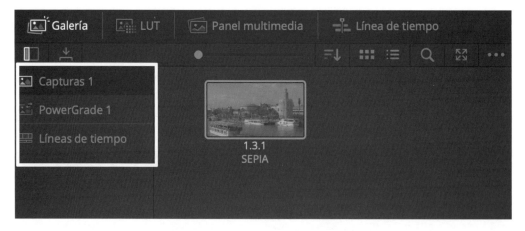

Figura 7.30. Los álbumes de la Galería.

Cuando guardas un estilo, se almacena en el álbum que esté seleccionado, tanto en Capturas como PowerGrade, y, por supuesto, puedes añadir y eliminar álbumes con el menú contextual. Pasar estilos entre distintos álbumes es tan sencillo como hacer clic en la miniatura y arrastrarla al nuevo destino.

En la parte superior se halla un menú que permite buscar en los estilos guardados y visualizarlos en modo miniatura o texto.

Galería de estilos

Otra de las preguntas recurrentes con Resolve es la de si cuenta con algunos estilos predeterminados. La respuesta es sí, efectivamente. Hay una galería con varios estilos que es posible usar en cualquier álbum para añadirlo a uno o varios clips.

En los iconos de la parte superior de la ventana Galería, y a la derecha del buscador, se localiza la opción de activar Vista de la galería. Haz clic en el icono y se abrirá una ventana donde están clasificados los estilos predeterminados que trae el programa.

Figura 7.31. Vista de la galería con estilos predeterminados.

Si pasas el ratón sobre la miniatura de un estilo, comprobarás cómo quedaría sobre el clip. Haz clic y arrastra un estilo predeterminado desde la parte superior hasta el álbum deseado. Cuando cierres la ventana, dispondrás del estilo seleccionado en la Galería, listo para ser usado.

Los estilos también se importan-exportan desde el menú contextual para intercambiarlos. En la web es posible encontrar una gran cantidad de ellos.

Correcciones secundarias

En el ejercicio práctico del anciano con dominante azul en la imagen, hiciste una corrección primaria. Lo trataste de manera global modificando los parámetros básicos de brillo, contraste y, sobre todo, compensación de dominantes. Hasta ahora el tipo de correcciones realizadas han afectado, en mayor o menor medida, a la totalidad de la imagen. Has discriminado determinadas zonas en función de sus niveles de luminancia con las ruedas de color e incluso con las curvas seleccionaste un rango de tonalidad —el azul— alterando su matiz y saturación en la carta de color. Todo eso está muy bien, pero el trabajo del colorista va aún más allá. En muchas ocasiones la imagen requiere un tratamiento distinto dependiendo de si se necesita resaltar, o no, algunos elementos de ella. Cuando aíslas partes de una imagen para manipular sus características de color estás trabajando con correcciones secundarias.

Colores específicos

Hay dos técnicas fundamentales en este tipo de trabajo: la de selección de un color específico y la de máscaras de recorte. Empezaremos por usar la primera de ellas.

- Importa y crea una línea de tiempo con el clip que tienes en la carpeta Secundarias del material de prácticas. Es el mismo clip de barcos por el río que ya has usado antes, con la diferencia de que sus niveles de contraste y color están más equilibrados. Resaltaremos con una corrección secundaria el color del cielo.

- El primer nodo del módulo de Color lo usarás para una corrección primaria. Ajusta un poco, levemente, el contraste global de la imagen desde la herramienta Curvas y Personalizada con un par de puntos en la zona de sombras y de altas luces. Observa la figura 7.32 para que tengas una referencia del ajuste.

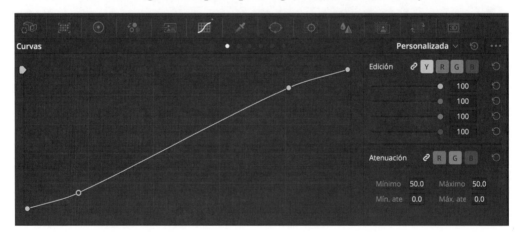

Figura 7.32. Una curva básica de ampliación de contraste.

- Nombra el nodo como Contraste.
- Añade un segundo nodo a continuación con el atajo Alt-S. En este nodo realizarás la corrección secundaria. Nómbralo Cielo.

- A la derecha del icono Curvas se halla el de Colores específicos. Haz clic en él para comenzar a trabajar con correcciones secundarias. Usa esta herramienta para destacar el color del cielo. El resto de la imagen permanecerá sin cambios.

- Acerca el cursor a la imagen del visor. El icono se cambia a un cuentagotas. Fíjate en la parte superior izquierda de la imagen, donde el cielo está más despejado de nubes. Haz clic y arrastra el cursor en esa zona para coger una muestra.

- Observa los valores de Matiz, Saturación y Luminancia que se muestran en la ventana Colores específicos. Indica, gráfica y numéricamente, las tres características del color que acabas de escoger.

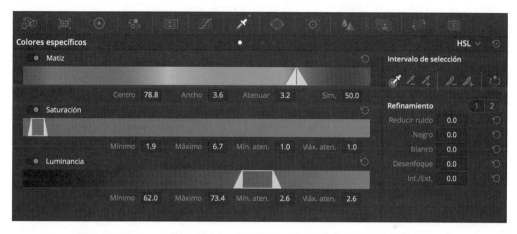

Figura 7.33. La muestra del color del cielo en la ventana de Colores específicos.

Una vez seleccionado el color para aislarlo del resto de la imagen, es importante afinar el ajuste para asegurarse de que abarca toda la zona que nos interesa: en nuestro caso, el cielo con las nubes. Hay una herramienta que nos ayudará en este proceso y que permite visualizar únicamente la zona seleccionada. Veamos cómo funciona y tratemos de perfeccionar la zona elegida.

- Haz clic en el icono con forma de varita mágica Destacar de la parte superior izquierda del Visor. Esto hará que solo veas el color seleccionado y permitirá tener un control visual más preciso de lo que se está seleccionando (figura 7.34).

- No tienes todavía todo el cielo seleccionado, pero para eso cuentas con herramientas más precisas que te ayudarán a conseguirlo. Mira la parte inferior en la gráfica Matiz. Amplía el valor de Ancho haciendo clic y arrastrando en la casilla numérica hasta alcanzar 36, aproximadamente. A medida que vas incrementando el valor, observa cómo aumenta la selección. Lo que has hecho es ampliar el rango tonal para que se incluya el resto del cielo.

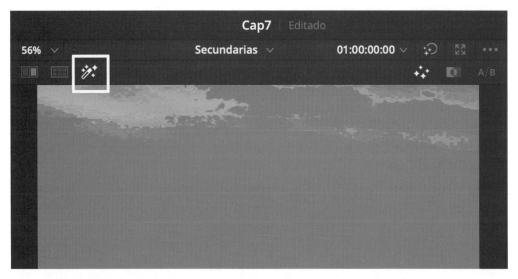

Figura 7.34. Con el icono Destacar se visualiza en la imagen solamente lo seleccionado en Colores específicos.

- Suaviza ahora los bordes de la selección: pon en Atenuar un valor 10.

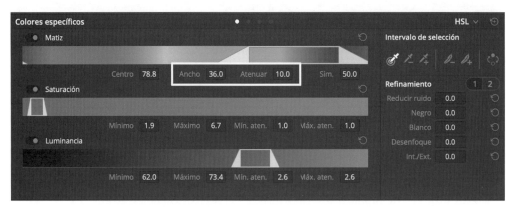

Figura 7.35. Aumento del rango tonal del cielo.

Mira la imagen. Ya tienes una selección del cielo más que suficiente como para variar sus valores sin que afecte al resto de la imagen, pero vamos a perfeccionarla aún más. La selección la ves en color y puede estar bien para hacerte una idea de las partes que están incluidas, pero cuando necesitas mayor precisión es preferible visualizarla en blanco y negro.

Haz clic en el icono Destacar en blanco y negro de la parte superior derecha del Visor. Las zonas seleccionadas se muestran de color blanco y, por el contrario, lo que está fuera de la selección es de color negro. Si te detienes en la parte inferior, en el río, hay trozos de color blanco que también se incluyen en la selección. Eso es porque hay partes de la tonalidad del agua que coinciden con la seleccionada. Esas partes no nos interesan que estén incluidas, porque cuando modifiques la tonalidad del cielo también afectaría a esas zonas.

Figura 7.36. Destacar en blanco y negro aporta una mejor visualización de las zonas seleccionadas.

Esta es una buena oportunidad para hacer uso de otra de las herramientas habituales en las correcciones secundarias: las máscaras.

Máscaras de recorte

Una de las técnicas fundamentales en el mundo de la posproducción es la del uso de máscaras de recorte. Básicamente es incluir trazados y figuras geométricas para aislar zonas de la imagen. Empezarás por trabajar de la forma más simple para que entiendas rápidamente su utilidad.

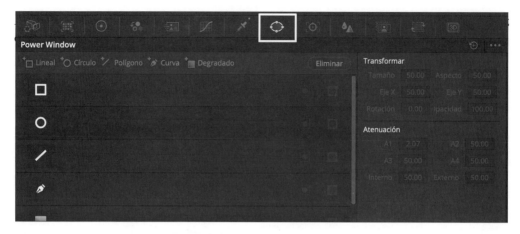

Figura 7.37. Ventana Power Windows.

Desde la ventana Power Windows, o máscaras, tienes al alcance todas las herramientas y controles para aislar zonas de la imagen. Por supuesto, es posible añadir varias máscaras y combinarlas entre sí hasta obtener el resultado deseado. De momento, empecemos por lo más fácil, que ya habrá tiempo de complicarlo.

- Haz clic en el icono del cuadrado para seleccionar esa máscara. Una línea bordeada roja indica que está activa. En la imagen en blanco y negro hay ahora una máscara rectangular.

- Pon la visualización del Visor a un 50 % para que te resulte más cómodo mover y editar la máscara.

- Arrastra la máscara —el cursor cambia a unas flechas en cruz— hacia la parte superior de las nubes.

- Arrastra los vértices del rectángulo para que la máscara ocupe solo la selección del cielo con nubes. La figura 7.38 puede serte útil para conseguirlo.

Todo lo que hay dentro de la máscara estará incluido en la selección, por lo que las partes del río ya no se verán afectadas cuando resaltemos el color del cielo. Con esto, ya has terminado de aislar las zonas que te interesan para tratarlas en la corrección de color y, además, lo has hecho combinando dos técnicas: la de selección de un color determinado y la de máscaras.

- Para dejar de visualizar la máscara, pulsa Desactivar en el menú inferior izquierdo del Visor.

- Desactiva el icono Destacar para volver a ver la imagen sin selección.

- Selecciona Ajustar para visualizar la imagen completa en el Visor.

- Haz clic en Círculos cromáticos para empezar a resaltar el cielo.

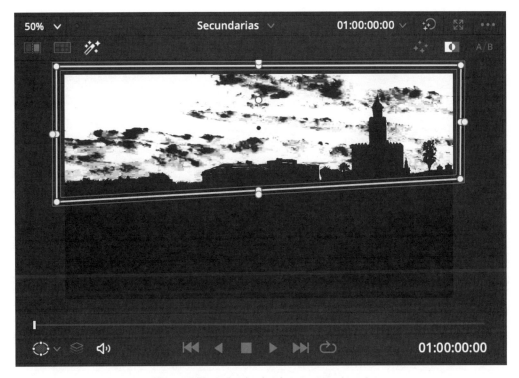

01:00:00:00

Figura 7.38. Aislando el cielo con una máscara.

- Ajusta el control de Gain ligeramente hacia el azul. Un valor aproximado de 1.12 en el azul puede ser suficiente.

- Para comprobar el antes y después de la corrección del nodo, usa el atajo Cmd-D (Ctrl-D en Windows) para activar-desactivar el nodo.

Ya has visto lo sencillo que resulta aislar colores y zonas de la imagen con las herramientas de Colores específicos y Power Windows. Por último, dale otra utilidad a la ventana Power Windows y crea una estética diferente al clip simulando un viñeteado —oscurecimiento de las esquinas— con una máscara. Para ello:

- Crea un nuevo nodo con el atajo Alt-S y nómbralo viñeta.

- Desde Power Windows, selecciona la máscara con forma de óvalo.

- Reduce la visualización del Visor a un 50 % para que te resulte más manejable editar la máscara.

- Agranda la máscara arrastrando los puntos de los extremos del óvalo, hasta que los bordes del círculo se sitúen en los extremos de la imagen.

- Suaviza el contorno de la máscara arrastrando hacia afuera cualquiera de los cuatro círculos con borde rojo. Un valor 12.50 de Atenuación puede estar apropiado. La imagen 7.39 te servirá de guía.

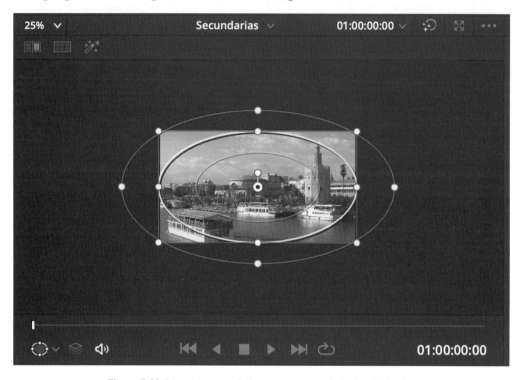

Figura 7.39. La máscara ovalada para crear un efecto de viñeteado.

- Observa la máscara activa de la ventana Power Windows. A su derecha se aprecian dos iconos. El primero de ellos, el de la izquierda, invierte la selección de la máscara. Haz clic y fíjate en la miniatura del nodo y en cómo se invierte la selección cuando lo pulsas.

Figura 7.40. Invertir la selección de la máscara.

- Desactiva la visualización de la máscara y ajusta la imagen en el Visor.
- Desde los Círculos cromáticos y en la rueda Offset, baja el nivel de luminancia hasta un valor aproximado de -3.00 en los tres canales de color.
- Por último, guarda el estilo creado situando el cursor sobre la imagen del visor y desde el menú contextual selecciona Capturar. Nómbralo Cielo viñeta.

Figura 7.41. Una vez creada la máscara, desde la rueda Offset se bajan los niveles de luminancia para simular un viñeteado.

Ya tienes dos estilos propios guardados en la Galería dentro del álbum Capturas. Es interesante que sepas que cualquier nodo que tengas en un estilo determinado puede utilizarse en el árbol de nodos que estés usando. Por ejemplo, el nodo de viñeta que acabas de hacer es posible usarlo con el estilo de sepia que habías hecho antes. Veamos cómo:

- Desde el menú contextual de la miniatura del estilo sepia de Galería, selecciona Aplicar ajustes cromáticos. La imagen coge la estructura de nodos guardada con esa captura y se vuelve de color sepia.
- A continuación, desde el menú contextual de la miniatura del Cielo viñeta de Galería, selecciona Mostrar estructura nodal.
- Desde la nueva ventana abierta, arrastra el nodo de viñeta hasta el árbol de nodos y suéltalo encima de la última línea de conexión. El marco de viñeteado se ha añadido al estilo sepia.

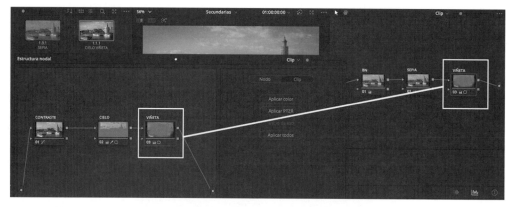

Figura 7.42. Desde la ventana de Estructura nodal es posible arrastrar los nodos hacia el Editor de nodos para usarlos.

Versiones

En el trabajo diario del colorista a veces se hace necesario disponer de distintas versiones de estilos o ajustes para un mismo clip, para compararlas entre sí y decidir cuál es la más adecuada para el montaje final. Podría hacerse guardando los estilos, tal y como lo has hecho hasta ahora. Sin embargo, si son muchos clips los que requieren versiones distintas, se llenaría innecesariamente toda la galería de miniaturas, con la dificultad que supondría localizar un estilo en concreto.

DaVinci Resolve cuenta con la posibilidad de crear tantos estilos diferentes para un clip como sea necesario, almacenándolos en versiones, que pueden estar en modo local o remoto.

- **Local.** Cada clip de la línea de tiempo cuenta con sus propias versiones independientes.
- **Remoto.** Las versiones de un clip se comparten en todas las líneas de tiempo.

Trabajemos con versiones locales. Para empezar, podrías crear una nueva línea de tiempo, pero pienso que es más interesante recuperar una de otro proyecto. Es tan sencillo como copiar y pegar de un proyecto a otro. Crea una nueva bandeja —nómbrala Versiones— en la pestaña Medios para organizar el material y salvar el proyecto. Desde el Organizador de proyectos (icono con forma de casa en la parte inferior derecha) abre el del capítulo 4. Localiza, selecciona la línea de tiempo y pulsa el atajo Cmd-C (Ctrl-C en Windows) para copiarla. Abre, de nuevo, el capítulo 7 desde el Organizador de proyectos y desde Medios haz clic en la carpeta Versiones que acabas de crear. Pulsa Cmd-V (Ctrl-V en Windows) para pegar la secuencia copiada. Te aparecerá la secuencia y los clips que estén vinculados a ella.

Asegúrate de que tienes cargada —doble clic— la línea de tiempo y vuelve a la pestaña Color. Ahora, crea distintos estilos y almacénalos en versiones locales.

- Activa Clips para tener las miniaturas de todos los clips de la línea de tiempo debajo del Visor.
- Selecciona el clip de los barcos en el río y desde la rueda Offset añádele un poco de azul para darle un aspecto más frío a la imagen.
- Con la miniatura del clip seleccionada y desde el menú contextual, justo debajo de Versiones locales, elige Versión 1>Renombrar. En la ventana que aparece, escribe Frío y dale al botón Aceptar.

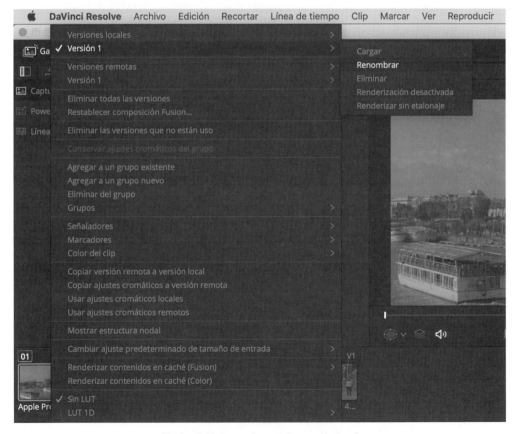

Figura 7.43. Renombrando la versión local.

- De nuevo con el menú contextual, selecciona Versiones locales>Crear versión. Nómbralo Cálido y clica en Aceptar.
- Dale al clip un aspecto más cálido llevando la rueda Offset un poco hacia el amarillo.
- Créate una nueva versión en blanco y negro —Saturación con valor cero— siguiendo el mismo procedimiento.

Ya tienes tres versiones creadas del mismo clip: una con dominante azul, otra con amarillo y otra en blanco-negro. Para recuperar alguna de ellas, selecciónala con el menú contextual y elige Cargar. La versión activa se indica a la izquierda del nombre en el menú contextual.

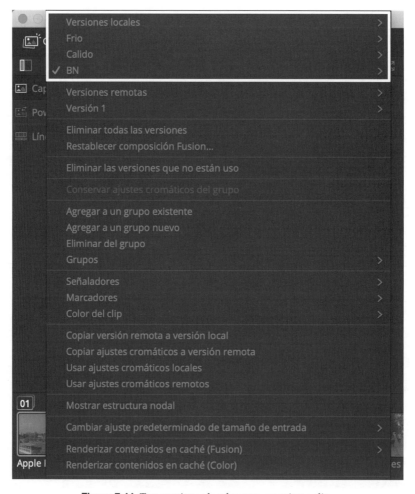

Figura 7.44. Tres versiones locales para un mismo clip.

Si necesitas tener una visión global, puedes ver todas las versiones en el Visor. Haz clic en el segundo icono de la parte superior izquierda, Pantalla dividida del Visor. Mostrará con una imagen partida todas las versiones existentes. A la derecha se localiza un menú desplegable para elegir lo que quieres que se muestre en la pantalla partida. La última opción muestra todas las Versiones y original.

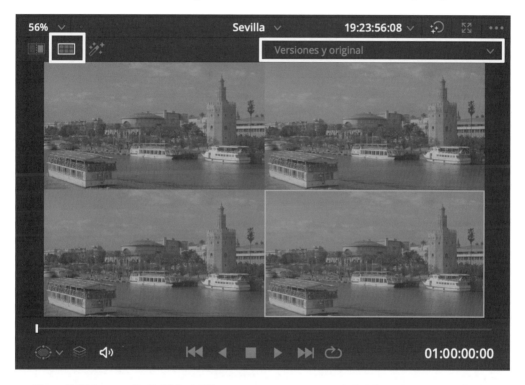

Figura 7.45. La pantalla dividida del Visor cuenta con una gran variedad de opciones, entre ellas las distintas versiones del clip.

El procedimiento para crear versiones remotas es idéntico al de locales. Carga y renombra la Versión 1 que tienes justo debajo de Versiones remotas. Hazle una corrección agresiva al clip, por ejemplo, dándole un fuerte tinte rojo desde la rueda Offset. Con el mismo método, crea versiones remotas para el resto de clips y dale un tinte de color diferente a cada uno de ellos. No importa tanto la sutileza en la corrección de color porque nos interesa que sea evidente la estética del clip.

Ahora viene lo interesante de las versiones remotas. En Configuración del proyecto (icono con forma de rueda dentada en la parte inferior derecha de la interfaz) y dentro de las Opciones generales, desactiva Usar versión local para clips nuevos. Esto desactiva versiones locales en la línea de tiempo y hará que cualquier clip que se añada y que contenga una versión remota se active de manera automática.

Haz la prueba. Crea una nueva línea de tiempo en la pestaña Edición y añade de nuevo los clips, sin importar orden ni duración. Comprobarás que la misma versión que tenías en la línea de tiempo anterior vuelve a estar disponible en la que acabas de crear. Imagínate lo útil que llega a ser la opción de versiones remotas. Te pongo un par de ejemplos:

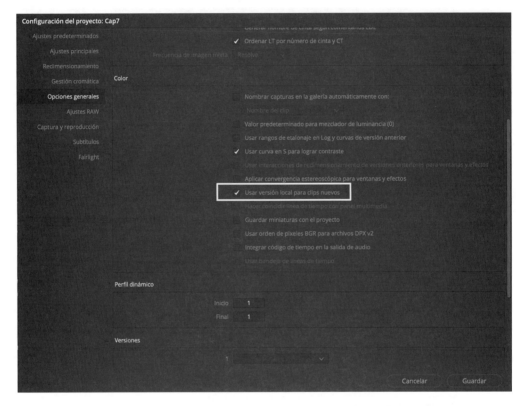

Figura 7.46. Desactivando las versiones locales para los nuevos clips en la línea de tiempo.

- Realizas un reportaje —editado y etalonado— con una duración determinada, listo para emitir. Al poco tiempo, necesitas una versión más corta de ese mismo reportaje. Si usas las versiones remotas, no necesitas volver a realizar correcciones de color en cada clip para esa nueva versión, tomará las mismas que ya tenías.

- Grabas una entrevista para incluirla en varias partes del montaje. Mediante las versiones remotas para el clip de la entrevista, basta con ajustar el color una única vez en cualquier clip de la entrevista para que lo tengas en el resto.

Grupos

Una forma eficaz de gestionar las correcciones de color es agrupar clips afines para que compartan un ajuste común. Es otra de las funciones potentes en DaVinci Resolve, ya que de forma manual se relacionan distintos clips para que cualquier modificación en el grupo común afecte a todos los que lo componen. Una vez agrupados, desde el Editor de nodos es posible elegir entre que la corrección afecte solo al clip o a todo el grupo. Sigamos usando los mismos clips del ejemplo anterior que nos valen perfectamente con las correcciones agresivas de las versiones en remoto. Para agrupar dos o más clips:

- Desde las miniaturas de los clips en la línea de tiempo, crea un grupo para los clips del río —barcos y piragua— y otro para el resto. Selecciona el clip de los barcos y con la tecla Cmd (Ctrl) pulsada haz clic también en el de la piragua. Ya tienes los dos seleccionados.
- Elige Agregar a un grupo existente en el menú contextual desde cualquiera de los dos clips.

Figura 7.47. Agregando clips a un grupo.

- Un símbolo de una cadena en la parte inferior derecha de la miniatura indica que los dos clips están en el mismo grupo.
- Dale nombre al grupo —pon Río, por ejemplo— desde Grupos>Grupo 1> Renombrar del menú contextual.
- Ahora usa la misma fórmula para el resto de los clips: los seleccionas con la tecla Cmd (Ctrl) y eliges Agregar a un nuevo grupo. En la nueva ventana que te aparece, nómbralo Calles.

Figura 7.48. Nombrando el nuevo grupo Calles.

Ya tienes los cinco clips en dos grupos diferentes. Observa que cuando seleccionas un clip, el resto de su grupo también tiene el icono de cadena en la miniatura. Una vez agrupados, ya es posible manipular y ajustar cualquier parámetro en el árbol de nodos de cada grupo, para que la corrección afecte a todos los clips incluidos en él. Veamos cómo se hace:

- En el Editor de nodos, selecciona en el menú desplegable Clips posteriores del grupo (figura 7.49).
- Desde los clips de la línea de tiempo, selecciona el clip de la piragua, por ejemplo. Cualquier operación que hagas con las herramientas de corrección afectará también al clip de los barcos porque está en su mismo grupo.

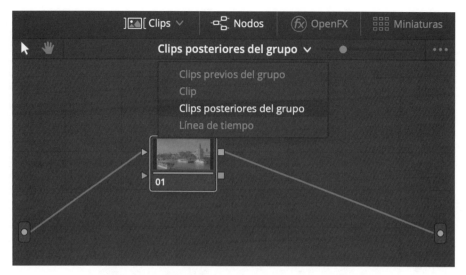

Figura 7.49. El menú de los grupos en el Editor de nodos.

- Aumenta o disminuye drásticamente el nivel de luminancia en la imagen desde la rueda Offset. Comprobarás que afecta a los dos clips.

- Haz lo mismo con el grupo Calles. Selecciona cualquier clip de su grupo y hazle una corrección, ya verás cómo se modifican todos los clips de ese grupo.

Para terminar, un dato importante que tener en cuenta con los grupos: el menú desplegable del Editor de nodos tienes cuatro opciones:

- **Clips previos del grupo.** Afecta a cada clip del grupo, pero «antes» de los ajustes independientes de cada clip. Ideal para hacer unas correcciones base para, a partir de ahí, mejorarlas de forma independiente con cada clip.

- **Clip.** Son las correcciones individuales que hemos estado viendo, tanto con versiones locales o remotas, y que afectan solo al clip.

- **Clips posteriores del grupo.** También afectan a los clips del grupo simultáneamente, pero sus ajustes son posteriores a los ajustes individuales del clip. Ideal para dar un estilo creativo a todos los clips del grupo a partir de los ajustes individuales de cada clip.

- **Línea de tiempo.** Las correcciones en este árbol de nodos afectan a todos los clips de la línea de tiempo. Cuando quieras aplicar un cambio a todos los clips por igual, esta es la mejor forma de hacerlo. De forma predeterminada no trae ningún nodo corrector.

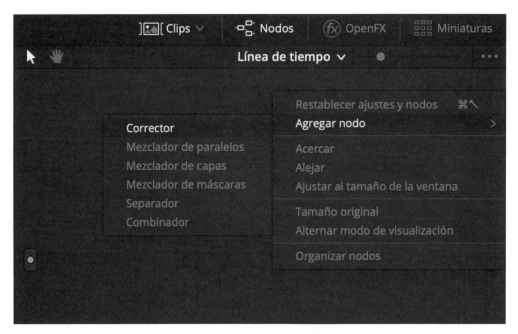

Figura 7.50. Para que una corrección afecte a todos los clips por igual —por ejemplo, para dar una estética general a todo el montaje— selecciona Línea de tiempo en el menú desplegable del Editor de nodos y crea un nuevo nodo corrector.

Cuando un clip no está incluido en un grupo, las opciones de grupo desaparecen en el Editor de nodos y solo puedes crear una corrección al clip y a la línea de tiempo. Presta atención a la hora de escoger si las correcciones son previas o posteriores al grupo. Imagina por un momento que tienes una imagen en color tintada con correcciones en el clip y pertenece a un grupo, como en el ejemplo anterior. Si eliminas la saturación en el nodo previo, la imagen queda tintada a partir de un blanco y negro. Si lo haces en el nodo posterior, el tintado desaparece y la imagen se queda completamente en blanco y negro. Por ello, es importante saber cómo afecta un grupo al resultado final de una imagen.

8

Más a fondo

- Incorporar efectos y fotogramas claves.
- Usar las herramientas de seguimiento y estabilizado.
- Aplicar desenfoques y ajustes de tamaño.
- Utilizar un archivo Raw.
- Entender el uso de una LUT.

Seguimos avanzando. Como habrás comprobado, el corazón de DaVinci Resolve es la gestión del color; su potencia y versatilidad lo convierten en uno de los programas preferidos por los coloristas, y vas a descubrir por qué. Todavía quedan por utilizar herramientas muy interesantes que harán que te apasiones aún más en el atractivo mundo de la corrección del color. Y lo harás, a partir de ahora, con algunos ejercicios prácticos. Veremos solo la teoría cuando sea necesaria; así que respira hondo y agárrate que vienen curvas.

Efectos

Al igual que la mayoría de los programas de posproducción, el apartado de efectos abarca un amplio abanico de posibilidades para el tratamiento de la imagen. El paquete integrado con Resolve cubre una extensa gama de ellos, desde desenfoques y estilizados hasta efectos de iluminación —destellos de lentes o rayos de luz— e incluso texturas de la imagen. Resultaría muy complejo, o imposible, realizar algunos de ellos desde las propias herramientas de gestión del color.

Tengo que decir, no obstante, que una gran mayoría de los efectos que ofrece el programa son funcionales únicamente en la versión Studio. Cuando descubras todo el potencial del programa en la versión gratuita y las posibilidades de ampliación que ofrece la versión de pago, contarás con una valoración más objetiva para determinar cuál de las dos versiones se adapta mejor a tus necesidades.

La librería de efectos ResolveFX está integrada tanto en el módulo de Montaje-Edición como en el de Color; es la misma tanto en uno como en otro. Pertenece a la arquitectura abierta OpenFX (OFX), lo que significa que otros fabricantes —Red Giant, BorisFX, Film Convert, etcétera— pueden ofrecer sus productos e incorporarlos por completo dentro del programa. Las posibilidades creativas, como es evidente, se incrementan muchísimo con este tipo de complementos.

Como el listado de efectos y el método de edición es similar al que ya has usado en la pestaña Montaje, veremos solo cómo se añaden y dónde se editan en el módulo de Color. Puedes usar cualquier clip para el ejemplo porque lo importante es conocer el procedimiento para incluir un efecto. Mi primer consejo: usa un único nodo para ello. A pesar de que es posible hacer ajustes de primarias o secundarias dentro del mismo nodo al que le hayas incluido el efecto, es preferible tenerlo aislado. Eso te permitirá eliminarlo, desactivarlo o moverlo dentro del árbol de nodos dependiendo del resultado final que precises.

Haz clic en el icono OpenFX de la parte superior derecha de la interfaz. La ventana de efectos se desplegará en la parte derecha de los nodos, con dos pestañas: Biblioteca y Ajustes.

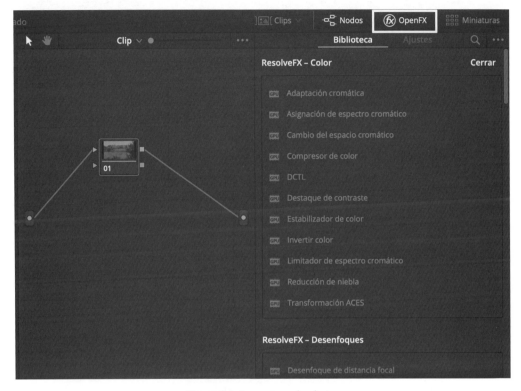

Figura 8.1. La ventana de efectos.

- Usa cualquier clip de ejemplo y crea un nuevo nodo con el atajo Alt-S. El segundo nodo que acabas de crear será el que almacene el efecto.

- Navega por la Biblioteca de efectos. En la sección de Desenfoques, localiza Desenfoque gaussiano.

- Haz clic y arrastra el efecto hasta el segundo nodo. El signo +, cuando te colocas sobre el nodo, indica que puedes añadirlo. Cuando sueltes el ratón, tendrás el efecto incluido en el nodo.

- En el momento en el que un nodo incorpora un efecto, se activa la pestaña Ajustes para la edición de los parámetros del efecto. Un interruptor en la parte superior izquierda posibilita desactivar-activar el efecto.

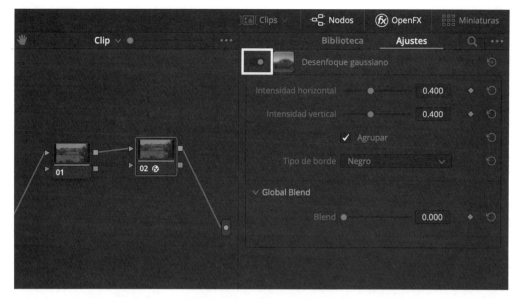

Figura 8.2. Ajustes del efecto.

Vamos a realizar un desenfoque gradual para que el efecto vaya apareciendo poco a poco, desde la mitad del clip hasta el final. ¿Recuerdas los fotogramas clave que usaste con la edición? Pues aprenderás a utilizarlos también con los efectos y herramientas de gestión del color.

- Sitúate al final del clip con la barra de posición.

- Desde la pestaña Ajustes comprueba la intensidad del efecto. De forma predeterminada tiene valor 0.400. Déjalo con esa intensidad o altérala, como prefieras. Observa la imagen mientras lo modificas. Estás decidiendo el máximo valor que tendrá el efecto al final del clip.

- Una vez determinada la intensidad, haz clic en el icono de fotograma clave —diamante gris— situado a la derecha del valor del parámetro Intensidad horizontal. El icono cambia a color rojo para indicar que se ha guardado un fotograma clave.

- Los dos valores de intensidad del efecto están agrupados, por lo que, al insertar un fotograma clave en el valor horizontal, también se activa en el vertical. La mezcla global entre la señal limpia y la del efecto también es posible ajustarla desde el parámetro Global Blend de la parte inferior (figura 8.3).

- Sitúa ahora la barra de posición sobre la mitad del clip.

- Introduce valor 0 en la intensidad del efecto. La imagen vuelve a estar limpia de desenfoque y se ha añadido automáticamente otro fotograma clave.

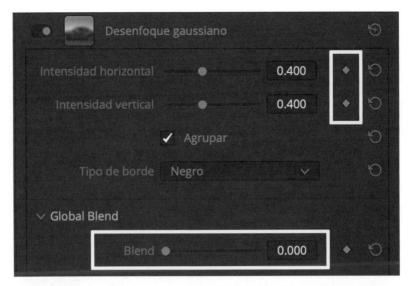

Figura 8.3. Fotogramas clave y mezcla global del efecto Desenfoque gaussiano.

Si reproduces el clip desde el principio, comprobarás que se inicia sin efecto y que, aproximadamente a partir de la mitad, se va desenfocando poco a poco. Alcanzará su máximo valor al final del clip. Pon el Visor en modo bucle si quieres verlo repetidamente.

Como en otras ocasiones, el rendimiento del ordenador es fundamental para que la reproducción sea fluida. Los desenfoques, en general, hacen un uso muy intensivo de la GPU. Por ese motivo, al igual que hiciste en edición, es recomendable activar el almacenamiento en caché.

- Desde el menú contextual del nodo con el efecto, selecciona Almacenar en caché>Activar. Esta opción activa la caché para cada nodo de forma independiente (figura 8.4).

- Asegúrate de que tienes también activada la caché general de Resolve desde Reproducir>Renderizar en caché>Personalizado. Tanto en el nodo como en los ajustes generales puedes activar también el modo automático. El código de colores en el nodo es idéntico al que tenías en la línea de tiempo: rojo, pendiente de renderizar; azul, renderizado.

Por último, para eliminar el efecto de un nodo, basta con seleccionar desde el menú contextual la opción Eliminar complemento OFX (figura 8.5).

ADVERTENCIA:

Es importante tener en cuenta que solo se admite un efecto por cada nodo. Si ya cuenta con uno, el nuevo efecto arrastrado eliminará al anterior.

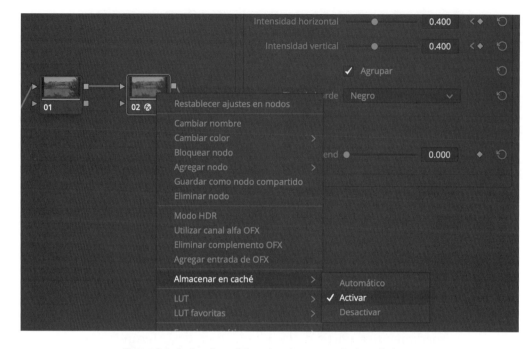

Figura 8.4. Activar la caché en el nodo para renderizar el efecto.

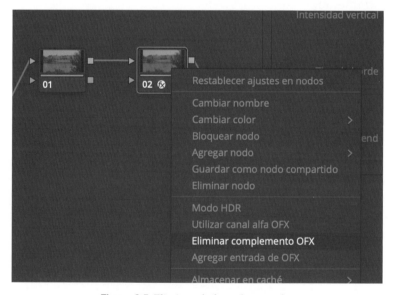

Figura 8.5. Eliminar el efecto de un nodo.

Fotogramas clave

De forma similar a como trabajas con fotogramas clave desde un efecto, también puedes hacerlo con las herramientas de corrección de color. Por ejemplo, comenzar con un clip sin color y que de manera gradual vaya coloreándose; o tener un determinado nivel de brillo y que baje bruscamente.

Para facilitar la edición de los fotogramas clave, desde las herramientas de gestión del color, cuentas con una ventana específica para ello: el Editor de fotogramas clave. En la parte inferior derecha de la interfaz, haz clic en el icono Fotogramas clave. Aparecerá una nueva ventana con todos los controles necesarios para crear y modificar fotogramas clave en el nodo.

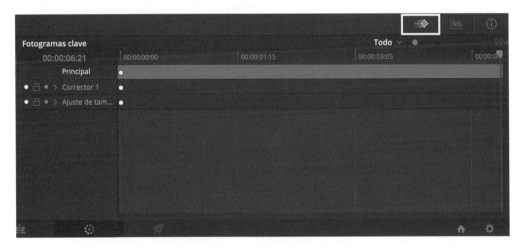

Figura 8.6. Editor de fotogramas clave.

Antes de ver su funcionamiento en la práctica tienes que saber que existen dos tipos:

- **Fotograma clave dinámico.** Tiene forma de pequeño diamante y es el tipo que has estado utilizando hasta ahora. Posibilita la realización de animaciones graduales entre el valor de un fotograma clave y el siguiente.

- **Fotograma clave estático.** Se distingue visualmente del anterior porque su icono es un círculo. Su uso es adecuado en cualquier situación en la que se precise de un cambio repentino entre dos parámetros.

Lo vemos con la práctica. Empezaremos por los fotogramas estáticos.

- Selecciona un clip y asegúrate de que no tiene ningún ajuste previo reiniciando sus valores predeterminados. Desde el Editor de nodos, en un área vacía, selecciona Restablecer ajustes y nodos.

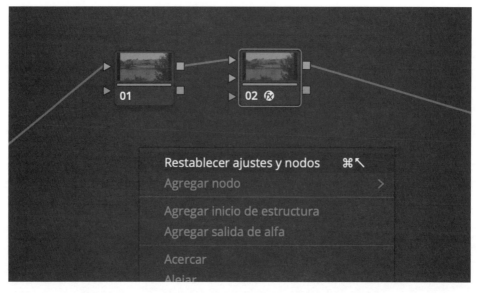

Figura 8.7. Restablecer los ajustes originales desde el Editor de nodos.

- Posiciónate sobre la mitad del clip en el Visor. Observa cómo la barra de posición del Editor de fotogramas clave es un espejo de la que has movido en el Visor.

- Harás una modificación en los ajustes de color. En el menú desplegable del Editor de fotogramas clave, elige Color. Este comando sirve para escoger si los fotogramas clave irán al nodo seleccionado de corrección de color, al de ajuste de tamaño o a ambos.

Figura 8.8. Menú para elegir Color en el Editor de fotogramas clave.

- Selecciona desde el menú superior Marcar>Agregar fotograma clave estático.
- El Editor de fotogramas clave muestra que se ha insertado un fotograma clave. Fíjate en que la miniatura del nodo también lo representa con un pequeño icono.

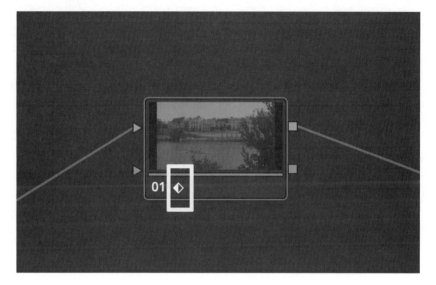

Figura 8.9. Icono de fotograma clave en la miniatura de un nodo.

- En los círculos cromáticos baja drásticamente el nivel de luminancia de la rueda Offset.
- Reproduce el clip desde su inicio y comprobarás que, cuando el cabezal de reproducción llega al punto del fotograma clave, la imagen se oscurece de súbito.

Comencemos ahora otro proceso:

- Vuelve a dejar, de nuevo, el clip sin ningún ajuste. Podrías hacerlo igual que antes desde el Editor de nodos, pero como lo único que has hecho es insertar un fotograma clave, vamos a borrarlo y el clip volverá a su estado original.
- Haz un lazo con el ratón que abarque los dos fotogramas clave —Principal y Corrector— del Editor de fotogramas clave.
- Se mostrarán en color rojo para indicar que están seleccionados.
- Pulsa la tecla Delete del teclado para eliminarlos o selecciona desde el menú contextual Eliminar fotograma clave seleccionado.

Figura 8.10. Eliminar fotograma clave.

Ahora que el clip vuelve a estar sin ajustes, realizaremos una animación con fotogramas clave dinámicos. Haremos algo útil, que pueda valerte para una situación real. Imagina que tienes una toma completa en un clip y que has de equilibrar dos luces diferentes, una al inicio y otra al final. La solución más rápida, y mejor, es realizarlo mediante fotogramas clave dinámicos que vayan progresivamente variando su tonalidad a medida que avanza el clip. Lo vemos:

- Sitúate en el inicio del clip.

- Selecciona desde el menú superior Marcar>Agregar fotograma clave. Observa que se ha insertado un fotograma clave al inicio y su icono es un diamante.

- Activa el botón de Automatizar fotogramas clave que se localiza a la derecha del icono de bloqueo —candado— del nodo en el Editor de fotogramas clave. Cuando está activado, de color rojo, creará automáticamente un fotograma clave dinámico cada vez que se modifique algún parámetro del nodo. Es una forma de agilizar el trabajo con fotogramas clave.

Figura 8.11. Botón para automatizar fotogramas clave.

- Modifica la tonalidad del clip desde la rueda Offset. Un color anaranjado podría estar bien.

- Adelanta el cursor hasta el final del clip y cambia, de nuevo desde la rueda Offset, la tonalidad hacia un tono azulado.

- Desactiva el botón Automatizar fotogramas clave y reproduce el clip.

Observa la línea de tiempo de los fotogramas clave. Se ha añadido un fotograma clave al final y de manera visual —mediante dos triángulos— se indica que el cambio de ajustes entre ellos será progresivo.

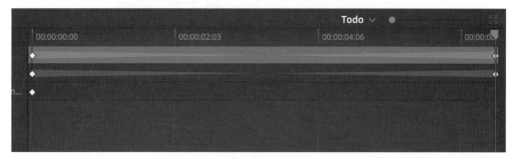

Figura 8.12. Dos fotogramas clave dinámicos.

El Editor de fotogramas clave resulta muy versátil para trabajar con él, ya que cualquier fotograma clave estático puede convertirse en dinámico y viceversa, mediante el menú contextual. De igual manera, es muy interactivo, ya que para mover un fotograma clave por la línea de tiempo solo se hace clic sobre él y se arrastra hasta la nueva posición.

Si sientes curiosidad por la cantidad de parámetros que son sensibles a la incorporación de fotogramas clave dentro de un nodo, haz clic en la flecha de Corrector 1 para desplegarlos todos.

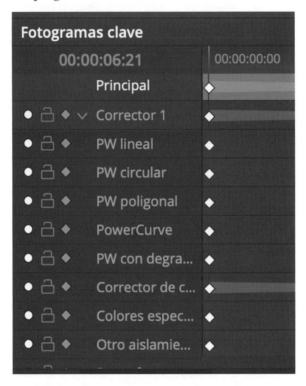

Figura 8.13. Listado de parámetros sensibles a fotogramas clave.

Como se aprecia, hay un amplio listado de parámetros para el trabajo con fotogramas clave, y no solo se reduce a los cambios en las ruedas de color. ¿Recuerdas el uso de las máscaras? Consistía en aislar, desde la ventana Power Windows, zonas determinadas de la imagen para tratarla de manera independiente. Pues bien, vamos a trabajar con los fotogramas clave también desde las máscaras.

- Localiza el clip de la carpeta Secundarias. Es el mismo que ya usaste con la corrección secundaria del cielo. Para este caso, vas a levantar un poco las sombras de la parte trasera del barco que está navegando.

- Lo primero es aislar la zona a tratar. Crea un nuevo nodo con el atajo Alt-S, para realizar la corrección secundaria. Recuerda que es preferible siempre reservar el primer nodo para ajustes globales.

- Desde la ventana Power Windows, selecciona la herramienta Curva. El icono tiene forma de pluma y permite trazar de forma manual un polígono por completo personalizable.

- Comprueba que estás situado al final del clip y haz clic en cada uno de los ángulos de la trasera del barco hasta cerrar de nuevo el polígono. Como puedes comprobar, por cada clic de ratón, la herramienta genera un trazado de selección. Guíate por la figura 8.14 para comprobar el resultado final.

Figura 8.14. Trazado de selección de la popa del barco.

- Aumenta un poco los niveles de luminancia de la rueda Lift para subir ligeramente el nivel de las sombras. Un valor 0.06 será suficiente.

Como el barco se desplaza porque está navegando, la situación de la máscara creada solo es válida para el último fotograma. Por ello, es obligatorio crear una animación en la máscara para que «siga» el movimiento del barco. La animación, lógicamente, la harás mediante fotogramas clave.

- Selecciona en el menú superior Marcar>Agregar fotograma clave.
- Desde el Editor de fotogramas clave activa el botón de Automatizar fotogramas clave para Corrector 2 —nodo 2— y desplaza el clip hasta el primer fotograma.
- En el Visor, haz clic y arrastra la máscara hasta su nueva posición. Se crea automáticamente un fotograma clave con la nueva posición. Reajusta sus vértices si fuera necesario.

Figura 8.15. La nueva posición de la máscara al inicio del clip.

- Reproduce el clip y comprobarás que la máscara, con su ajuste de nivel de negros, sigue el movimiento del barco.

Ya ves lo sencillo que resulta crear máscaras personalizadas y animarlas de manera manual para tratar de forma aislada partes de la imagen. Las posibilidades son increíbles. Aun así, no deja de ser algo tedioso el trabajo manual de animación para seguir el movimiento de los elementos internos de una imagen. Para solventar esto, los sistemas de posproducción cuentan con una herramienta casi mágica que, de forma automática, realiza el seguimiento de objetos.

Seguimiento

DaVinci Resolve dispone de una herramienta de seguimiento (*tracking*) que, mediante una nube de puntos, rastrea con precisión y rapidez cualquier objeto incluido dentro de la máscara creada en la ventana Power Windows. De esa manera se evita la necesidad de crear fotogramas clave dinámicos para animar manualmente una máscara. Hagamos el mismo ejemplo anterior pero automatizado:

- Localiza un área vacía en el Editor de nodos y desde el menú contextual selecciona la opción Restablecer ajustes y nodos. Esto te garantizará que el clip del barco restablecerá sus ajustes originales.
- Crea un nuevo nodo con el atajo Alt-S para realizar la corrección secundaria.
- Desde el inicio del clip y con la misma herramienta Curva de la ventana Power Windows, traza de nuevo la parte trasera del barco.
- Sube un poco los niveles de luminancia de la rueda Lift para levantar ligeramente las sombras.
- Haz clic en el icono Seguimiento, a la derecha de Power Windows.
- Pulsa Rastrear hacia delante de la parte superior izquierda de la ventana.

Figura 8.16. La ventana de Seguimiento y el botón de Rastrear hacia delante.

- El programa comenzará el análisis y seguimiento del movimiento interno del barco para animar la máscara y su corrección en sombras.
- Reproduce el clip para confirmar que el seguimiento es correcto.

Como se aprecia, en este caso es mucho más rápido y fácil que realizarlo de manera manual con fotogramas clave. Lamentablemente no siempre es así. Hay ocasiones en las que los objetos internos del plano no están bien definidos, se salen de la imagen o quedan ocultos por otros elementos. Para esos casos, se hace indispensable la combinación de las dos técnicas —manual y automática— para lograr un resultado satisfactorio. En efecto, eso mismo es lo que haremos ahora. Se trata de un ejercicio práctico muy completo, en el que combinarás todas las técnicas de correcciones secundarias —color específico, máscara, seguimiento y fotogramas clave— para modificar solo un elemento de la imagen. Lo harás en tres fases: seguimiento, selección del color y ajuste de la máscara. Manos a la obra:

- Importa el clip de la carpeta Seguimiento. Es el del tranvía por el centro de Sevilla que ya has usado, pero algo más recortado de duración y con un ajuste básico de color.
- Reproduce el clip para ver su contenido. Hay un chico con camiseta a rayas que va en bicicleta y que atraviesa la calle, de izquierda a derecha, entrando y saliendo del plano. Cambiaremos en la imagen, exclusivamente, el color naranja de su camiseta.
- Crea un nuevo nodo —Alt-S— para la corrección secundaria.
- En la parte superior derecha del Visor, selecciona en el menú desplegable la opción Tiempo original. Esto facilitará que te posiciones de manera correcta en el fotograma adecuado para el ejemplo.

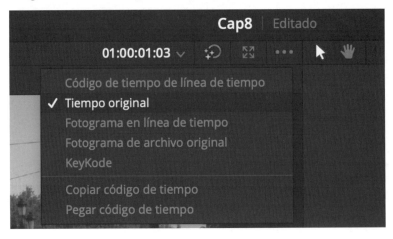

Figura 8.17. Código de tiempo original del clip.

- Sitúa el clip en el fotograma 01:15 (segundos:fotograma).
- Crea una máscara circular que cubra el número trasero de la camiseta y pon el valor de Atenuación de la máscara a cero. Observa la figura 8.18.

Figura 8.18. Máscara circular para hacer el seguimiento del número trasero de la camiseta. El valor de Atenuación es recomendable tenerlo a cero.

- A partir de aquí, continúa el proceso desde la pestaña Seguimiento. En la parte superior, desactiva la opción 3D para el análisis y comienza el seguimiento pulsando Rastrear hacia delante. El último segundo final no lo rastreará correctamente porque el número de la camiseta se queda demasiado pequeño, sin contraste y sale del plano. Es normal, lo harás manualmente.
- Posiciona de nuevo la imagen en el mismo punto de inicio anterior y empieza el seguimiento haciendo clic en Rastrear hacia atrás. Ocurre algo similar al caso anterior. El inicio del clip es imposible rastrearlo con precisión porque el chico no ha entrado todavía en plano (figura 8.19).

Aprovecharás el tramo del análisis automático adecuado, pero en las partes de inicio-final será necesario borrar los datos erróneos. Observa la gráfica de seguimiento. Cada línea de color se corresponde con un parámetro analizado. El siguiente paso es eliminar manualmente lo que no esté correcto. Para ello:

- Posiciona el clip cerca del inicio, en el código de tiempo 00:17.
- Haz clic y arrastra en la gráfica desde la posición del cursor hasta el inicio, creando un lazo de selección. Fíjate en la figura 8.20.

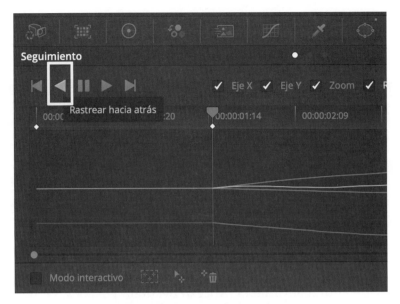

Figura 8.19. Rastrear hacia atrás.

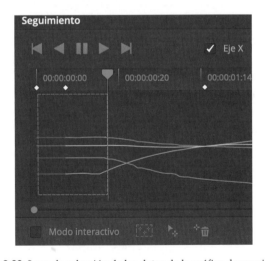

Figura 8.20. Lazo de selección de los datos de la gráfica de seguimiento.

- Desde el menú desplegable superior derecho, selecciona Eliminar información de seguimiento seleccionada. Esto hará que las líneas de cada parámetro queden rectas manteniendo la última posición rastreada.

- Realiza la misma operación y elimina la información en el tramo final, a partir del código 04:00. Debería quedarte una gráfica muy similar a la de la figura 8.21.

Figura 8.21. La gráfica de seguimiento con los valores de inicio y final eliminados.

El siguiente paso es importante. En la parte superior derecha de la ventana Seguimiento, observa que está seleccionado Clip en color rojo. Esto indica que cualquier cambio en los parámetros afectará a todo el clip en su conjunto. Necesitas añadir manualmente fotogramas clave para la nueva posición que tendrá la máscara en cada uno de los fotogramas. Lo entenderás mejor haciendo la práctica:

- Haz clic en Fotograma. En la ventana no ha cambiado nada, pero ahora, por cada fotograma, puedes variar la posición de la máscara.

- Localiza en la parte superior derecha de la gráfica el icono de diamante para añadir fotogramas clave. Comprueba que el clip sigue posicionado en el código 04:00 y haz clic en el icono para añadir un fotograma clave. Fíjate en que, donde está el cursor de posición, se ha añadido un fotograma clave en la parte superior de la gráfica.

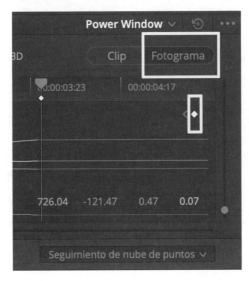

Figura 8.22. Fotograma clave en la gráfica de seguimiento.

- Posiciona el clip diez fotogramas más adelante, en el código 04:10, y observa la máscara. Aumenta el porcentaje de visualización del Visor para verla más cómodo —yo lo tengo en un 200 %— y muévete por la imagen con el botón central del ratón.

- Arrastra manualmente la máscara hasta la nueva posición del ciclista. Mira la gráfica y verás que se ha incluido automáticamente un fotograma clave en esta posición.

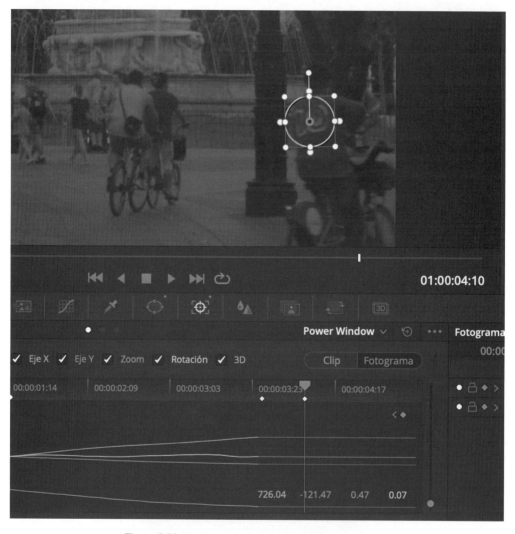

Figura 8.23. Posicionando la máscara de manera manual.

- Posiciona el clip en el código 04:20 —ya hay parte del chico fuera de la imagen— y vuelve a realizar la misma operación de mover la máscara. Se añade otro fotograma clave.
- Para acabar con la parte final, sitúate en el código 05:02 (donde ya el ciclista está fuera) y arrastra de nuevo la máscara hasta posicionarla aproximadamente en el lugar donde crees que podría estar (figura 8.24).

Figura 8.24. En el tramo final del clip, la máscara se encuentra fuera de la imagen.

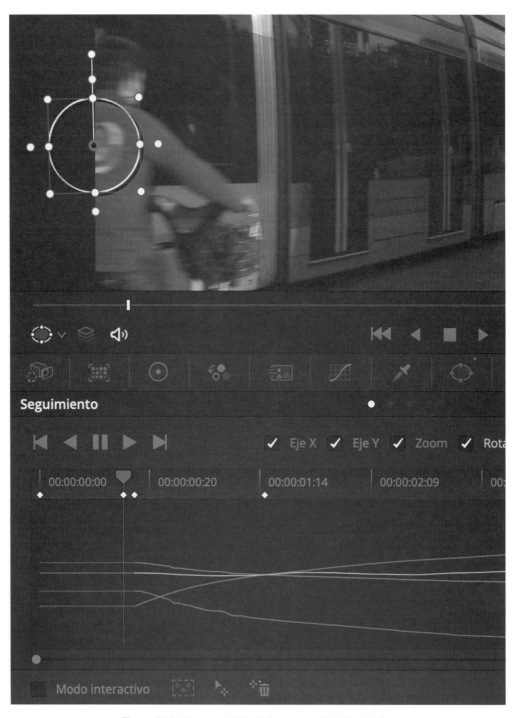

Figura 8.25. Nueva posición de la máscara al inicio del clip.

Puedes repasar los fotogramas clave —ir hacia el anterior o siguiente— mediante un clic a la izquierda o derecha del icono de diamante. Si fuera necesario, en cada fotograma clave es posible volver a recolocar la máscara.

Para el inicio del clip sigue el mismo procedimiento: colocarte en el comienzo del seguimiento automático y marcar un fotograma clave. A partir de ahí, solo hay que mover la máscara de forma manual para cada nueva posición. Lo vemos:

- En el menú de porcentaje del Visor, selecciona Ajustar para volver a ver la imagen al completo. Pon el cursor de posición en el código 00:17 y pulsa en el icono de diamante en la gráfica del seguimiento para insertar un fotograma clave.
- Retrocede un par de fotogramas, hasta el 00:15, que ya tiene parte del ciclista fuera del plano y vuelve a posicionar la máscara (figura 8.25).
- Haz la misma operación en el código 00:12 y a continuación en el 00:09.
- Para terminar, en el inicio del clip —código 00:00— saca la máscara por completo fuera de la imagen.

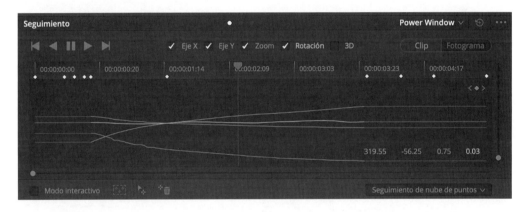

Figura 8.26. La gráfica de seguimiento con los fotogramas clave insertados manualmente.

¡Enhorabuena! Si has llegado hasta aquí, ya has hecho lo más complejo: la primera fase. Reproduce el clip y comprueba que la máscara hace un seguimiento adecuado. Si está todo correcto, vuelve a dejar la ventana de Seguimiento en el modo Clip.

De momento, ya llevas hecho en el clip el seguimiento completo del ciclista. El siguiente paso es aislar el color naranja de su camiseta. Para ello, utilizarás la herramienta Colores específicos.

- Vuelve a colocar el clip en el código 01:15.
- Ajusta la visualización del Visor para ver cómodamente la camiseta. Yo lo he vuelto a poner a un 200 %. Recuerda que cuando tienes la imagen muy ampliada es posible moverse por ella con el botón central del ratón.

- Una vez que el seguimiento está correcto, amplía un poco la máscara para que abarque más zonas de color naranja de la camiseta. La figura 8.27 te servirá de ayuda.

Figura 8.27. Amplía la máscara para tener más partes de la camiseta.

- Trabajarás ahora con la selección del color. Haz clic en el icono Colores específicos.
- Con el cuentagotas haz clic y arrastra sobre el color naranja de la camiseta para recoger una muestra. Observa los niveles de Matiz, Saturación y Luminancia de la ventana de Colores específicos.

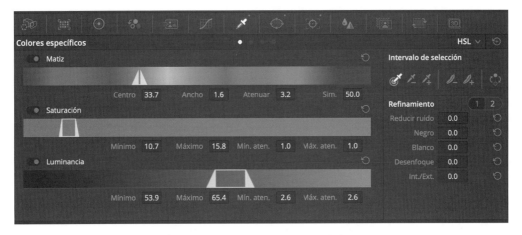

Figura 8.28. Los valores del color naranja de la camiseta.

- Pulsa el icono Destacar de la parte superior izquierda del Visor. Ahora solo verás el color naranja.

- Baja el nivel Mínimo de Saturación al valor 0. Puedes hacerlo arrastrando desde la casilla numérica, haciendo doble clic y tecleando sobre el campo o arrastrando la parte izquierda del segmento.

- Realiza la misma operación con el nivel Mínimo de Luminancia y dale valor 50.0. Por mucho que bajes a partir de ahí ya no se añadirá más a la selección.

- Para terminar con la selección del color, amplía el valor Ancho de Matiz hasta 5.0.

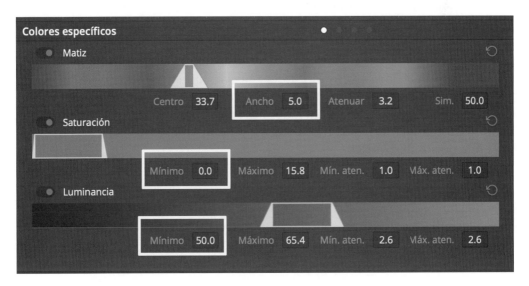

Figura 8.29. Ampliando el rango del color naranja de la camiseta.

Con eso ya has acabado con la selección específica del color. Coloca la visualización del Visor en Ajustar para que se adapte automáticamente al tamaño y reproduce el clip. Comprobarás que todo lo que se encuentra dentro de la máscara y que coincide con el color muestreado es lo único que ves en el Visor.

La última fase del ejercicio consiste en adaptar la máscara al contorno de la camiseta, para que, si hay colores cercanos de otros elementos que coincidan, no se vean afectados por el cambio que vas a realizar.

• Desactiva la función Destacar en el Visor y vuelve a poner el clip en el código 01:15.

• Amplía la visualización del Visor.

• Fíjate en que en la cesta de la bicicleta hay un elemento de color naranja y que el exterior del tranvía también tiene una franja del mismo color. Esos elementos deben quedar fuera para que no se vean alterados con la modificación que hagas. La única manera que hay de hacerlo es personalizar la forma de la máscara y adaptarla al contorno de la camiseta.

• Haz clic en Power Windows para trabajar de nuevo con la máscara.

• Amplía el tamaño de la imagen en el Visor. De nuevo, un 200 %, en mi caso, me viene bien.

• Posiciona la máscara para que ocupe casi la totalidad de la camiseta. Mira la figura 8.30.

• Para personalizar la máscara, selecciona desde el menú superior derecho la opción Convertir a curva de Bézier. Ya habías visto con anterioridad este tipo de curvas cuando trabajamos con fotogramas clave en la edición (figura 8.31).

• Esta acción dejará el círculo de la máscara con cuatro puntos iniciales, pero permitiendo añadir tantos como sea necesario para personalizarla. Si te acercas al contorno de la máscara, advertirás que aparece un pequeño círculo en el cursor. Está indicando que es posible incluir un nuevo punto en la curva de Bézier.

Figura 8.30. La posición de la máscara sobre la camiseta.

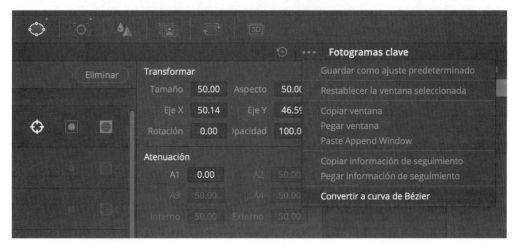

Figura 8.31. El menú para convertir la máscara circular a curva de Bézier.

- Añade los puntos necesarios —en mi caso, he puesto seis— mediante un clic sobre el contorno y posiciónalos para contornear la camiseta. Echa un vistazo a la figura 8.32 que puede servirte de ayuda. Recuerda que las curvas de Bézier tienen dos tiradores para adaptar el trazado según lo necesites.

Figura 8.32. El trazado de curvas de Bézier para contornear la camiseta.

No es necesario que el contorno sea muy preciso, para nada. Es suficiente con que aísle la camiseta de los colores similares, ya que el resto lo hace la selección del color específico. Dejo algunos atajos de teclado útiles para adaptar la máscara:

- Con la tecla Alt pulsada y haciendo doble clic en un punto de Bézier, se convierte en lineal.

- Con la tecla Alt pulsada sobre un punto lineal y arrastrándolo, se convierte en Bézier.

- Para eliminar un punto, haz clic con el botón central del ratón sobre él.

Comprueba si la máscara te resulta válida para todo el recorrido. Si no es así, siempre existe la posibilidad de volver a la pestaña de Seguimiento para afinar la posición de la máscara y de los puntos, pero es muy importante que siempre lo hagas con la opción de Fotograma de la parte superior derecha. En mi caso, solo he tenido que retocar un poco al inicio.

Para terminar con esta actividad, recupera la visualización del Visor: escoge Ajustar del menú desplegable superior y Desactivar del inferior izquierdo para dejar de ver la máscara. Ahora, haz clic en Círculos cromáticos y variando el parámetro Matiz podrás constatar que el único color que se ve alterado es el naranja de la camiseta, el resto queda todo igual. Con un valor aproximado de 30.00 se transforma en verde o con 85 en azul. Prueba a cambiar distintos parámetros de las ruedas de color para obtener diferentes resultados.

Estabilizado

Seguro que más de una vez has visto imágenes en las que debido al movimiento del plano —por el pulso del operador de cámara, por viento o cualquier otra circunstancia— se hace necesaria una estabilización. Dentro de la misma pestaña Seguimiento se halla un estabilizador para corregir estas situaciones.

Hay tres opciones diferentes que determinan cómo se analiza y transforma un clip para su estabilización. Es importante elegir la opción antes de estabilizar el clip, porque la selección escogida cambia la forma en la que se realiza el análisis de la imagen (figura 8.33).

- **Perspectiva.** Analiza el movimiento en perspectiva, horizontal, vertical, zoom y rotación.
- **Semejanza.** En este caso, el análisis es para el movimiento horizontal, vertical, zoom y rotación. Indicado para situaciones en las que el análisis de perspectiva produce artefactos de movimientos no deseados.
- **Traslación.** Para situaciones en las que es suficiente la estabilización en el eje horizontal y vertical (figura 8.33).

Este tipo de estabilizador se encuentra presente también en el Inspector de Edición y hace uso de técnicas avanzadas de análisis que dan como resultado una rápida y óptima estabilización de la imagen.

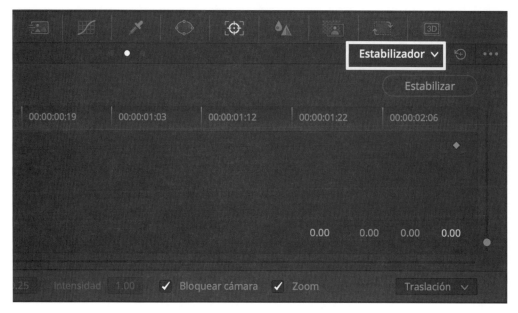

Figura 8.33. La ventana de estabilización.

Lo vemos con un ejemplo práctico:

- Importa el clip de la carpeta Estabilizado.

- Reproduce el clip desde la página Color y comprobarás que tiene un leve movimiento debido a que la grabación del parque infantil se hizo sin trípode.

- Para este tipo de casos suele ser suficiente el análisis en horizontal y vertical, por lo que la opción de Traslación sería la más adecuada.

- Activa la casilla Bloquear cámara para conseguir un plano fijo con trípode sin movimiento de cámara.

- Corrobora que también tienes activada la opción Zoom que redimensiona la imagen lo suficiente como para eliminar los bordes negros que se producen al estabilizar la imagen (figura 8.34).

- Haz clic en el botón Estabilizar para que comience el análisis y estabilización. Una nueva ventana aparecerá durante el proceso e indicará el porcentaje transcurrido.

- Una vez finalizado, reproduce el clip y verifica si todo está correcto.

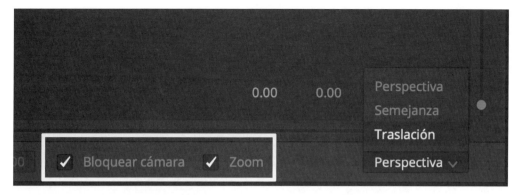

Figura 8.34. Opciones de Bloquear cámara y Zoom.

La opción Bloquear cámara debes desactivarla en situaciones en las que existe un movimiento de cámara, para que los controles de proporción, uniforme e intensidad queden operativos. Veamos en qué afecta cada uno de esos parámetros:

- **Proporción.** Indica el factor de zoom que tendrá que aplicar el estabilizador para compensar el movimiento. Con un valor de 1.00 no se crea ninguna estabilización, mientras que con niveles más bajos el recorte es más agresivo.

- **Uniforme.** Aplica un suavizado a los datos analizados para conservar el movimiento de cámara. Con valores más bajos se conserva el movimiento original de cámara y con niveles más altos se suaviza de forma más brusca.

- **Intensidad.** Selecciona el nivel de fuerza para conseguir la estabilización. Un valor cero desactiva el estabilizador, mientras el valor 1.00 aplica su nivel máximo.

Desenfoque

Otra de las opciones en la pestaña Color, y que resulta muy útil para determinadas correcciones, es la de añadir desenfoque o nitidez a las imágenes. Al igual que las herramientas que has visto, también se suelen combinar con correcciones secundarias y máscaras para usarlas en partes específicas de la imagen y aumentar así las posibilidades creativas.

Los controles de esta herramienta consisten en tres deslizadores. Cada uno de ellos agrupa a los canales primarios RGB que se mueven a la vez y que, por lo tanto, se ven afectados por igual en la imagen. A la izquierda del nombre encontrarás un pequeño icono de eslabón que desagrupa, para tratar de forma independiente, el canal rojo, verde y azul.

Figura 8.35. La ventana para añadir desenfoque, nitidez y niebla a la imagen.

La pestaña Desenfoque tiene tres modos diferentes de operación: desenfoque, nitidez y niebla.

- **Desenfoque.** Es el modo predeterminado. Proporciona un desenfoque gaussiano, similar al que ya usaste con los efectos ResolveFX. Permite, igualmente, añadir nitidez a la imagen, en función de la dirección del deslizador Intensidad: del centro hacia arriba se aplica desenfoque y hacia abajo se añade nitidez. Un segundo control, Relación H/V, aplica dirección —horizontal o vertical— al efecto.

- **Nitidez.** Aumenta el nivel de detalle o nitidez de la imagen resaltando los contornos. Idéntico al modo de operación anterior, pero ofrece controles adicionales para enfocar la imagen. El deslizador de Redimensionamiento —inactivo en el modo de desenfoque— multiplica la escala de intensidad del efecto de enfoque.

- **Niebla.** Combina desenfoque y nitidez para crear efectos similares a determinados filtros ópticos. Los mejores resultados se obtienen bajando el nivel Intensidad y el cuadro de valor Mixta.

Máscaras

Esta herramienta añade controles a la señal de entrada-salida de recorte en un nodo para alterar su ganancia, contraste o intensidad. Se incluyen también los recortes creados en el nodo mediante máscaras y colores específicos.

Figura 8.36. La ventana Máscaras añade controles de intensidad y ganancia a las partes aisladas mediante canales alfa, correcciones secundarias o Power Windows.

Tiene tres conjuntos de parámetros:

- **Entrada.** Realiza ajustes a la señal de recorte —canal alfa— de entrada del nodo.
- **Salida.** Altera los parámetros de la salida de canal alfa del nodo.
- **Colores específicos.** Modifica la señal de recorte creada por colores específicos y por las máscaras realizadas desde Power Windows.

Ajuste de tamaño

La herramienta de transformación —tamaño, posición o rotación del clip— ya la has usado para las animaciones con fotogramas clave. Lo hiciste desde el Inspector en la edición de una línea de tiempo, pero DaVinci Resolve cuenta, además, con un apartado específico desde la pestaña Color donde ampliar las posibilidades con los mismos parámetros.

Este apartado consta de cinco modos:

- **Edición.** Se corresponde con los controles del Inspector en Edición. Cuando modificas un valor en una de las pestañas, también lo haces en la otra.
- **Entrada.** Permite realizar ajustes de tamaño a cada clip de forma individual. Se aplican antes del procesamiento en el árbol de nodos.
- **Salida.** Idéntico al anterior, en cuanto a ajustes, pero se aplican a todos los clips simultáneamente, a toda la línea de tiempo. Asimismo, pueden añadirse franjas negras (*blanking*) a la imagen.

- **Nodo.** Agrega ajustes de tamaño específicos a un nodo. Al igual que el ajuste de Entrada, es específico para cada clip y es posible usarlo en tantos nodos como sea necesario.
- **Referencia.** Posibilita reposicionar la imagen cuando usas la cortinilla de comparación para cotejar lo que tengas en el árbol de nodos con el estilo guardado en la Galería.

Figura 8.37. La ventana de Ajuste de tamaño.

Raw

Seguro que has visto o, al menos, has oído hablar del revelado clásico en fotoquímico, tanto en fotografía como en cine. Las cámaras grababan en rollos de película que estaban compuestos por un material sensible a la luz y, mediante un proceso de revelado, se obtenía la imagen captada.

Con las actuales cámaras digitales el proceso se simplificó enormemente, con la consiguiente expansión —tanto en el ámbito profesional como doméstico— y la reducción de costes. Entre la gran variedad de formatos digitales de grabación presentes en el mercado se encuentra el Raw, que almacena —directamente y sin procesar— los datos captados por el sensor de cámara. Es lo más parecido al negativo fotoquímico, ya que es preciso «revelar» la información obtenida por el sensor, para convertir los datos en bruto originales en imágenes ya procesadas. El mayor inconveniente en el procesado Raw es la falta de estandarización en el mercado. Cada fabricante apuesta por su propia versión exclusiva, lo que hace que existan grandes diferencias en las características y los controles del procesado de imagen de cada archivo Raw.

Para nuestro ejemplo usaremos un tipo de Raw de código abierto creado por Adobe en 2004 para fotografía, denominado «negativo digital» (*Digital Negative*), que Blackmagic incorporó a sus primeras cámaras de cine. La gran ventaja del archivo Raw es la versatilidad que tiene el procesado —revelado— de la imagen antes de incluirla en cualquiera de los módulos de Resolve. Esto permite manipular parámetros como la sensibilidad o exposición, entre otros, como si de un revelado tradicional se tratara. Este proceso, llamado *De-Bayer*, determina tanto el color como el brillo que tendrá cada píxel de la imagen.

Trabajaremos sobre dos ejemplos de imágenes Raw: la tan manipulada imagen del río Guadalquivir que has estado usando y que originalmente se grabó en ese formato; y una imagen subexpuesta en ultra alta definición (UHD) de una bodega. En este último ejemplo, comprobarás la respuesta del archivo Raw en condiciones extremas. Comenzamos:

- Desde la pestaña Medios localiza la carpeta RAW. Importa el clip RAW_ Sevilla de la carpeta Sevilla. Crea una línea de tiempo para trabajarlo desde la pestaña Color.

- Haz clic en el primer icono de la izquierda Ajustes RAW de la interfaz.

- Selecciona Clip en el menú desplegable de Modo. Ahora ya tienes disponibles los controles del clip que antes estaban inoperativos. Como se observa, hay una gran cantidad de parámetros utilizables para el revelado digital de la imagen. Recuerda que cada fabricante tiene sus propios controles para el archivo Raw.

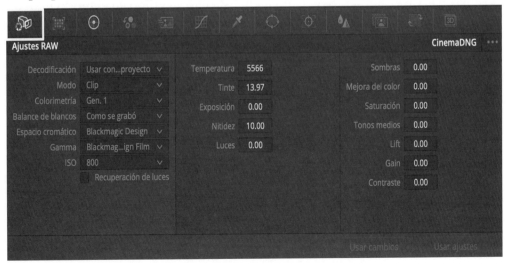

Figura 8.38. Ajustes RAW de un clip.

- Activa la Gráfica RGB en Representaciones gráficas para visualizar los niveles de la señal.
- Baja el valor de la sensibilidad, ISO, hasta 200.
- Fíjate en la imagen del Visor y en la Gráfica RGB, hay falta de contraste y saturación.

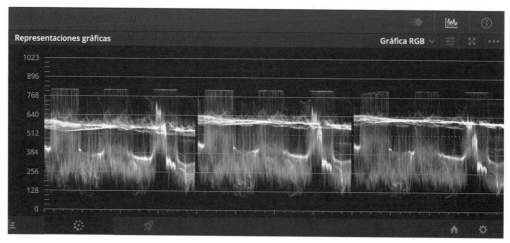

Figura 8.39. Gráfica RGB del clip con ajuste de sensibilidad a un valor 200.

Las imágenes grabadas en Raw no tienen un espacio de color concreto y, por ello, presentan ese aspecto cuando las ves como una señal de vídeo. Se trata de mostrar la máxima información captada por el sensor para obtener el mayor margen posible en el procesamiento de la imagen. Este clip se grabó en el modo Film de Blackmagic usando lo que se denomina una curva Log para optimizar los datos del sensor de cámara. Cada fabricante tiene su propia curva Log —Canon Log, S-Log de Sony o LogC de Arri—, aunque la mayoría presentan un aspecto muy similar. Ajusta los siguientes valores para obtener una imagen procesada dentro de los niveles óptimos de la Gráfica RGB:

- **Temperatura:** 7500.
- **Exposición:** 0.70.
- **Saturación:** 50.00.
- **Lift:** -1.00.
- **Contraste:** 50.

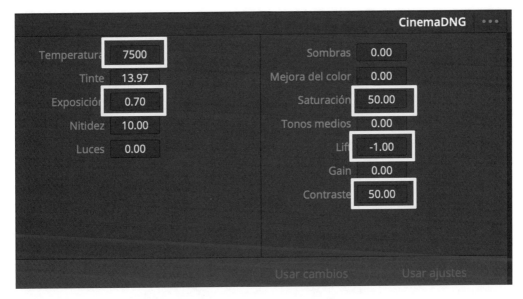

Figura 8.40. Ajustando valores al archivo Raw.

Básicamente, es un ajuste de temperatura de color para obtener un aspecto más cálido de la imagen, un aumento de saturación y un equilibrio entre contraste, exposición y nivel de negro. Por supuesto, no hay un único ajuste para esta imagen, ya que dependerá de la estética final que quieras conseguir.

Veamos ahora por qué es tan interesante trabajar con archivos Raw y hasta dónde es capaz de llegar con el margen de información que contiene. Sigue trabajando desde la carpeta RAW:

• En la carpeta Bodega encontrarás dos imágenes claramente subexpuestas. Crea una nueva línea de tiempo con RAW_Bodega.

• Desde Ajustes RAW en Color, selecciona Clip en el menú desplegable de Modo.

• Cambia el Espacio cromático a Blackmagic Design. El parámetro Gamma se ajusta automáticamente al modo Film de Blackmagic (figura 8.41).

Para este caso, el archivo no permite un ajuste de sensibilidad, por lo que tendremos que forzar la exposición general y el contraste para recuperar al máximo los niveles de la imagen, sin añadir un ruido elevado. Ajusta los parámetros del archivo Raw con estos valores:

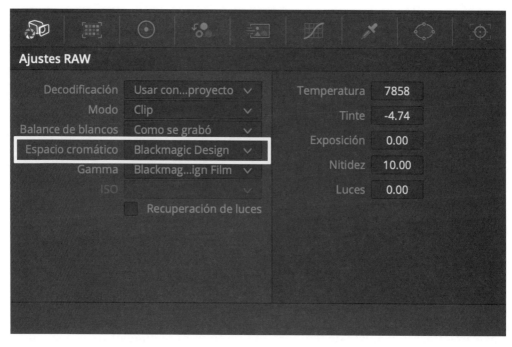

Figura 8.41. El Espacio cromático y Gamma del clip de la bodega.

- **Exposición:** 4.50.
- **Saturación:** 30.00.
- **Tonos medios:** 50.00.
- **Lift:** 9.25.
- **Gain:**12.35.
- **Contraste:** 100.00.

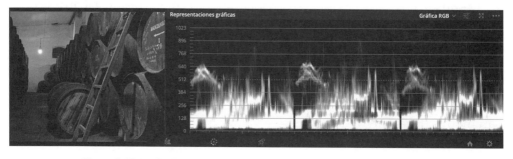

Figura 8.42. La Gráfica RGB una vez que se han forzado los ajustes del Raw.

Como aprecias, mediante los ajustes de tan solo algunos parámetros del archivo Raw, el aspecto de la imagen original dista bastante del conseguido. La imagen se captó en el interior de una bodega y la escasa iluminación se debe a bombillas como la que ves al fondo. El objetivo de esta práctica es que entiendas cuánto puede dar de sí un fichero Raw en condiciones extremas trabajando desde el origen con los datos del sensor. En este caso, ni siquiera has hecho uso —que podrías hacerlo— de las ruedas de color para seguir mejorando la imagen.

Ahora importa la otra imagen a la línea de tiempo y procura conseguir el mismo resultado. Al tratarse de una imagen JPEG no tienes opción de manipularla como el Raw, así que tendrás que utilizar las ruedas de color para modificar la imagen. Por mucho que intentes recuperarla, te darás cuenta de que es imposible, ya que, en origen, carece de información y no tienes margen para lograr los mismos resultados obtenidos mediante el archivo Raw.

LUT

¿Recuerdas la imagen plana, con falta de contraste y color, que mostraba el archivo Raw? Se trataba del modo Log que los fabricantes incluyen para optimizar la imagen del sensor de cámara. Una imagen con esos ajustes necesita adaptar su colorimetría a un determinado espacio de color para su emisión final, para que el resultado sea más agradable visualmente. Sin profundizar a nivel técnico, hay varios estándares principales que se manejan en el ámbito de la posproducción de vídeo:

- **Rec. 601.** Para televisión en definición estándar.
- **Rec. 709.** Uno de los más extendidos en la actualidad y usado para la televisión en alta definición.
- **Rec. 2020.** Creado para la televisión en ultra alta definición.
- **sRGB.** Muy similar al Rec. 709 y utilizado para gráficos por ordenador.
- **P3**. Usado para la emisión en cine digital.

En resumen: una imagen Log necesita convertir la información de cada píxel a los valores del estándar de emisión para su visionado final. Esa tabla de conversión, denominada LUT (*LookUp Table*), la distribuyen los distintos fabricantes para establecer una referencia de cómo quedaría la imagen final.

Resolve tiene un apartado específico para la aplicación de las LUT, así que vamos a trabajar con él para comprobar su funcionamiento.

- Localiza de nuevo la imagen Raw de Sevilla y desde el menú superior derecho retoma los valores originales seleccionando Restablecer.

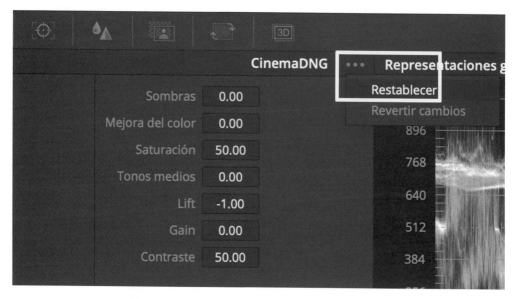

Figura 8.43. Restablecer los ajustes originales del Raw.

- Cambia la sensibilidad ISO al valor 200. Este es el único parámetro de los ajustes Raw que modificarás.
- En la parte superior izquierda de la interfaz, haz clic en el icono LUT.
- Selecciona la visualización en modo texto y localiza desde el listado la opción de Blackmagic Design.
- Haz doble clic en la LUT Blackmagic Cinema Camera Film to Rec709 (figura 8.44).
- La LUT se carga en el nodo y la imagen presenta unos niveles correctos de contraste y saturación, como se aprecia en la Gráfica RGB.

Conviene recordar que la LUT que ofrece el fabricante no deja de ser una recomendación. Usarla, o no, en un proyecto dependerá de nuestras preferencias. Vamos, como si quieres usar la LUT de una cámara para otra; todo es cuestión de gustos. Para el mismo modelo de cámara Blackmagic —Cinema Camera— hay una segunda versión (v2) que también puedes probar por si te resulta más interesante.

Si deseas ver cómo quedará la LUT en el clip antes de aplicarla, cambia la visualización a modo miniatura y comprueba que está activada la opción Previsualizar clip en el menú (figura 8.45).

TRUCO:

En el modo texto, a la derecha del nombre, tienes una estrella que cuando la pulsas te añade la LUT a Favoritos al final del listado para tenerla más a mano.

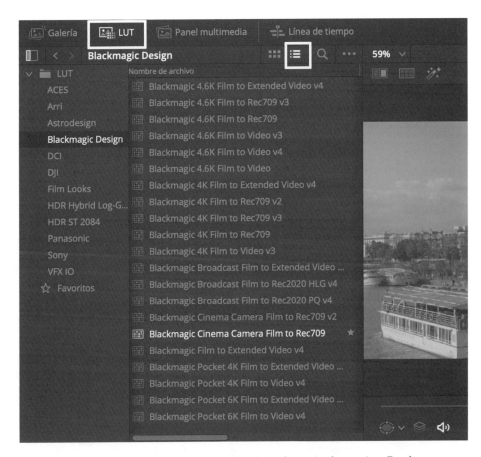

Figura 8.44. La ventana de LUT y el listado predeterminado que tiene Resolve.

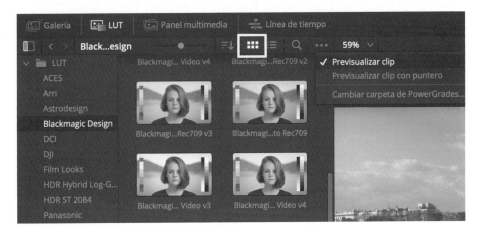

Figura 8.45. Las LUT en forma de miniaturas y con la opción de previsualización en el clip.

Desde el menú contextual de un nodo también se accede al listado de LUT, al igual que en la pestaña Medios, para que ya la lleve incluida el clip antes de la edición y corrección de color.

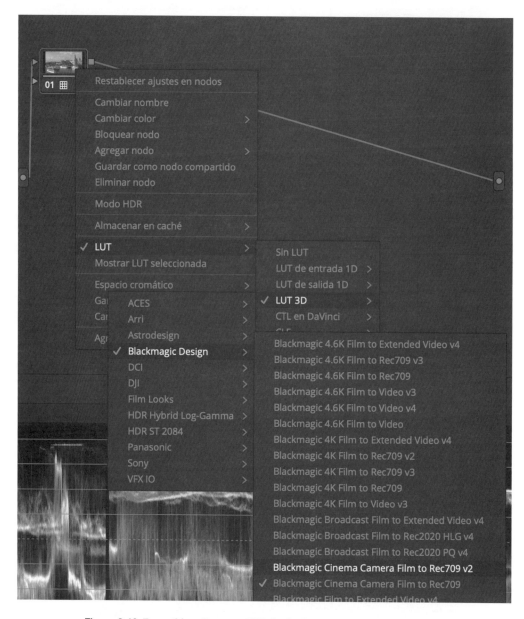

Figura 8.46. Es posible aplicar una LUT desde el menú contextual de un nodo.

La administración de LUT se realiza desde la sección Gestión cromática de los Ajustes del proyecto.

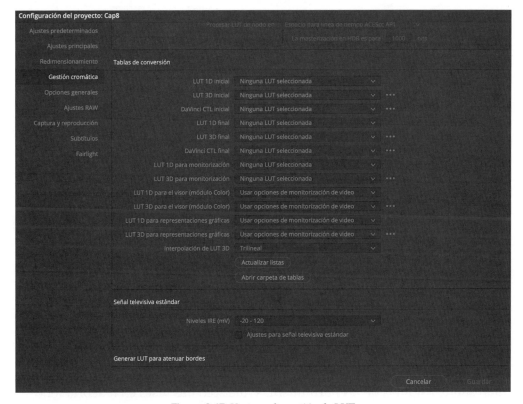

Figura 8.47. Ventana de gestión de LUT.

Desde ahí, es posible acceder a la carpeta interna —Abrir carpeta de tablas— del programa para añadir LUT a las que ya trae Resolve de manera predeterminada. Se trata, simplemente, de copiar y pegar de un directorio a otro. En la web podrás encontrar muchas de ellas, tanto de pago como gratuitas. Es importante, una vez copiadas las LUT en Resolve, actualizar el directorio desde el botón Actualizar listas (figura 8.48).

Desde esta misma ventana de Gestión cromática tienes la posibilidad de añadir una LUT a todo el proyecto en distintas partes de la cadena —entrada, salida, monitorización, visor o representaciones gráficas— para evitar tener que incluirla manualmente sobre cada clip. Eso sí, es importante tener en cuenta que todos los clips van a recibir la misma LUT.

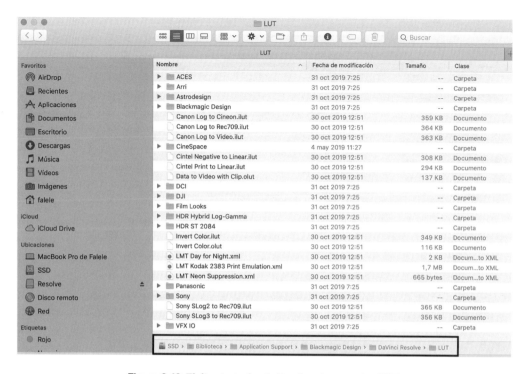

Figura 8.48. El directorio donde Resolve almacena las LUT.

Hasta aquí hemos llegado con este capítulo. Has hecho un gran avance en el conocimiento y las técnicas de gestión del color y deseo que te haya resultado interesante. Algunas de las herramientas que solo has visto en la teoría tendrás oportunidad de ponerlas en práctica más adelante. Y queda todavía mucho camino por recorrer...

El trabajo de un colorista

Imagina que tienes la oportunidad de visitar una sala de corrección de color un día cualquiera. Verías al colorista en plena faena, como si de albañil o carpintero se tratase. La mayoría de las herramientas de corrección de color ya las hemos abordado (algunas con ejemplos), por lo que seguro que te resultaría familiar verlo trabajar con ellas. A medida que has avanzado en los capítulos de este libro has ido realizando más ejercicios prácticos, y eso está bien. Creo que la mejor forma de afianzar los conocimientos es mediante la experiencia propia, por lo que he intentado buscar un equilibrio para no saturar con tanta teoría. Siguiendo la misma línea en este capítulo, empezarás por ver algunas herramientas que nos quedan pendientes y el resto será poner en práctica muchas de las situaciones diarias a las que se enfrenta un colorista.

Entender el árbol de nodos

La estructura de árbol de nodos da mucho más de sí de lo que has visto hasta ahora. La conexión que has establecido es la más simple, y no por ello menos utilizada, basada en enlazar un nodo a continuación de otro. Es como una cadena, donde cada elemento entrega sus ajustes al siguiente para ir sumando hasta la salida final; pero no es la única conexión.

Hay varias formas de organizar los nodos en un árbol. Cada método permite controlar una serie de acciones de diferentes maneras para lograr un resultado concreto.

- **Nodos en serie.** Son los que has usado hasta ahora y los más fáciles de entender. La salida de un nodo se entrega al siguiente. Para la mayoría de los casos, los nodos en serie son más que suficientes para realizar un ajuste de color.

Figura 9.1. Árbol de nodos en serie.

- **Nodos en paralelo.** Esta es otra forma de organizar las correcciones y de aplicar dos o más ajustes superpuestos a una única entrada simultáneamente. Un nodo mezclador de paralelos se encarga de combinar varios nodos en su entrada produciendo una sola imagen en su salida.

Figura 9.2. Nodos en paralelo.

- **Nodos de capa.** A nivel de estructura es muy similar al paralelo, pero con dos particularidades fundamentales en el nodo mezclador: prioridad del nodo inferior y modos de fusión de capas. Observa la diferencia que hay en la figura 9.3 respecto a los nodos en paralelo.

Figura 9.3. Nodos de capa. El nodo inferior tiene prioridad sobre el superior.

Además de este tipo de conexiones básicas, también tienes posibilidad de mezclar señales de recorte. Cuando estableces una selección mediante un color específico o por medio de máscaras, estás creando una señal de recorte —canal alfa— en ese nodo. Es lo que te permite aislar ese color elegido, o esa zona, del resto. Al igual que tienes un mezclador para conexiones en paralelo o capas, también cuentas con un mezclador de canales alfa —o de máscaras, que es lo mismo— para sumar todas las señales de recorte.

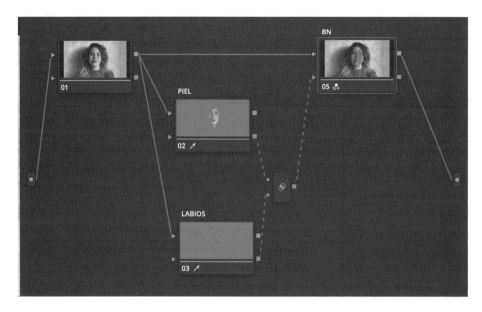

Figura 9.4. Dos nodos conectados —piel y labios— a un mezclador de máscaras.

Por último, hay un método para aplicar correcciones de forma individual a cada color primario —RGB— que separa cada canal en un nodo independiente para luego combinar todos esos ajustes.

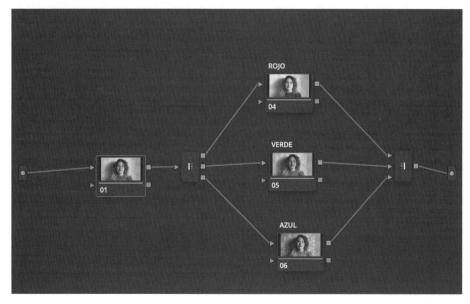

Figura 9.5. Los canales primarios RGB se separan para permitir su edición independiente y luego se combinan de nuevo.

Estas son las conexiones de las que dispones en el Editor de nodos de Resolve, con todas las combinaciones entre ellas que puedas necesitar. Con los ejercicios prácticos que veremos, lo entenderás mucho mejor que con la teoría.

¿Qué hace un colorista?

La principal labor que desempeña un colorista es la de igualar las diferencias de luz y color en una producción audiovisual. Por supuesto, esa es la fundamental, pero no la única. Las posibilidades que ofrecen las herramientas actuales de gestión del color hacen que el profesional no solo se limite a dar homogeneidad a toda la película, sino a aportar —con criterios artísticos— una mejora del color, ayudando al director de fotografía a obtener los resultados deseados.

El igualado de tomas será lo primero que vas a poner en práctica con el programa y, a partir de ahí, también realizarás otras labores del colorista que seguro te resultarán muy interesantes.

Igualar tomas

Empezaremos por lo más fácil para ir calentando. Crea una nueva línea de tiempo con los clips de la carpeta Igualar primaria. Se trata de dos tomas de un amanecer en el pantano de José Torán, en la sierra norte de Sevilla. La luz, tanto al amanecer como al atardecer, varía mucho de intensidad y tonalidad en un corto espacio de tiempo. Es por eso por lo que la diferencia, entre un clip y el otro, es más que evidente.

- Desde la pestaña Color, asegúrate de tener activada la opción Clips para visualizar las miniaturas en el centro de la interfaz. Activa también la Gráfica RGB de Representaciones gráficas.

- Haz doble clic debajo de la miniatura hasta que muestre el nombre del clip. Irá rotando entre el nombre del clip, el códec usado y la versión.

Figura 9.6. Los clips muestran el nombre, códec o versión haciendo doble clic debajo de la miniatura.

- Selecciona el clip MVI_9089. Se mostrará con el contorno de la miniatura en rojo.
- Posiciona el cursor, sin hacer clic, sobre el clip MVI_3965.
- Haz clic con el botón derecho del ratón para sacar el menú contextual y selecciona Igualar tomas según este clip.

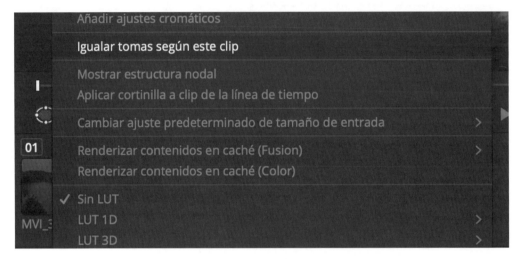

Figura 9.7. El menú de Igualar tomas según este clip.

La magia de Resolve ha vuelto a funcionar. El programa analiza el color del clip situado sobre el menú contextual y, con esos valores de tono, luminancia y saturación, se los aplica a todos los que estén seleccionados. Por supuesto, esto es posible hacerlo de manera manual. Solo tienes que observar la Gráfica RGB para ver los niveles de luminancia de cada color primario. Vamos a hacerlo:

- Con el menú contextual sobre la miniatura del nodo corregido, haz clic en Restablecer ajustes en nodos. Esto hará que el clip retome de nuevo los valores originales.
- Selecciona de nuevo el clip MVI_9089.
- Posiciona el cursor sobre el clip MVI_3965. Es el mismo procedimiento anterior para mostrar el menú contextual.
- Clica en el menú en la opción Aplicar cortinilla a clip de la línea de tiempo. Esto hará que en el Visor se muestren los dos clips separados por una cortinilla vertical. Es otra utilidad de la cortinilla que ya habías usado antes para comparar un ajuste de la Galería con el árbol de nodos.

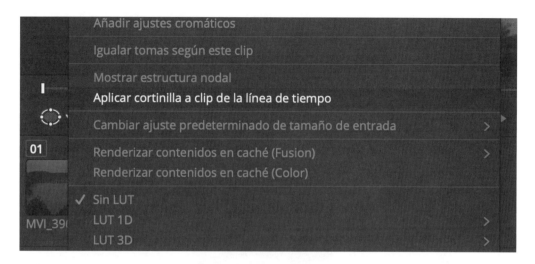

Figura 9.8. Aplicar cortinilla a clip de la línea de tiempo permite comparar dos clips.

- Desde el Visor, arrastra la cortinilla y sitúala en el centro.
- Observa la Gráfica RGB. La cortinilla vertical divide las dos señales.

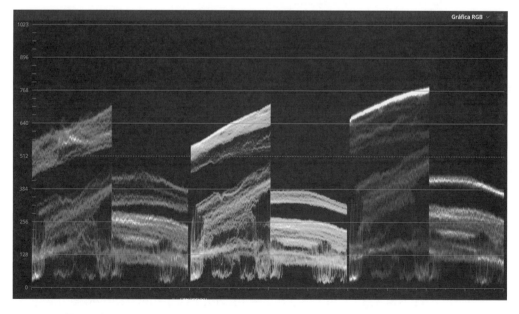

Figura 9.9. Gráfica RGB con la cortinilla vertical de dos clips. Se observa la diferencia en niveles de luminancia entre ellos.

- Harás una corrección básica y será suficiente con modificar la rueda Gain.

- Baja el nivel de luminancia de la rueda Gain hasta aproximarlo a los valores del otro clip. Sobre 0.50 es un valor aceptable.

- Ahora equilibra la dominante. Fíjate en que, en la imagen que queremos conseguir, el verde está un poco por debajo del azul y el rojo. Haz clic y arrastra levemente la tonalidad de la rueda Gain hasta lograr un equilibrio parecido. Con los valores de la figura 9.10 se consigue un igualado razonable.

Figura 9.10. Igualando la dominante.

Este igualado está bien como comienzo, pero piensa en una situación algo más compleja: una en la que, además de hacer una corrección primaria —como la que acabas de realizar—, necesitas aislar parte de la imagen para igualar un color en concreto.

Importa y crea una línea de tiempo con los dos clips de la carpeta Igualar secundaria. Se trata de un acto de inauguración grabado con dos cámaras. Una de ellas tiene el plano general y la otra un poco más corto. El problema radica en que ambas no coinciden en el color: distinto tono, saturación y brillo. Comencemos:

- Asegúrate de tener activado Clips, Círculos cromáticos y Representaciones gráficas. Tomaremos de referencia el clip PM (plano medio), así que selecciónalo para realizar una corrección primaria básica.

- Observa la Gráfica RGB y baja la luminancia de la rueda Lift un poco hasta alcanzar el nivel de negro apropiado. Un valor de -0.02 puede estar bien.

- Haz lo mismo con la luminancia de la rueda Gain hasta alcanzar el blanco. He subido hasta 1.07. Ahora ya tienes un contraste adecuado en la imagen.

- Por último, sube levemente la Saturación hasta situarla en 57.00. Recuerda que es posible teclear su valor haciendo doble clic en el cuadro numérico o bien arrastrar. Con estos valores, ya has terminado la corrección primaria del clip de referencia.

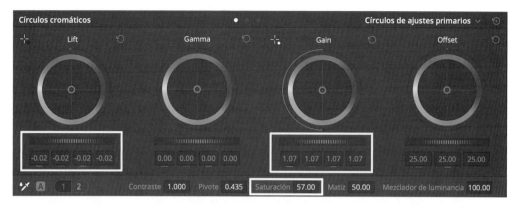

Figura 9.11. Corrección primaria del clip.

Haz clic ahora sobre el clip PG (plano general) y mira su gráfica. Está falta de contraste y de saturación con respecto al plano medio. Usarás la cortinilla de referencia para que sirva de guía con los ajustes.

- Con el clip PG seleccionado, sitúa el cursor sobre PM y desde el menú contextual elige Aplicar cortinilla a clip de la línea de tiempo. Se muestran los dos clips separados por la cortinilla.

- Sube primero un poco el contraste general de la imagen para no forzar demasiado la luminancia en las ruedas de color. Aumenta el valor Contraste hasta 1.200.

- Baja la luminancia de Lift hasta -0.03 y sube el valor Gain a 1.18. El nivel de contraste ya lo tienes correcto.

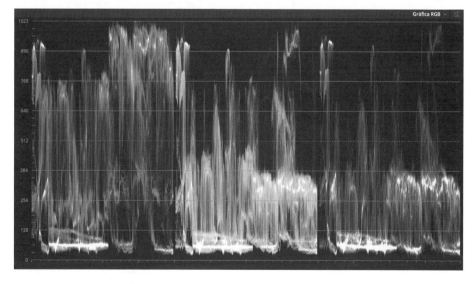

Figura 9.12. Ajustando contraste entre los dos clips.

Turno ahora para la saturación. Como bien sabes, la Gráfica RGB solo muestra niveles de luminancia o brillo (que es lo mismo). Necesitas tener datos objetivos del color —tono y saturación— para saber hasta dónde llegar para igualar las dos tomas. Nuestra herramienta para esto es el vectorscopio. Empecemos:

- Desde el menú desplegable de Representaciones gráficas, selecciona Vectorscopio. Como la imagen del Visor sigue estando con los dos clips separados por la cortinilla, la información de color que ves es la de ambas imágenes.

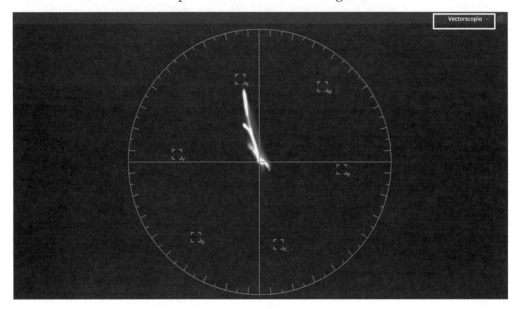

Figura 9.13. Las dos imágenes en el Vectorscopio.

Como puedes apreciar en la representación del Vectorscopio, la saturación de las dos imágenes es diferente, bastante menor una con respecto a la otra. El nivel de saturación lo muestra con la longitud de las líneas. Fíjate en que una de ellas se acerca al rojo y la otra está muy por debajo. El primer paso para igualar color es unificar la longitud de las dos líneas.

- Desde la casilla Saturación, aumenta el valor hasta que las dos líneas estén al mismo nivel; sobre 86.00 podría estar correcto (figura 9.14).

Vamos avanzando, pero hay un problema. Si observas bien la imagen, el contraste —nivel de blancos y de negros— y la saturación están igualados; pero el color rojo —tonalidad o matiz— de las chaquetas no es exactamente el mismo. Uno es más anaranjado que el otro. Lo puedes ver gráficamente en el Vectorscopio, ya que las dos líneas representadas no tienen el mismo ángulo en el círculo. Recuerda que el ángulo de las líneas muestra la tonalidad. Se solucionaría fácilmente modificando el valor Matiz hasta que las líneas coincidan en su ángulo y las dos chaquetas logren exactamente el mismo color, pero eso implicaría que en el resto de la imagen también cambiase la tonalidad. Mala idea. Toca, por lo tanto, aislar el color rojo de las chaquetas para realizar una corrección secundaria.

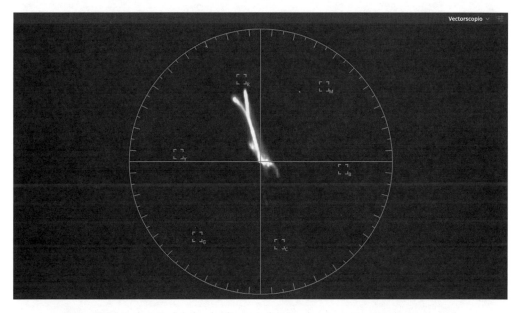

Figura 9.14. La longitud de las dos líneas indica que la saturación está al mismo nivel.

- Desactiva la cortinilla de referencia con el atajo Cmd-W (Ctrl-W en Windows) para trabajar solo con la imagen del clip PG.
- Crea un nodo con el atajo Alt-S para comenzar a aislar el color rojo.
- Desde Colores específicos recoge una muestra en el Visor —clic y arrastrar— de la chaqueta.
- Haz clic en el icono Destacar en el Visor para ver únicamente la zona seleccionada.
- Mira los valores de la gráfica Matiz, Saturación y Luminancia de la ventana de Colores específicos (figura 9.15).
- Baja el Mínimo de Saturación hasta el valor 5.5. No bajes más de eso, que se te incluirán los tonos de la piel y no nos interesa.
- Haz lo mismo con el Mínimo de Luminancia y ponle valor 45.0.
- Por último, y para terminar de hacer la extracción de la chaqueta, aumenta el valor Ancho de Matiz hasta que se incluyan en la selección más partes de la chaqueta. Sobre 11.0 podría estar bien. No te preocupes por las zonas oscuras de la chaqueta que no se añaden, porque cuando cambies la tonalidad apenas les afectará.

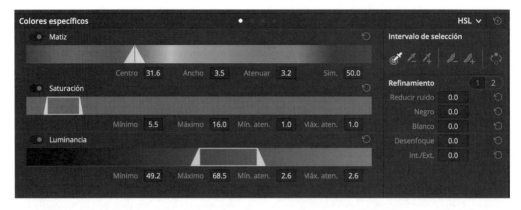

Figura 9.15. Los valores de muestra inicial de matiz, saturación y luminancia (HSL) de la chaqueta.

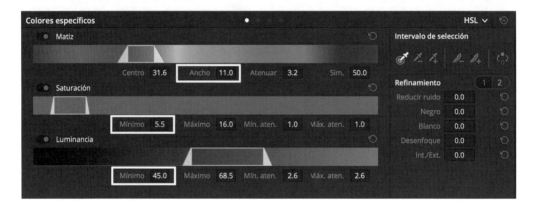

Figura 9.16. Aumentando el rango de selección de las chaquetas.

- Desactiva Destacar para volver a ver la imagen completa.
- Vuelve a poner la cortinilla de comparación con el atajo Cmd-W (Ctrl-W en Windows) para visualizar los dos clips en el Visor y Vectorscopio.
- Ahora que ya tienes la selección de un color específico sí es el momento de alterar Matiz en el Círculos de ajustes primarios. Apóyate en la referencia de la gráfica del Vectorscopio y aumenta el valor hasta que las dos líneas apunten al mismo ángulo. Sobre 52.80 creo que sería lo correcto (figura 9.17).

¡Trabajo terminado! Para dejarlo más fino, lo suyo sería que también hicieras una secundaria de los tonos de piel en otro nodo, con el mismo procedimiento que con la chaqueta. Ten en cuenta que los humanos somos muy sensibles a los cambios de tonalidad —mucho más que de luminancia— y sobre todo en el caso de las pieles.

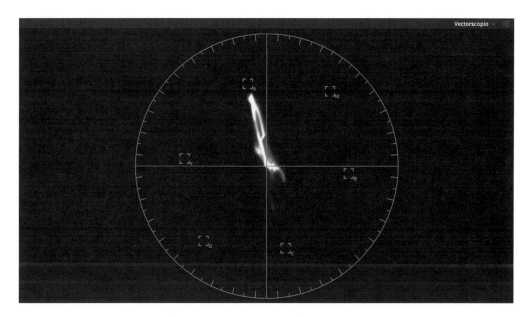

Figura 9.17. Las dos líneas con el mismo ángulo indican que tienen idéntica tonalidad.

Croma

Seguro que has visto más de una vez imágenes de actores sobre un fondo verde o azul. Se usan para aplicar una técnica denominada *Chroma Key* que consiste en sustituir el color de fondo por otra imagen. De esa forma, los actores se integran sobre escenarios, ya sean reales o recreados digitalmente. El colorista trabaja también muy relacionado con el equipo de efectos visuales —VFX—, por lo que este tipo de composición forma parte de sus labores cotidianas.

El material con el que vas a trabajar tiene normativa americana y es un poco diferente al que has utilizado hasta ahora. Se compone de varios clips —fondo, máscara y actores— con una resolución y frecuencia de fotogramas distintas a las que usamos en Europa. Eso no es problema para DaVinci, que se adapta a cualquier resolución y frecuencia de fotogramas, pero debes tenerlo en cuenta para crear un proyecto con esas características y no mezclarlo con el resto. Por lo tanto, será lo primero que harás:

- Desde el Organizador de proyectos, icono con forma de casa en la parte inferior derecha de la interfaz, selecciona Crear proyecto y nómbralo Croma.

- Haz clic en el icono Configuración del proyecto —rueda dentada—, también en la parte inferior derecha, y desde Ajustes principales escoge 720 x 480 NTSC DV en Formato de la línea de tiempo.

- En Aspecto del pixel opta por 4:3 SD. No te preocupes por la frecuencia de imágenes: Resolve la adaptará al importar los clips. En la figura 9.18 tienes el resumen de las características.

Figura 9.18. Ajustes del proyecto en NTSC DV.

- Importa los cinco clips de la carpeta Croma a la pestaña Medios. En el cuadro de diálogo que te aparece para cambiar la frecuencia de fotogramas, dale a Aceptar. Si te fijas en la ventana de los metadatos de cualquier clip, comprobarás que tiene los ajustes que le has puesto al proyecto y una frecuencia de fotogramas de 29,97.

- Nos pasamos al módulo Edición. Crea una nueva línea de tiempo con el atajo Cmd-N (Ctrl-N para Windows) y añade el clip Bar que será el fondo de nuestra composición.

- El siguiente paso es colocar el clip Pareja en la pista de vídeo 2, encima del fondo. Arrástralo desde el Panel multimedia hasta la línea de tiempo. Es lo más rápido en este caso. La duración es la misma en todos los clips, por lo que no hay que preocuparse de ajustar nada.

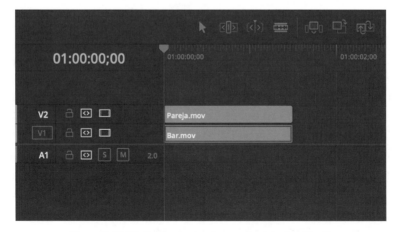

Figura 9.19. El clip Pareja se coloca en la pista de vídeo 2.

- Por último, nos pasamos al módulo Color para realizar la extracción del fondo verde. Desde la pestaña Colores específicos selecciona en el menú desplegable la opción Imágenes estereoscópicas.

La traducción al español no tiene nada que ver con ese tipo de imágenes de tres dimensiones en las que hay que ponerse unas gafas específicas para ver el efecto.

Originalmente la herramienta se denomina 3D, por el método de análisis que hace el programa para extraer el fondo a partir de una representación tridimensional de los colores.

Figura 9.20. Herramienta para extracción de cromas.

- Desde el Visor, haz clic y arrastra en una zona del fondo verde. Los valores RGB de la muestra se presentan abajo en la ventana junto al icono con el color verde. En el Visor, un trazo de color azul te enseña la trayectoria. Puedes quitarlo, si lo deseas, desactivando Mostrar trayectoria.
- Haz clic en el icono Destacar para ver solo la selección. Te mostrará el verde muestreado y un hueco en gris donde están situados los actores. Hay que invertir la máscara para ver los actores y no el fondo verde.
- En la parte superior derecha de la ventana se halla el icono Invertir (figura 9.21).
- Si miras la imagen, comprobarás que tiene todavía zonas en verde que no están extraídas del fondo. Veamos la máscara en blanco y negro para apreciarlo mejor. En la parte superior derecha del Visor se localiza el icono de Destacar en blanco y negro. Haz clic sobre él para trabajar más cómodo con la máscara.

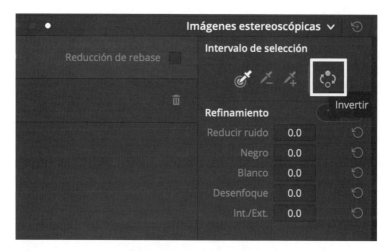

Figura 9.21. Invertir la máscara.

- El color negro indica las áreas que serán transparentes y el blanco —donde están los actores— las opacas. No está bien extraído el fondo todavía porque hay partes claras en las zonas del negro. Sigue tomando muestras, haciendo clic y arrastrando, de las partes claras del fondo negro hasta obtener una máscara limpia.

Figura 9.22. Máscara del croma. En blanco y negro se aprecia mucho mejor.

Vuelve a visualizar la imagen completa desactivando Destacar del Visor. Sigues viendo el fondo verde, pero ya tienes la máscara creada, aunque no lo parezca. Fíjate en la miniatura del nodo que solo tiene la imagen de los actores. Aún sigues viendo el fondo verde en la imagen del Visor porque la salida del nodo solo tiene el canal de color RGB. Necesitas darle una salida al canal alfa de recorte que has hecho con la máscara.

- Sobre un área vacía del Editor de nodos, selecciona en el menú contextual Agregar salida de alfa.
- Conecta, arrastrando de un extremo a otro, la salida del canal alfa del nodo con la salida creada.

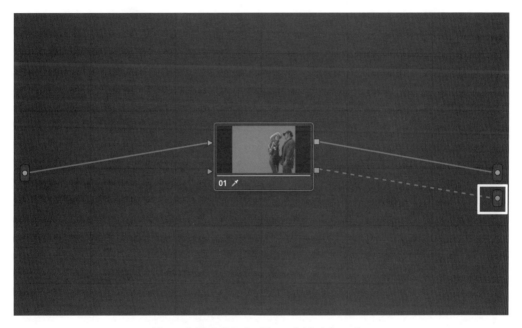

Figura 9.23. Salida de alfa en el árbol de nodos.

¡Hala!, ya tienes integrados los actores con el fondo. Parece correcto, pero todavía no está fino del todo. Aumenta la imagen del Visor y observa los contornos. Fíjate, por ejemplo, en los sombreros. Están contaminados del color verde por el croma, pero que no cunda el pánico: tenemos una herramienta específica para ello. Activa la opción Reducción de rebase que se localiza en la parte superior derecha de la ventana. Ahora sí, con esto has terminado de integrar este clip. Añade el siguiente clip, Camarera, a la pista de vídeo 3 de la línea de tiempo en el módulo de Edición y sigue exactamente el mismo procedimiento para extraer el croma.

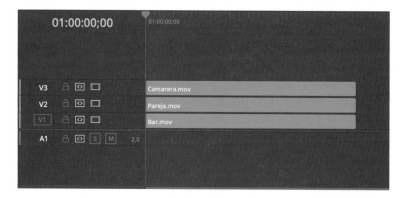

Figura 9.24. El clip Camarera en la pista de vídeo 3.

Aprovecho que hay tres pistas de vídeo apiladas, una encima de otra, para mostrar otra función que no hemos visto todavía en el módulo Color. Si hay varias pistas de vídeo en una línea de tiempo y te interesa ver alguna en concreto, solo tienes que seleccionar el clip y activar Vista independiente desde el Visor. Por cierto, si quieres ver la línea de tiempo con segmentos, de forma similar al módulo Edición, activa el icono Línea de tiempo de la parte superior izquierda de la interfaz.

Figura 9.25. Línea de tiempo y Vista independiente en el Visor.

El siguiente clip que nos queda, el de John Wayne, vas a integrarlo de otra manera. Uno de los cinco archivos que has importado es una máscara. Este tipo de clip puede utilizarse de dos formas diferentes. Tradicionalmente, eran archivos en escala de grises que identificaban regiones de opacidad, donde el blanco mostraba las partes opacas y el negro las transparentes. En ocasiones, los clips exportados desde el departamento de composición —encargado de los efectos visuales— iban acompañados de uno o más archivos de este tipo para poder integrar la imagen original junto a sus máscaras de recorte. Sin embargo, una máscara también suele emplearse como herramienta creativa para aplicar grano o texturas a una imagen en concreto o a todo el montaje. En este ejercicio práctico le daremos los dos usos. Empezarás por integrar la máscara externa en la imagen de uno de los vaqueros más famosos de la historia.

- Desde el módulo Edición, añade a la línea de tiempo el clip Wayne en la pista de vídeo 4. Al estar situado en la pista superior no dejará ver el resto de los clips, pero para solucionar eso utilizarás la máscara externa.

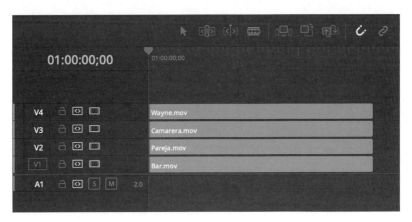

Figura 9.26. El clip Wayne en la pista de vídeo 4.

- Trabajemos ahora desde el módulo Color. El procedimiento para extraer el fondo del clip Wayne es muy sencillo porque todo el trabajo de recorte para crear la máscara se ha realizado con anterioridad.

- Haz clic en Panel multimedia para abrir la ventana a la izquierda de la interfaz y visualizar los clips importados.

- Arrastra el clip Matte desde el Panel multimedia hasta un área vacía del Editor de nodos donde tienes la miniatura del vaquero.

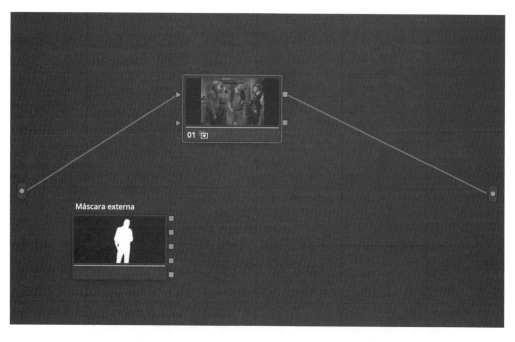

Figura 9.27. La máscara externa en el árbol de nodos.

Ahora tienes en el Editor de nodos las miniaturas del clip y de la máscara externa. Fíjate en que la máscara no tiene entradas en su nodo y, sin embargo, tiene cinco salidas. Las cuatro azules —canal alfa— se corresponden con la señal de luminancia y de los tres canales de color RGB independientes, por ese orden. La quinta salida es la señal de color. Para este caso, en el que el clip está en blanco y negro, es indiferente cualquiera de las cuatro salidas del canal alfa, porque todas son iguales.

- Conecta la salida superior —luminancia— de la máscara externa con la entrada del canal alfa del clip Wayne (figura 9.28).

- Observa la miniatura del nodo del vaquero; ya tiene extraído el fondo. Más rápido, imposible (ya se lo cuentas al que ha creado la máscara). Puedes comprobarlo en el Visor activando y desactivando Destacar.

- Crea una nueva salida de alfa en el Editor de nodos. Recuerda: desde un área vacía selecciona en el menú contextual Agregar salida de alfa.

- Conecta la salida de alfa del clip Wayne con la salida de alfa del Editor de nodos (figura 9.29).

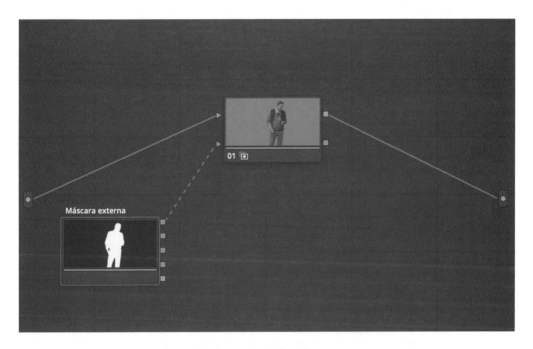

Figura 9.28. Conectando la máscara externa.

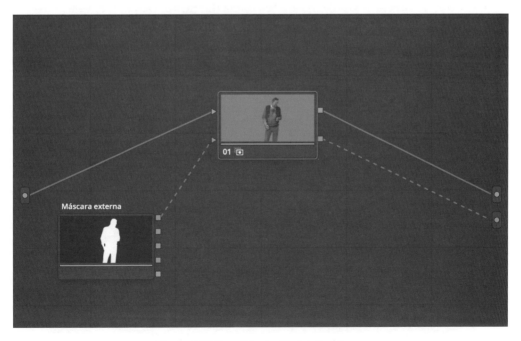

Figura 9.29. La salida de alfa del clip Wayne.

¡Enhorabuena! Composición realizada. Tienes todos los actores integrados con el fondo. Proporcionémosle un aspecto final para que todo esté más homogéneo. Lo apropiado sería dar una estética de película antigua, que se logra desaturando un poco los colores, añadiendo tonos cálidos y oscureciendo los bordes de la imagen. Al tener una composición con cuatro capas de vídeo, los ajustes que se hagan deben afectar a todas por igual. Eso se consigue creando un nuevo nodo corrector en la línea de tiempo.

- Desde el Editor de nodos cambia, en el menú desplegable, de modo Clip a Línea de tiempo.

Figura 9.30. Cambiando en el Editor de nodos a Línea de tiempo.

- Desde el menú contextual, en un área vacía del Editor de nodos, ve a Agregar nodo>Corrector.
- Conecta las entradas y salidas del nodo creado.

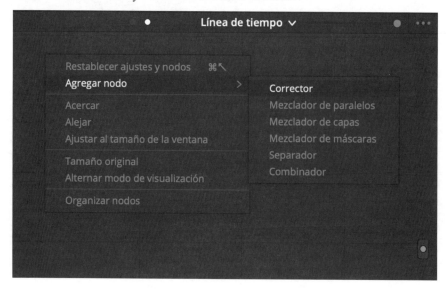

Figura 9.31. Añadiendo un nodo corrector.

- Es el momento de ajustar la composición con las ruedas de color. Desde Círculos cromáticos asegúrate de tener seleccionado Círculos de ajustes primarios.

- Baja el nivel de luminancia en la rueda Lift hasta -0.03. Hemos pegado los niveles de negro para contrastar levemente la imagen.

- Disminuye Saturación hasta el valor 25.00.

- Desplaza un poco la tonalidad de la rueda Gain hacia el color rojo.

- Haz lo mismo con las ruedas Gamma y Lift para dar calidez a la imagen. La figura 9.32 sirve de referencia de los valores finales.

Figura 9.32. Dando tonos cálidos y baja saturación a la composición.

- Añade un nuevo nodo con el atajo Alt-S en el árbol de nodos de la línea de tiempo para crear un viñeteado a la imagen.

- Desde Power Windows, selecciona la máscara circular. Reduce la visualización del Visor para editar más cómodamente la máscara y amplía el círculo hasta los exteriores de la imagen. Invierte la máscara para que el viñeteado afecte al exterior de la imagen (recuerda que lo consigues activando el primer icono a la derecha de la máscara circular) y cambia el valor Atenuación —suavizado de los bordes— a 3.00. Guíate por la figura 9.33 para tener una referencia.

- Para finalizar, desde las ruedas de color, baja el nivel de luminancia de Offset hasta 13.00, aproximadamente.

Anula la visualización de la máscara haciendo clic en Desactivar del menú desplegable inferior izquierdo del Visor, ajusta la visualización y reproduce la composición. Ahora tienes todas las capas más integradas y uniformes. Nos falta un último toque para concluir este ejercicio: darle una textura final.

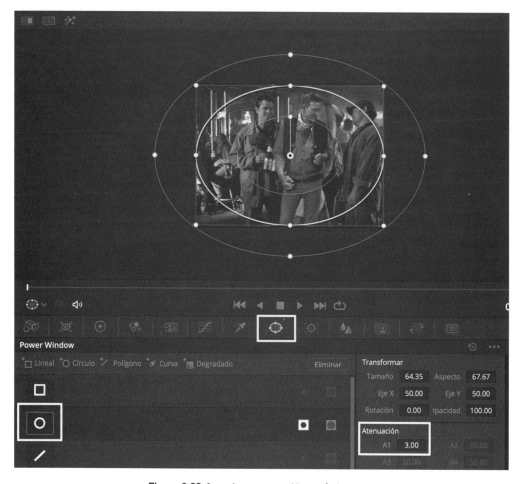

Figura 9.33. La máscara para viñetear la imagen.

- Importa los dos clips de la carpeta Texturas en la pestaña Medios.
- Desde el módulo Color, asegúrate de seleccionar en el Editor de nodos la opción de Línea de tiempo.
- Igual que hiciste con la máscara externa, arrastra el clip Ralladuras a una zona vacía del Editor de nodos (figura 9.34).

Ahora necesitas mezclar la señal de la composición que has hecho con la máscara externa. Para ello, la mejor opción es crear un nodo mezclador de capas. Eso te permitirá tener mucho más control sobre la manera de fusionarse las dos señales. Reorganicemos el árbol de nodos:

- Desde un área vacía del Editor de nodos, ve a Agregar nodo>Mezclador de capas.

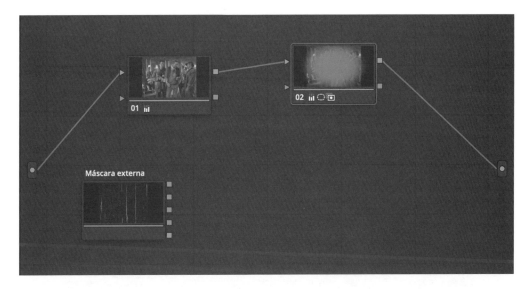

Figura 9.34. La máscara externa Ralladuras en el árbol de nodos de la Línea de tiempo.

- Desconecta la salida del nodo de la viñeta para conectarla a la entrada superior del mezclador de capas.

- Conecta la salida inferior (RGB) de la máscara externa a la entrada inferior del mezclador de capas.

- Por último, conecta la salida del mezclador de capas con la salida del árbol de nodos. Toma de referencia la figura 9.35 para corroborar que las conexiones están correctas.

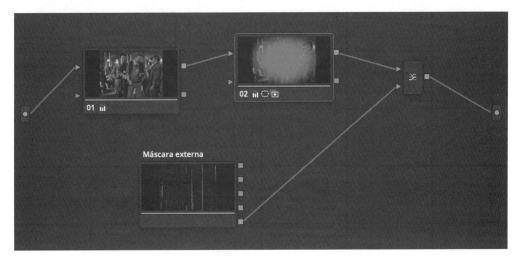

Figura 9.35. Conexión de la máscara externa con un nodo mezclador de capas.

Que no cunda el pánico. Ahora solo ves en el Visor la imagen del clip Ralladuras. Eso es así porque, de forma predeterminada, la conexión inferior de un mezclador de capas es la que tiene prioridad sobre la superior. Sin embargo, una de las grandes ventajas que tiene el mezclador de capas es la variedad de opciones de fusión para las señales de entrada. Posiciona el cursor sobre el nodo mezclador y con el menú contextual del botón derecho elige Modo>Sustraer.

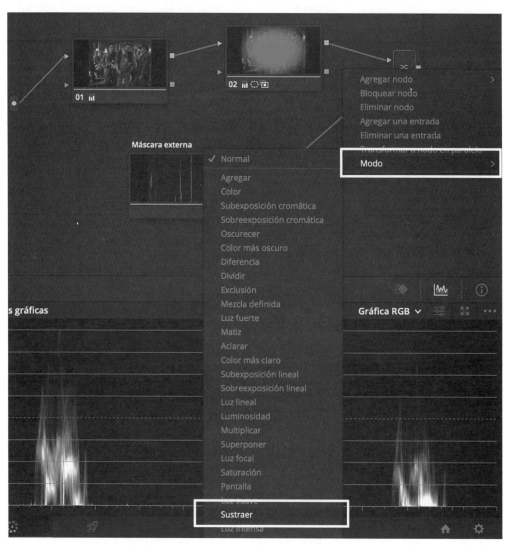

Figura 9.36. Modo de fusión Sustraer en el mezclador de capas.

Listo. Ejercicio finalizado. Revisa los niveles de contraste en el primer nodo por si hiciera falta levantar los negros al modificarse con la textura. Puedes seguir probando otras opciones añadiendo, por ejemplo, el clip Polvo como máscara externa. Si quieres tener más control sobre el efecto, añade un nodo corrector entre la máscara externa y el mezclador de capas. Eso te permitirá ajustar la intensidad de la máscara alterando en ese nodo el valor de Ganancia de Salida desde la ventana Máscaras.

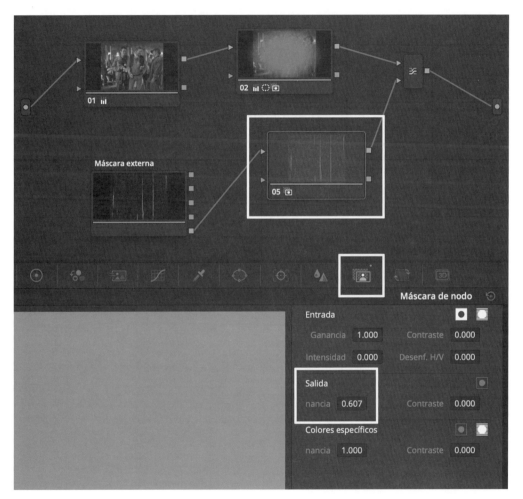

Figura 9.37. Añadir un nodo corrector a continuación de la máscara externa te permite mayor control sobre los niveles de transparencia.

Las posibilidades de combinación entre la intensidad de la máscara y los modos de fusión de capas son casi infinitas. Todo dependerá del resultado que se desee obtener. Por ejemplo, si cambias el modo de fusión a Agregar, las ralladuras se incrustan en el color blanco original.

Eliminar objetos

Aunque realmente el trabajo de integración de cromas y eliminación de objetos pertenece al departamento de VFX —mediante programas como Fusion que viene integrado en DaVinci Resolve—, desde el módulo de Color es posible realizar muchas de esas funciones.

En este ejemplo nuestra tarea es eliminar una de las palmeras del clip del barco navegando por el Guadalquivir. Lo has usado pocas veces, creo. Se sustituirá la palmera por una parte del cielo.

- Vuelve a abrir uno de los proyectos anteriores que tengas en alta definición. Importa el clip desde la carpeta Secundarias y crea una línea de tiempo.

- Desde el módulo Color crea un nuevo nodo con el atajo Alt-S para trabajar con la máscara que eliminará el objeto.

- Amplía la visualización del Visor y localiza la palmera de la parte derecha de la imagen.

- Con la herramienta Curva desde Power Windows traza un contorno alrededor de la palmera. Observa la imagen 9.38 para que te sirva de guía.

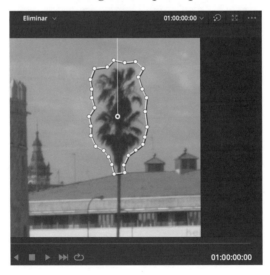

Figura 9.38. Creando una máscara para aislar la palmera.

- Cámbiate a la ventana Ajuste de tamaño y selecciona desde el menú desplegable la opción Nodo. Esto te permite ajustar la posición y el tamaño de lo que halla en él. Al tener seleccionada únicamente la palmera en el segundo nodo, será eso lo que podrás modificar.

- Activa el Bloqueo de máscara para facilitar la localización del área a clonar.
- En el Eje x pon un valor de 74.500. Se corresponde con la zona del cielo a la izquierda de la palmera.

Figura 9.39. La ventana de Ajuste de tamaño permite modificar la selección del nodo.

- Vuelve de nuevo a Power Windows y ajusta los puntos de la máscara si fuera necesario para evitar que se vean otros elementos.
- La Atenuación de la máscara también te ayudará a disimular los contornos.

Para eliminar el tronco de la palmera, crea un tercer nodo y usa el mismo procedimiento anterior. Con un poco de paciencia obtendrás muy buenos resultados.

Figura 9.40. La palmera se ha eliminado de la imagen.

De la misma forma que eliminamos un objeto, también es posible clonarlo con idéntica técnica. Ni qué decir tiene que, en el caso de que el objeto se mueva dentro de la imagen, puedes ayudarte con la herramienta Seguimiento para animar automáticamente la máscara.

Reemplazar cielos

Otra de las variantes mediante el uso de máscaras es la de reemplazar el cielo de una imagen por otro diferente. No deja de ser una forma similar de componer por capas, como en el ejercicio del croma. Cogeremos el clip de la piragua por el río y sustituiremos su cielo por el del barco navegando que tiene unas nubes más interesantes. Lo vemos:

- Importa esos dos clips de la carpeta Sevilla. Están en modo Log y no tienen aplicada ninguna LUT, por lo que la imagen está con poco contraste y desaturada. Muy sosa, vamos. Desde la misma pestaña de Medios, selecciónalos y en el menú contextual elige LUT 3D>Blackmagic Design>Blackmagic Cinema Camera Film to Rec709 v2. Ahora tienen un aspecto más agradable.

Figura 9.41. Aplicando la LUT de cámara en la pestaña Medios.

- En el módulo Edición crea una línea de tiempo. Pon el clip del barco en la pista de vídeo 1 y, justo encima, en el vídeo 2, el clip de la piragua. No es necesario que tengan audio. Adapta las duraciones para que tengan la misma.

- Trabajaremos ahora en el módulo Color. Desde el Editor de nodos añade un nuevo nodo —Alt-S— al clip de la piragua para seleccionar el cielo.

- En la ventana de Colores específicos selecciona el rango del cielo. Pulsa Destacar en el Visor para ver mejor la máscara. Con Destacar en blanco y negro controlarás mejor la selección.

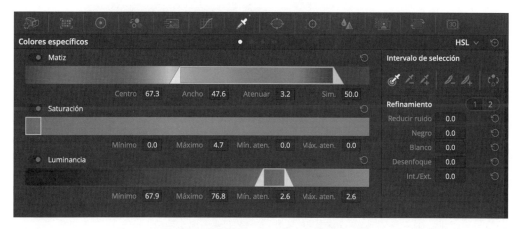

Figura 9.42. El rango de selección del cielo.

- Desactiva el icono Destacar para volver a ver la imagen. Observa la miniatura del nodo: el cielo está opaco —lo que has seleccionado— y el resto transparente. Hay que invertir la máscara para que el cielo quede transparente. Desde la ventana de Colores específicos haz clic en el icono de Invertir situado en la parte superior derecha (figura 9.43).

- Crea una salida de alfa en el Editor de nodos desde el menú contextual Agregar salida de alfa y conéctala con el segundo nodo. Ya puedes ver el cielo del clip del barco. Si observas la imagen con atención, el pico de la Torre del Oro está incluido en el cielo sustituido y, obviamente, no interesa que aparezca. Lo solucionaremos.

- Ya has acabado con el clip de la piragua. Selecciona el del barco navegando, para integrar mejor las nubes. Haz clic en la ventana Ajuste de tamaño y asegúrate de que tienes la opción de Entrada activa. Variarás el tamaño y la posición del clip para que se incruste la parte de las nubes que más nos interesa.

- Pon los siguientes valores: Eje X, 123.500; Eje Y, -135.00 y Zoom, 1.300. Deberías tener el cielo perfectamente encajado (figura 9.44).

Figura 9.43. Invertir la máscara de selección en Colores específicos.

Figura 9.44. Ajustes de Entrada para encajar el cielo del clip del barco.

Solo nos queda ahora ajustar los niveles de luminancia y levemente la tonalidad del cielo para que la composición sea perfecta. El cielo original de la piragua está un poco más alto de brillo y con una suave dominante verde. Lo puedes comprobar desde la Gráfica RGB. Selecciona el clip y pulsa Alt-D para activar y desactivar los ajustes —máscara— que has realizado. Igualaremos, por lo tanto, el cielo incrustado para que tenga unos valores similares o, al menos, suficientes para que no se note la integración.

- Selecciona el clip del barco, Sevilla01, y desde el Círculo de ajustes primarios sube un poco la luminancia de la rueda Gain hasta el valor 1.03. Son ajustes sutiles.
- Desde la misma rueda Gain, acerca la tonalidad al color verde. Observa los valores de la figura 9.45. De nuevo, son correcciones muy suaves.

Figura 9.45. Los ajustes de la rueda Gain para hacer coincidir la tonalidad y luminancia del clip Sevilla01.

Si has seguido correctamente todos los pasos, deberías tener un nuevo cielo con nubes, perfectamente integrado en el clip de la piragua. Cuando necesites hacer lo mismo, pero en una imagen que tiene movimientos de cámara, la técnica consiste en analizar ese movimiento mediante el estabilizador y añadir los datos de seguimiento a la nueva imagen.

Creación de estilos

Es probable que este apartado sea de los más interesantes del libro, ya que te va a permitir crear estilos con la gestión del color y, lo más importante, aprender paso a paso las técnicas para realizarlos. He hecho una selección de algunos de los más extendidos, pero, como entenderás, las posibilidades a la hora de crear estilos son infinitas.

Blanco y negro

Podría ser el estilo más fácil de realizar, ya que se trata simplemente de eliminar la saturación de una imagen; sin embargo, te daré otra alternativa que resultará mucho más atractiva.

- Importa el clip de la carpeta Suavizado de piel. Convencí a mi hija Silvia para que posara como modelo para varios de mis ejercicios, así que nos puede venir bien para los que vas a realizar ahora.

- Haz una nueva línea de tiempo con el clip y desde el módulo de Color selecciona la herramienta Mezclador RGB.

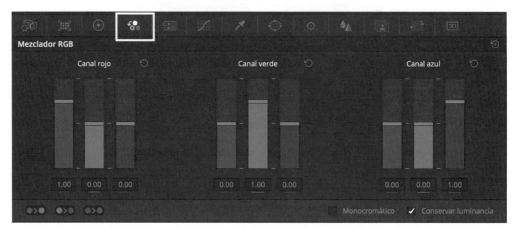

Figura 9.46. Mezclador RGB.

Esta herramienta, que no habías visto aún, mezcla las cantidades de un primario con los otros dos restantes y se presta muchísimo para usos creativos. Tiene, además, la posibilidad de agregar diferentes proporciones a partir de una imagen en blanco y negro. En efecto, esa característica es la que utilizarás ahora.

- Haz clic en la casilla Monocromático para activarla. La imagen se queda en blanco y negro, exactamente igual que si le hubieras eliminado la saturación.

- Lo interesante viene ahora. Desliza la barra del canal rojo hasta un valor de 0.70, por ejemplo. Fíjate en cómo ha variado la imagen a partir del blanco y negro original.

Lo que hace es, a partir de los valores RGB originales, aumentar o disminuir las proporciones sobre el blanco y negro. Esto sirve para alcanzar una riqueza de contrastes diferentes que dan mucho más margen creativo para una imagen en blanco y negro. Prueba otros valores, como por ejemplo: R:-30, G:-30 y B:0.70 y verás que el resultado es completamente distinto al anterior.

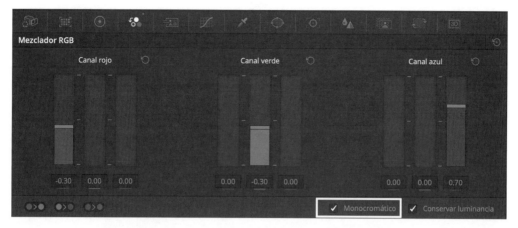

Figura 9.47. Imagen en blanco y negro creada en el Mezclador RGB.

Color sobre blanco y negro

Si no has visto la película *La lista de Schindler* del maestro Spielberg, ya estás tardando en hacerlo. Se trata de un filme íntegramente en blanco y negro en el que, en una de las escenas más emotivas, el abrigo de color rojo de una niña pequeña destaca sobre el resto de las imágenes en escala de grises. Básicamente es aislar un color sobre una imagen en blanco y negro. Veamos cómo conseguir este efecto:

- Importa el mismo clip anterior o recupera los ajustes originales si lo sigues teniendo en el módulo de Color.

- Crea un nuevo nodo con el atajo Alt-S para convertir la imagen a blanco y negro. Usa el mismo método anterior del Mezclador RGB activando la casilla de Monocromático. Ajusta los niveles de los canales hasta obtener el aspecto que desees.

- Añade un nodo de capa desde el menú Color>Nodos>Agregar nodo de capa. Observa cómo este nuevo nodo también se conecta al primero y, por lo tanto, recupera la información de color. Dar nombre a los nodos siempre es aconsejable (figura 9.48).

- Lo primero que haremos en este nodo es crear una máscara alrededor de los labios para aislarlo del resto, sobre todo de los tonos de piel de las mejillas que tienen un color similar. Desde la ventana Power Windows elige una máscara circular y sitúala alrededor de los labios. Amplía la visualización de la imagen. Guíate por la figura 9.49 para tener una referencia.

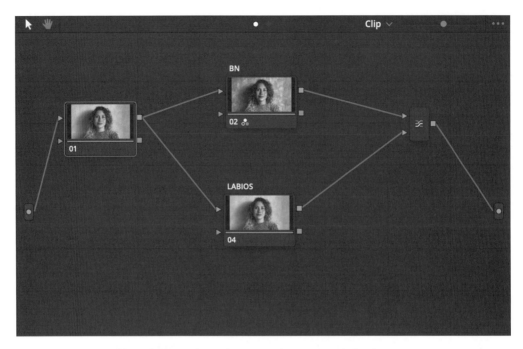

Figura 9.48. Los dos nodos conectados a un mezclador de capas.

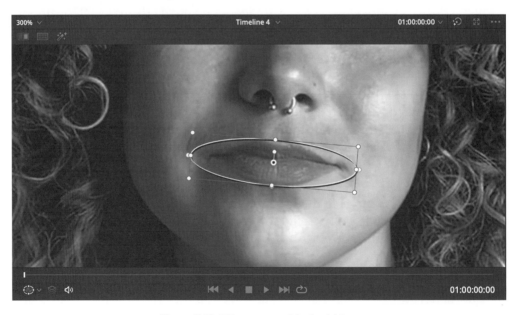

Figura 9.49. Máscara para aislar los labios.

- Como la imagen tiene movimiento, es obligatorio hacer una animación para la máscara que, por supuesto, realizaremos de manera automática. Haz clic en la ventana Seguimiento y comprueba que el análisis está en Power Window en el menú desplegable. Verifica que estás al inicio del clip y, a continuación, pulsa el botón Rastrear hacia delante para comenzar el seguimiento automático de los labios.

- Vuelve al inicio del clip y, desde Colores específicos, aumenta la visualización de la imagen si fuera necesario. Activa Destacar en el Visor. Recoge una muestra de los labios. Para afinar más la máscara he modificado los parámetros de Refinamiento. La figura 9.50 te puede valer de guía con los valores que he utilizado.

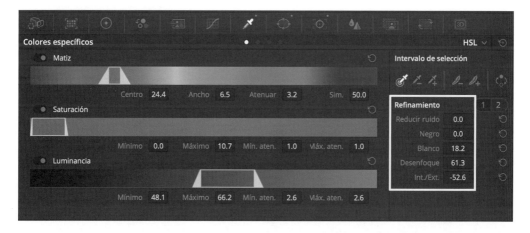

Figura 9.50. Selección del color de los labios. Los controles de Refinamiento añaden precisión a la máscara.

- Ajusta la máscara para acotar más aún la zona de los labios si fuera necesario. Cuando estés satisfecho con el resultado, desactiva las herramientas del Visor desde el menú inferior izquierdo y reproduce el clip.

Hay más técnicas para conseguir un resultado similar, pero considero que la que has usado ofrece mucha versatilidad. Desde el nodo de los labios puedes continuar modificando parámetros en las ruedas de color para seguir personalizando el efecto, e incluso con los modos de fusión de capas que ya usaste en la composición del croma.

Suavizado de piel

A la mayoría de los actores y actrices les encanta esta técnica porque consiste en eliminar las imperfecciones que presenta la piel —sobre todo en la cara— en el rodaje y darle un aspecto más uniforme y sedoso. Utilizaremos el mismo clip de Silvia, así que restablece los valores originales —recuerda: Restablecer ajustes y nodos— para quedarte con un único nodo vacío en el árbol.

- Antes de suavizar la piel, aumentemos la nitidez de la imagen para resaltar zonas como ojos y pelos. Desde el primer nodo y con la herramienta Desenfoque pon un valor de Intensidad de 0.45. Como el valor es más bajo del predeterminado, se realiza un aumento de nitidez.

- Añade un nodo serie —Alt-S— y, desde la ventana Power Windows, crea una máscara circular que rodee la cara. Recuerda que siempre es aconsejable hacer el seguimiento con los bordes de la máscara sin suavizar. La figura 9.51 te servirá de guía para la posición y el tamaño de la máscara.

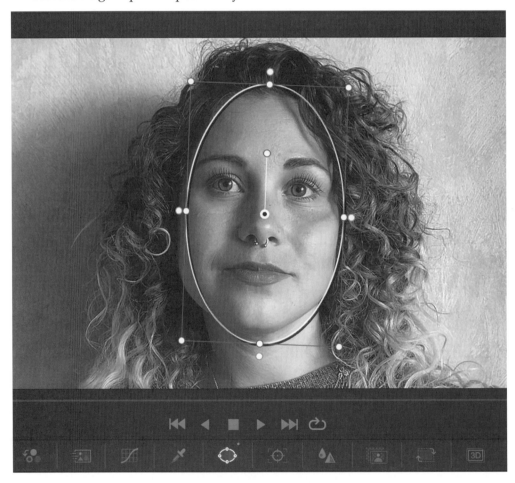

Figura 9.51. Máscara para el seguimiento de la cara.

- En la ventana de Seguimiento, haz clic en Rastrear hacia delante para comenzar el análisis del movimiento.

- Comprueba si está todo correcto y a continuación aumenta, ahora sí, el suavizado de los bordes de la máscara desde Power Windows con el valor de Atenuación a 5.00.

- Sitúate en la ventana de Colores específicos y haz una selección de la piel. Pulsa Destacar en el Visor para ver la selección. Es probable que parte de los labios también se incluyan en la selección si quieres tener un rango amplio de la piel, no te preocupes porque lo solucionaremos con otra máscara. Mis valores de referencia los tienes en la figura 9.52.

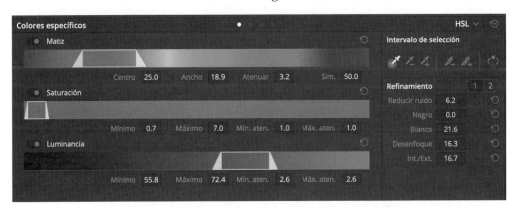

Figura 9.52. Valores de matiz, saturación y luminancia de la piel.

- Aislamos ahora los labios del resto de la piel. Desde Power Windows, verás la máscara que ya has creado, pero precisas hacer una nueva. Observa la parte superior de la ventana donde a las figuras geométricas les antecede un signo +. Este permite añadir más figuras, así que haz clic en la máscara circular para agregar otra. Al final de las figuras que vienen de forma predeterminada se ha incluido la nueva máscara. Esto es importante: necesitas restar esta máscara de la anterior para que los cambios del suavizado de piel no afecten a los labios. A la derecha de la nueva máscara hay dos iconos: el primero —que ya has usado— invierte la máscara y el segundo resta la selección. Es como si crearas un hueco interior dentro de una máscara. Haz clic en el icono y quedará resaltado de blanco. Ajusta la máscara a los labios, tal y como hiciste en el ejercicio anterior, para hacerle un seguimiento.

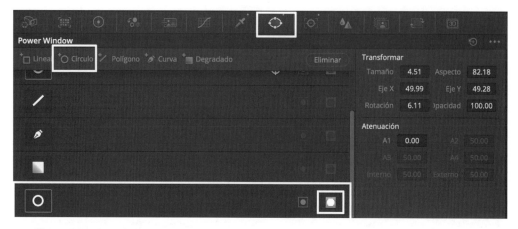

Figura 9.53. Creando una nueva máscara circular para los labios. Es importante restar la selección.

- En la ventana Seguimiento haz clic en Rastrear hacia delante para seguir el movimiento de los labios. Una vez realizado, suaviza la máscara desde Power Windows en el parámetro Atenuación. Un valor de 1.50 podría estar correcto.

- Por último, desde la venta Desenfoque, aumenta el valor de Intensidad hasta 0.60, aproximadamente. El suavizado de la piel debe ser sutil para no dar un aspecto artificial a la cara. Otra de las técnicas que suelen usar los coloristas para suavizar la piel es la de reducir Tonos Medios en las ruedas de color. Para este ejemplo, un valor de -80.00 puede quedar bien.

Duotono

Una estética frecuente en los éxitos de taquilla cinematográfica consiste en contrastar las imágenes con colores complementarios en función de sus niveles de luminosidad. El estilo, denominado *Teal&Orange*, resulta atractivo visualmente porque resalta los tonos anaranjados en las zonas de más brillo en contraposición con los azules turquesas para las sombras. Esta estética resulta muy sencilla de realizar con Resolve.

- Utiliza el clip TrianaLog de la carpeta Teal&Orange que tiene un claro contraste entre luces y sombras con el atardecer de la puesta de sol.

- Al tratarse de un clip en modo Log sacado de un Raw, la imagen está falta de contraste y saturación. En vez de aplicarle su LUT —como has hecho con otras imágenes similares—, lo compensaremos mediante la creación de este estilo. Disminuye un poco el nivel de negros en la rueda Lift bajando su nivel de luminancia, hasta aproximarse al valor 0 en la Gráfica RGB.

- Crea un nuevo nodo serie con el atajo Alt-S para manipular las altas luces.

- Desde la ventana Colores específicos aísla las zonas de más brillo de la imagen. Haz clic en el icono Destacar del Visor para ver la selección.

- En vez de realizar una recogida de muestra en la imagen —como has hecho en los anteriores ejercicios—, maneja el parámetro Luminancia directamente desde la gráfica de valores. Selecciona en el menú desplegable, de la parte superior derecha, la opción LUM (Luminancia). Realmente es como si estuvieras en HSL (tono, saturación y luminancia), solo que la selección de Matiz y Saturación queda desactivada.

- Aumenta el valor Mínimo, arrastrando hacia la derecha, hasta aproximadamente 60.0 y el de Mínima atenuación hasta 5.0. Como aprecias, has extraído las partes de mayor luminancia y suavizado su selección.

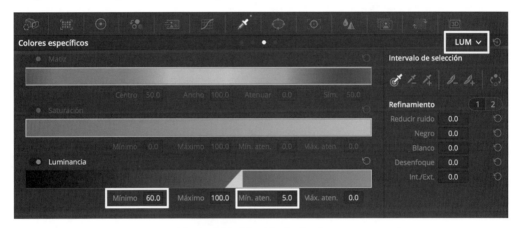

Figura 9.54. Selección de altas luces.

- Ahora viene otro paso interesante en el árbol de nodos, que no has usado todavía, y es tremendamente útil. Desde el menú contextual del segundo nodo, elige Agregar nodo>Agregar nodo invertido. Se añade un nuevo nodo a continuación que contiene la extracción opuesta del nodo anterior. De esa forma te garantizas que la selección de sombras es exactamente la inversa de las altas luces. Desactiva el icono Destacar para volver a visualizar la imagen completa en el Visor.

- Es el momento de comenzar a resaltar tonalidades en la imagen. Empezaremos por los tonos cálidos. Asegúrate de tener seleccionado el segundo nodo y desde las ruedas de color Círculos de ajustes primarios, acerca Gain y Gamma suavemente hasta el tono naranja. En la figura 9.55 tienes los valores que he puesto en mi caso. Como es obvio, no tienen por qué ser exactamente iguales, es cuestión de gustos.

Figura 9.55. Mediante las ruedas Gain y Gamma se añaden tonos cálidos a las zonas de mayor luminancia.

- Selecciona el siguiente nodo de sombras y realiza la misma operación. Desde las ruedas Lift y Gamma desplaza su tono hacia el azul turquesa, el complementario del nodo anterior. Trata de ser sutil con los valores.

A partir de aquí todo es personalizable. Si encuentras demasiadas zonas de altas luces en el segundo nodo, lo modificas y reduces desde el valor Mínimo de Colores específicos. El nodo de sombras adaptará su selección en función de lo que alteres. La saturación de la imagen es otra de las variables que puedes personalizar de forma independiente por cada zona de luces o sombras.

Por cierto, aprovecho este estilo para recomendar una técnica eficaz. En el caso de trabajar con imágenes en las que los blancos y negros quedan demasiado tintados con una dominante de color, puedes usar la curva Luminancia vs. saturación. Añades un par de puntos cerca de los extremos de la curva y bajas al mínimo su nivel en el blanco y en el negro. Te dejo una muestra de ese tipo de curva en la figura 9.56. De esta forma, te garantizas tener un blanco y negro más puro en las imágenes, sin ninguna contaminación de color.

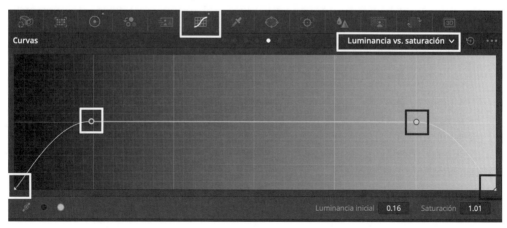

Figura 9.56. Limpieza de blancos y negros para eliminar el color.

Otra variante de este efecto es trabajar con una imagen en blanco y negro como punto de partida. A partir de ahí, se tintan las altas luces en tonos cálidos y las sombras con su complementario. En la figura 9.57 te detallo el árbol de nodos para que te sirva de ayuda.

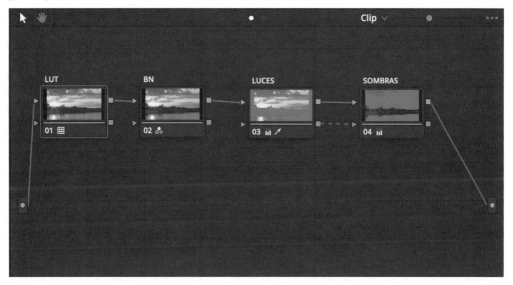

Figura 9.57. Sobre una imagen en blanco y negro, se añaden tonos cálidos a las luces y fríos a las sombras.

- Al primer nodo le he añadido la LUT de cámara para tener los valores correctos de contraste.
- Para el segundo nodo, mediante la opción Monocromático del Mezclador RGB, se elimina la información de color y se mezcla la proporción de los canales primarios hasta lograr el aspecto de base deseado.
- En el tercer nodo se aíslan las altas luces con la herramienta Luminancia de Colores específicos para posteriormente tintarlas de color naranja en las ruedas de color mediante la modificación de Gamma y Gain.
- El cuarto, y último, es un nodo invertido en el que las zonas de sombras se acercan a la tonalidad azul turquesa, manipulando las ruedas Lift y Gamma.

Procesado cruzado

Este estilo, muy popular en publicidad, videoclips y fotografía digital, nace de un error en el revelado fotográfico tradicional (*cross processing*) en el que se procesaba una película con un líquido destinado para otra. Se caracteriza por colores artificiales y muy contrastados. En entornos digitales, como es nuestro caso, se consigue de muy diversas formas, pero sobre todo con la modificación independiente de las curvas personalizadas en los canales RGB. Toma como ejemplo el clip del barco por el Guadalquivir —¡otra vez!— y aplica las curvas Personalizada que tienes en la figura 9.58.

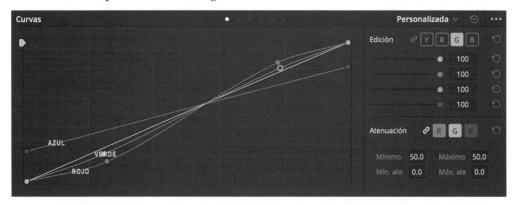

Figura 9.58. Ajustando de forma separada los niveles de cada color RGB en las curvas, se obtiene el efecto de procesado cruzado.

A partir de ahí, puede ser interesante utilizar un alto contraste desde las ruedas de color y combinar Saturación y Mejora del color hasta alcanzar un aspecto que nos resulte atractivo.

Para terminar el capítulo te propongo un reto: crear tu propio estilo a partir de una estructura básica de nodos en la que puedas tener margen más que suficiente para combinar distintos ajustes y obtener resultados por completo diferentes. Te detallo el árbol de nodos (figura 9.59):

- Corrección básica en el primer nodo. Ajusta bastante el contraste y desatura la imagen.
- El segundo nodo consta de una dominante amarilla para toda la gama de grises, del blanco al negro. Se consigue mediante la rueda Offset. Imagínalo como un filtro fotográfico para toda la imagen. Con el menú contextual sobre este nodo, creamos el tercero mediante Agregar nodo>Agregar mezclador de capas.
- Para el tercer nodo alteramos la rueda Lift acercándose al color azul para lograr un degradado desde los negros teñidos de este color hasta el blanco que permanece sin variar. De nuevo, con el mismo procedimiento, crea otro nodo de capas.
- En el cuarto, y último nodo de capas, realiza la misma operación con la rueda Lift, pero con el color verde.

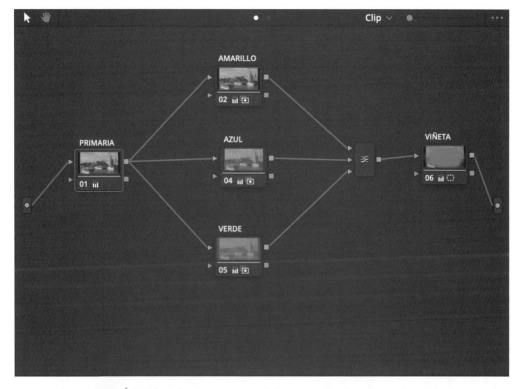

Figura 9.59. Árbol de nodos para crear un efecto personalizado mediante los ajustes de transparencia en los nodos de capa.

Este es el árbol básico. Como se trata de un nodo de capas y la prioridad la tiene el nodo inferior —el último—, lo verás todo de color verde. Tranquilo, que no es el efecto *Matrix*, que también podría estar bien. Ahora lo atractivo comienza cuando desde la ventana Máscaras ajustas la Ganancia de Salida de cada nodo de forma individual. Estás manipulando la transparencia de cada nodo de forma independiente, que luego llegará al mezclador para formar la imagen final.

Por si quieres comparar el estilo que has creado con el que he realizado, en la carpeta Estilos tienes el Power Grade para que puedas importarlo a Resolve. Te refresco los pasos: en un área vacía de la ventana Galería, seleccionas Importar y localizas el fichero en tu directorio. Por cierto, he añadido un viñeteado a la imagen con un último nodo corrector después del mezclador de capas, para darle un aspecto más interesante.

10 ¡Todo listo!

En este capítulo aprenderás a:

- Compartir estilos entre líneas de tiempo.
- Trabajar con las memorias de color.
- Organizar los archivos del proyecto.
- Exportar y archivar.
- Conocer el flujo de trabajo.

Si has conseguido llegar hasta aquí sano y salvo, sin una crisis de migraña, te doy mi más sincera enhorabuena. Es todo un logro, en serio. No todo el mundo puede ser tan apasionado y friki como yo. Han sido muchos los conceptos que se han manejado, una gran variedad de herramientas y un campo —el de realización, edición y corrección de color— muy extenso como para asimilarlo en tan pocas páginas. Aún nos queda un empujoncito final. No hemos terminado, pero estamos cerca, eso sí. En este último capítulo voy a desgranar un poco las pautas finales que debes tener en cuenta antes de dar por terminado tu montaje de vídeo y lo acompañaremos, como siempre, con algunas herramientas o funciones que nos quedaban pendientes de ver. Manos a la obra.

Nodos compuestos y compartidos

En ocasiones, el trabajo con nodos se convierte en una auténtica maraña de conexiones que pueden suponer una pérdida de visión global a la hora de seguir construyendo un determinado estilo. Para simplificar un árbol de nodos y limpiar visualmente una estructura compleja, se ideó el concepto de nodo compuesto. Este, en esencia, consiste en agrupar en un único nodo una determinada selección de nodos conectados. Lo vemos con un ejemplo:

- Crea un nuevo proyecto, nómbralo y añade una línea de tiempo con los clips de la carpeta Sevilla. Al igual que hiciste en el capítulo anterior, mételes la LUT de cámara (cualquiera de las dos versiones de la Cinema Camera de Blackmagic) desde la misma pestaña Medios para que tengan el ajuste de contraste y color adecuados.

- Comprueba que en el módulo Color tienes cargados los Power Grades incluidos en la carpeta Estilos. En el caso de que no los hayas importado todavía, o los hayas borrado, vuelve a cargarlos desde el menú contextual de la ventana Galería. Te aconsejo meterlos en el álbum PowerGrade para que los tengas en cualquier proyecto (figura 10.1).

- Selecciona el clip Sevilla01 y aplica el estilo Final del álbum PowerGrade. Recuerda que, para aplicar un estilo guardado a un clip, desde la miniatura de Galería seleccionas Aplicar ajustes cromáticos.

- Deberías tener en el árbol de nodos el estilo creado al final del capítulo anterior. Se trataba de un ajuste básico en el primer nodo y tres nodos de capas —amarillo, azul y verde— a los que se les sumaba una viñeta final en la imagen.

- Selecciona con un lazo todos los nodos del árbol, excepto la viñeta. Eso incluye también al nodo mezclador de capas. Observa que a los nodos incluidos en la selección se les añade un borde blanco.

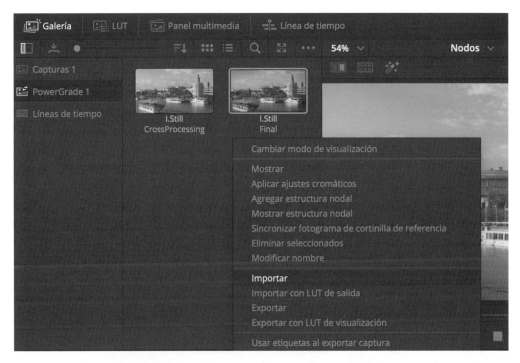

Figura 10.1. Importando los estilos en álbum PowerGrade.

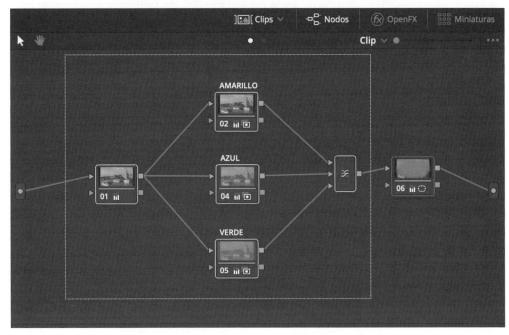

Figura 10.2. Selección de varios nodos en el Editor de nodos.

- Desde cualquiera de los nodos seleccionados, elige Crear nodo compuesto desde el menú contextual.
- Ahora se crea un nuevo nodo que combina todos los seleccionados. La miniatura es como una pila de imágenes.

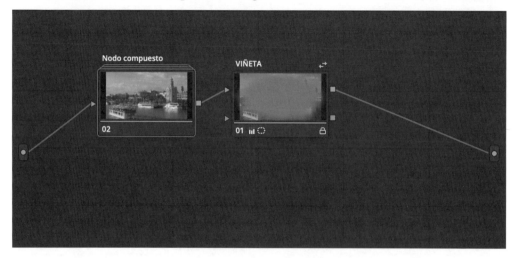

Figura 10.3. Nodo compuesto.

Obviamente, no se ha cambiado nada en los ajustes de la imagen, a menos que quieras modificar cualquier parámetro en el nodo compuesto, que también puedes hacerlo, claro. Se trata de una manera efectiva de agrupar varios nodos y tratarlos como solo uno. Si necesitas editar un nodo compuesto y acceder a cualquiera de los nodos individuales que lo componen:

- Desde el nodo compuesto, accede al menú contextual y selecciona Mostrar nodo compuesto. El árbol de nodos aparecerá de nuevo para acceder a cualquiera de ellos.
- Si haces clic en el nombre del nodo compuesto de la parte inferior de Editor de nodos, vuelves de nuevo a visualizarlo como un nodo único (figura 10.4).

NOTA:

Aconsejo, como es habitual, dar nombre a cada nodo compuesto para facilitar el trabajo a la hora de localizar alguno.

Si decides volver a tener las conexiones originales en el árbol de nodos y eliminar el nodo compuesto, lo único que debes hacer es elegir Separar nodo compuesto desde el menú contextual.

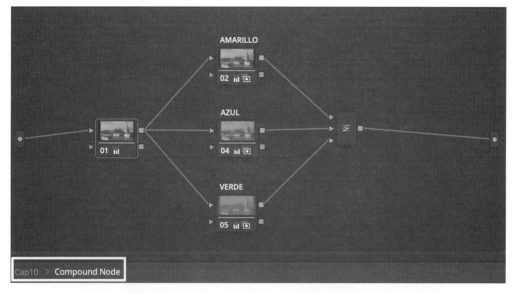

Figura 10.4. El nodo compuesto abierto en el árbol de nodos. Observa el nombre en la parte inferior del Editor de nodos.

En el caso de que quieras asegurarte de que no se modificará ningún parámetro en un nodo —da igual el tipo de nodo que sea—, te aconsejo que lo bloquees accediendo desde el menú contextual a Bloquear nodo. Te lo indicará con un icono de candado en la miniatura. Si trabajarás con frecuencia con muchos nodos, es la mejor forma de evitar un ajuste involuntario.

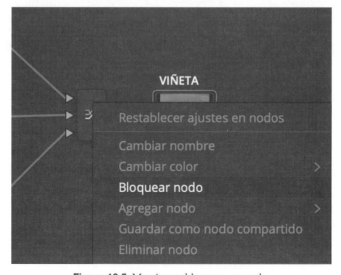

Figura 10.5. Menú para bloquear un nodo.

El nodo compartido es otra utilidad que ha incorporado Resolve recientemente y que agiliza el trabajo con nodos. Se trata de usar un único nodo común para que pueda añadirse en cualquier árbol de nodos del proyecto. Por ejemplo, ¿quieres tener siempre a mano el nodo con la viñeta? Verás lo fácil que resulta:

- Desde el menú contextual del nodo de viñeta, elige Guardar como nodo compartido.

- Fíjate en lo que ha variado en la miniatura. De momento, se ha bloqueado el nodo y además, a la derecha del nombre, ha aparecido un icono con dos flechas azules para indicar que está compartido.

- Dale nombre —Viñeta, por ejemplo— al nodo compartido.

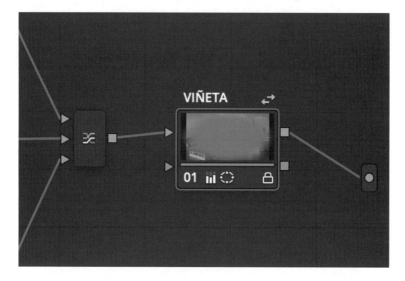

Figura 10.6. El nodo de la viñeta convertido en nodo compartido.

- Selecciona a continuación el clip Sevilla05, el de los piragüistas.

- Desde la miniatura del nodo, escoge en el menú contextual Agregar nodo>Viñeta.

¡Listo! A partir de ahora siempre tendrás disponible ese nodo para cualquier clip. Ya forma parte del menú contextual para añadir un nodo. Lo de que esté bloqueado tiene una explicación lógica: evita que se modifique por error el nodo compartido, ya que puede afectar a varios clips. De todas formas, si desactivas el bloqueo del nodo compartido —en cualquier árbol—, te permitirá alterar sus parámetros, pero debes tener en cuenta que la modificación afectará a todos los clips que lo compartan.

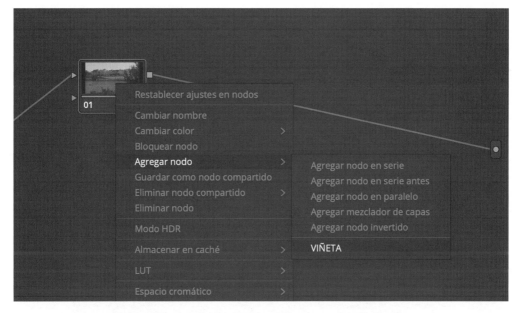

Figura 10.7. El nodo compartido puede usarse en cualquier clip.

Por último, y ya que estamos hablando de organización de nodos, si necesitas establecer un código de colores en las miniaturas de los nodos para diferenciarlos, es posible elegirlos desde el menú contextual. De forma predeterminada el nodo tendrá el color que se le hubiera asignado al clip en el módulo Edición. Si no has personalizado ningún color, por defecto tendrás el azul.

ColorTrace

¿Creaste un estilo en un clip que te gustó bastante y quieres recuperarlo en un proyecto? Para eso tienes ColorTrace. Es otra de las características potentes de Resolve a la hora de copiar estilos entre distintas líneas de tiempo. Está pensado con la idea de utilizar correcciones de un clip a otro, independientemente del proyecto. Así, si has creado un estilo, puedes recuperarlo rápidamente: eso incluye, si quieres, todas las versiones que tenga el clip de origen, tanto en local como en remoto. Comprueba lo sencillo que resulta el funcionamiento básico con ColorTrace:

- Aplica algún estilo de la Galería o haz un ajuste rápido desde la rueda Offset con los cinco clips que tienes en la línea de tiempo. Yo he cogido de ejemplo los estilos que cargaste para el ejercicio de los nodos compuestos y los he metido en el clip Sevilla01 con dos versiones en local.

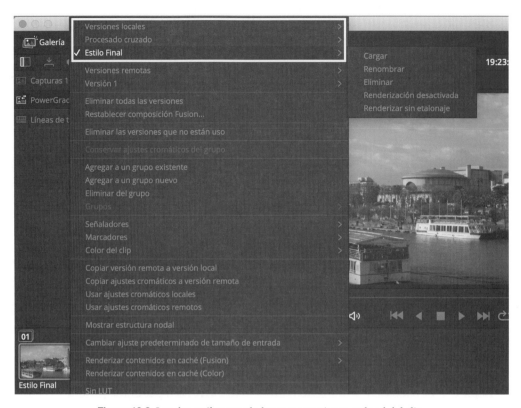

Figura 10.8. Los dos estilos guardados como versiones en local del clip.

- Recuerda el nombre de la línea de tiempo; o mejor aún, haz doble clic sobre el nombre en su miniatura y renómbralo ColorTrace, así lo localizarás mejor. Salva el proyecto actual desde el menú Archivo>Guardar proyecto o con el atajo de teclado Cmd-S (Ctrl-S en Windows).

- Crea un nuevo proyecto y desde Medios importa los clips Sevilla01 y Parque. Este último se halla en la carpeta Estabilizado.

- Crea una línea de tiempo con los dos clips y sitúate en el módulo Color.

- Activa Panel multimedia para ver la línea de tiempo que acabas de crear.

- Selecciona la miniatura de la línea de tiempo y con el menú contextual elige Líneas de tiempo>ColorTrace>ColorTrace desde la línea de tiempo… (figura 10.9).

- Se te abrirá una ventana para configurar ColorTrace. Despliega desde la parte superior la estructura de la base de datos y localiza el nombre del proyecto de origen, donde tienes los ajustes creados.

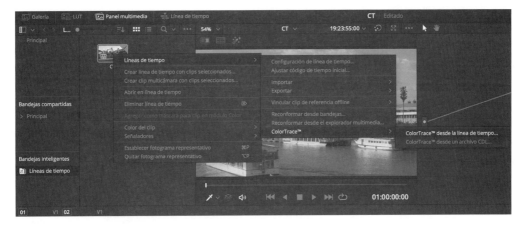

Figura 10.9. Menú para el uso de ColorTrace desde una línea de tiempo.

- Despliega el nombre del proyecto y se mostrarán las líneas de tiempo que contiene. Selecciona ColorTrace y haz clic en el botón Continuar.

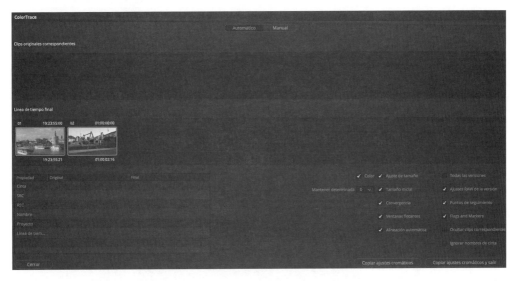

Figura 10.10. La ventana para el uso de ColorTrace.

La ventana que aparece te permite elegir el modo en el que vas a trabajar:

- **Automático.** El programa busca automáticamente clips que coincidan entre la línea de tiempo seleccionada y la actual. Cada clip tiene un color según su nivel de coincidencia.

- **Manual.** Permite copiar y pegar manualmente las correcciones entre los clips.

ColorTrace en automático

En el modo automático, Resolve encuentra las coincidencias entre la línea de tiempo de origen —donde se encuentran las correcciones— y la de destino actual donde se copiarán. Cada clip de la línea de tiempo de destino muestra un código de colores:

- **Rojo,** ninguna coincidencia. No se ha usado ningún clip de la línea de tiempo actual en la seleccionada de origen.
- **Azul,** hay varias coincidencias de código de tiempo en varios clips de la línea de tiempo de origen.
- **Verde,** se ha encontrado una coincidencia.

En la parte superior de la ventana tienes las miniaturas de los clips, tanto de origen como de destino. En la Línea de tiempo final tienes los clips del proyecto actual.

- Selecciona la primera miniatura, la del barco por el Guadalquivir. Fíjate en que está bordeado de color verde, indicando que hay coincidencia.
- Observa que, en la parte superior, en Clips originales correspondientes, ha aparecido el clip.

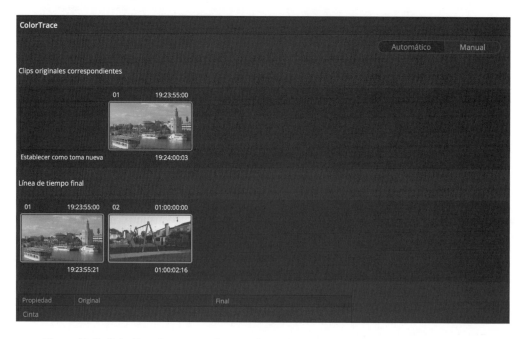

Figura 10.11. ColorTrace ha encontrado coincidencia de manera automática entre el clip original y el de destino.

El cuadro de datos inferior izquierdo muestra un panel de información (códigos de tiempo, nombre, proyecto y línea de tiempo) con las propiedades del clip de origen y destino para facilitar la comparación. A la derecha, tienes las casillas de atributos y opciones para especificar qué se copiará en el clip de destino.

Figura 10.12. Panel de información y casillas de atributos y opciones.

- Comprueba que sigue seleccionado el clip Sevilla01 en la Línea de tiempo final.
- Activa la casilla Todas las versiones.
- Haz clic en Copiar ajustes cromáticos y salir.

Figura 10.13. Activando todas las versiones del clip en ColorTrace.

El clip del barco tiene ahora la corrección que pusiste en el anterior proyecto. Además, si compruebas las versiones locales con el menú contextual, verás que se han copiado las dos porque tenías activada la casilla de Todas las versiones. Si esta casilla está desactivada, solo copia la versión activa que tengas del clip.

ColorTrace en manual

El modo manual está indicado para realizar las operaciones de copiar-pegar los atributos del clip de forma fácil entre las dos líneas de tiempo sin tener en cuenta sus coincidencias de nombres o códigos de tiempo. Al igual que el modo automático, en la parte superior se localiza la línea de tiempo inicial desde donde copiar los ajustes y en la inferior la final para pegarlos. A la derecha de cada línea de tiempo tienes los rangos de selección. Las casillas de verificación —iguales a las del modo automático— permiten activar-desactivar los atributos que necesitas copiar.

- Selecciona, de nuevo, la miniatura de la línea de tiempo y ve al menú contextual Líneas de tiempo>ColorTrace>ColorTrace desde la línea de tiempo…
- Localiza desde la base de datos la línea de tiempo ColorTrace y, una vez seleccionada, haz clic en el botón Continuar.
- Opta por el modo Manual.

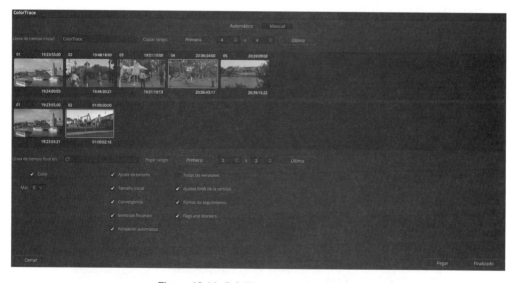

Figura 10.14. ColorTrace en modo manual.

- En la línea de tiempo superior, escoge un clip para copiar sus ajustes.
- Ahora selecciona el clip Parque de la línea de tiempo inferior.
- Haz clic en el botón Pegar. Los ajustes se copian de un clip a otro: se ve —si la resolución del monitor lo permite— en la miniatura del clip del módulo Color.
- Por último, dale al botón Finalizado para cerrar la ventana y volver a la interfaz de Color.

Para trabajos con intercambio de ediciones —XML o AAF— entre Resolve y otros programas como Premiere, Final Cut o Media Composer, se convierte en una herramienta muy flexible a la hora de copiar ajustes entre líneas de tiempo.

Memoria de ajustes de color

Una de las acciones más milagrosas que tienen los programas informáticos en general es el comando, tan recurrido, Deshacer. La de veces que me ha salvado de un desastre por una gran metedura de pata o por no estar seguro de los pasos que estaba dando. Lo normal, en cualquier programa, es que vayas recuperando operaciones anteriores hasta rescatar una situación satisfactoria. Sin embargo, eso implica que si alguno de los pasos es importante se pierda definitivamente. En el caso de Resolve, esta acción va mucho más allá. Cada módulo (Edición, Color, etc.) tiene su propia memoria de acciones: si recuperas una acción anterior en Color, no afecta a lo último que hayas hecho en Edición, por ejemplo. Eso es una maravilla, pero espera que no he terminado: si trabajas con la gestión del color modificando ajustes en nodos, curvas o cualquier otro parámetro, ¡Resolve guarda memoria por cada clip de forma independiente! Haz la prueba y verás que es sorprendente. Las acciones realizadas se almacenan —para deshacerlas si lo necesitas— para cada clip. Una pasada.

Además de este comando —muy útil, sin duda— cuando estás trabajando con la gestión del color hay situaciones en las que se requiere guardar un ajuste en concreto de manera temporal para seguir probando opciones o recuperar la última corrección que tenía el clip antes de acceder a él. De eso se encargan las funciones de Previsualizar memoria y Memoria original.

Previsualizar memoria

Caso práctico. Estás trabajando con un estilo que no terminas de definir claramente. Le quitas nodos, pones máscaras, ajustas balance..., pero llega un momento en que dices: ¡Este es un buen punto de partida! Lo almaceno, de momento, y sigo explorando otros caminos. Te gustaría conservarlo para —quizás— construir el aspecto definitivo de la imagen a partir de ahí. Eso es lo que hace Previsualizar memoria.

- Selecciona el clip del parque y crea un nodo serie para saturar un poco más la hierba de la parte inferior de la imagen y darle más presencia.
- Desde Colores específicos, recoge una muestra del verde de la hierba. Apóyate con una máscara de Curva desde Power Windows para aislar mejor la zona.

- Aumenta la saturación con un valor de 75.00, más o menos.
- Es suficiente con estos pasos. Ahora selecciona en el menú Color>Previsualizar memoria.

Figura 10.15. Previsualizar memoria.

El clip volverá al estado anterior para que restablezcas los ajustes, modifiques parámetros y tantees otras formas diferentes de darle el aspecto que buscas. Finalmente, no te gusta lo que has hecho y quieres volver al punto donde lo dejaste con la hierba saturada. Haces clic, de nuevo, en el menú Color>Previsualizar memoria y el clip vuelve con los ajustes de los dos nodos en serie, con la máscara y la hierba saturada.

Memoria original

Esta característica es bastante similar a la anterior, con la diferencia de que se almacenan automáticamente los ajustes que tenía el clip la última vez que accediste a él. Otro ejemplo rápido para que se entienda mejor:

- Deja los ajustes predeterminados del clip del parque mediante Restablecer ajustes y nodos del menú contextual del árbol de nodos.

- Crea un nodo serie —Alt-S— y añade una dominante roja exagerada con la rueda Offset.
- Selecciona el otro clip de la línea de tiempo, el del tan manoseado barco por el río. Haz cualquier operación con él, no importa cuál.
- Vuelve de nuevo al clip del parque. Está con los últimos ajustes de la última vez, con la dominante roja.
- Deja el clip con sus ajustes originales y realiza cualquier operación con él, añadir desenfoque con una máscara, por ejemplo.
- Opta en el menú por Color>memoria original.

Figura 10.16. Memoria original.

El clip vuelve al mismo estado que tenías cuando accediste a él: dos nodos serie con la dominante roja extrema.

Más ventanas del módulo Color

Estamos terminando con las ventanas del módulo Color. Ha sido muy extenso en contenido porque es la pestaña más veterana de Resolve, donde más opciones, controles y herramientas puedes encontrar. Aún así no pienses, ni por asomo, que hemos visto todas las herramientas. En la versión Studio cuentas, además, con opciones de reducción de ruido y estereoscopía, por ejemplo. La gestión de color de Resolve es amplísima y va en función del nivel que se quiera adquirir. Nosotros nos quedaremos en el nivel suficiente para despertar —espero— a ese gran colorista que llevas dentro y seguir avanzando más adelante.

Tabla cromática

Muchas producciones se apoyan en cartas de color, grabadas durante el rodaje, para asegurarse un equilibrio cromático cuando trabajan con el etalonado del proyecto. Resolve es capaz de analizar el patrón de colores que se muestra en la grabación de la carta, para realizar una corrección automática del clip como punto de partida para un ajuste posterior. Es fundamental cuidar la iluminación de la escena para que el análisis no dé valores incorrectos de contraste o color.

Mi compañero de trabajo Diego Ramos ha tenido la amabilidad de cederme un clip grabado con su cámara para realizar, de manera muy básica, este ejercicio práctico:

- Importa el clip CartaColor de la carpeta X-Rite y añádelo a la línea de tiempo actual.
- Desde el módulo Color selecciona Tabla cromática.

Figura 10.17. Herramienta de Tabla cromática.

- En el menú desplegable elige el modelo X-Rite ColorChecker Classic.
- En el campo de Gamma inicial selecciona Blackmagic Design Film. Es el modo original con el que se grabó el clip. No es necesario modificar el resto de los campos.

- Haz clic en Tabla cromática del menú desplegable inferior izquierdo del Visor.
- Ajusta el patrón de muestras de Resolve —haciendo clic y arrastrando sus extremos— hasta que coincida con el grabado en el clip.

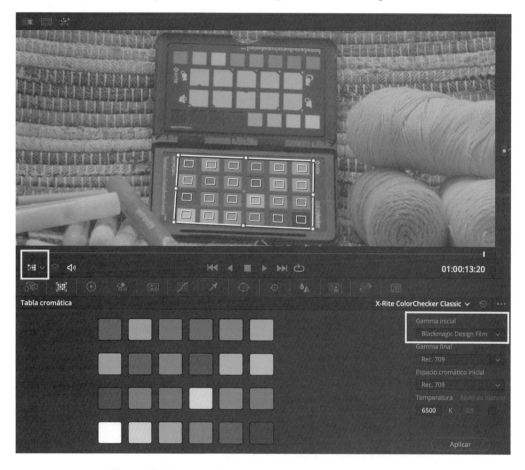

Figura 10.18. Ajuste del patrón de muestras de la Tabla cromática.

- Pulsa el botón Aplicar para que el programa realice la corrección automática.

Miniaturas

Cuando estás trabajando con correcciones en un proyecto muy extenso, con muchos clips, es fácil perder una visión global del mismo. La opción de

Miniaturas muestra en una ventana todos los clips de la línea de tiempo organizados —de izquierda a derecha y de arriba abajo— para comparar, evaluar, agrupar o localizar un clip en concreto. A la derecha se halla un código de tiempo vertical que sirve para conocer el valor al comienzo de cada fila. Para abrir la ventana, haz clic en el icono Miniaturas de la parte superior derecha de la interfaz.

Figura 10.19. Ventana de Miniaturas.

Al igual que en otras ventanas, es posible personalizar el tamaño de las miniaturas desde el deslizador de la parte superior derecha. El menú contextual que te encuentras en cada miniatura es el mismo que si lo seleccionaras en un clip en la línea de tiempo. En la parte izquierda hay un listado de filtros de visualización para que se muestren en la ventana los clips que cumplan un determinado criterio.

Información

La ventana de Información se localiza en la parte derecha de las herramientas del módulo Color. Hay información útil disponible en dos ventanas, la del Clip a la izquierda y la de Sistema a la derecha. Los parámetros de esta ventana no son editables. Haz clic en el icono Información para que se muestre la ventana.

Figura 10.20. Ventana de Información.

Organización de archivos

Cuando has finalizado un proyecto, o estás a punto de hacerlo, puede ser muy útil organizar todo el material que has estado usando. Para ello, Resolve cuenta con una ventana desde donde se copian, mueven o transcodifican archivos utilizados en el proyecto. La ventana de Organización de archivos se encuentra en la pestaña Medios, Montaje y Edición. Como siempre, lo vemos con un ejemplo práctico para entenderlo mejor:

- Crea un proyecto nuevo, nómbralo y añade los cinco clips de la carpeta Sevilla a la pestaña Medios.

- Haz una edición básica con tres clips al azar. No uses toda la duración completa del clip, marca puntos de entrada y salida cuando vayas a añadirlo a la línea de tiempo. Es suficiente con esto.

- Ahora, desde el módulo Montaje o Edición, ve a Archivo>Organización de archivos… (figura 10.21).

Se te abre una nueva ventana con tres pestañas —Todo el proyecto, Líneas de tiempo y Clips— y las opciones de Copiar, Mover o Transcodificar en cada una de ellas. Tomando como ejemplo la edición rápida que acabas de realizar, empecemos por la primera de las alternativas: selecciona Todo el proyecto y asegúrate de tener activada la opción Copiar. Justo debajo tienes la ruta para elegir el destino donde se copiarán los nuevos archivos. Para este ejemplo, he seleccionado el Escritorio del sistema operativo. Ahora tienes tres casillas de selección:

Figura 10.21. El menú Organización de archivos.

- **Copiar todos los archivos.** Se creará un duplicado de los cinco clips de la carpeta Sevilla en la ubicación seleccionada; en este caso, en el Escritorio.
- **Copiar solo los archivos utilizados.** Como has usado tres clips en la línea de tiempo, serán solo esos tres los que se copiarán.
- **Copiar y recortar archivos con márgenes de edición.** Se copiarán los tres clips editados, pero no con su duración original, sino con la que tienen en la línea de tiempo. Opcionalmente es posible especificar la cantidad de fotogramas que se añadirán a cada clip para tener material extra y realizar ajustes posteriores en edición. Cuando utilizo esta opción, suelo dejar un segundo —25 fotogramas— de «colas» a cada archivo, para así afinar la duración de los clips en el montaje final si fuera necesario.

Una vez configurada la ventana con las opciones disponibles, pulsa el botón Iniciar para que comience el proceso.

Figura 10.22. La ventana de Organización de archivos.

Además de la opción para copiar los archivos en la ruta especificada, puedes seleccionar también cualquiera de las otras dos restantes:

- **Mover.** Recoloca los clips en el nuevo destino, eliminándolos de su ubicación original.

- **Transcodificar.** Crea un duplicado de los clips en el formato que especifiques en los ajustes de vídeo y audio de la ventana.

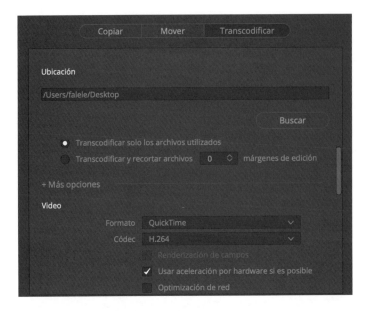

Figura 10.23. Con la opción Transcodificar se crean nuevos archivos con los ajustes especificados en la ventana. En este caso, los clips se crearán con el códec H.264.

La utilidad principal que suelo darle a la herramienta Organización de archivos es la de agrupar en un único directorio todos los clips que se han usado en el proyecto cuando lo he terminado o estoy a punto de finalizarlo. De esa manera me aseguro de que todo el material está organizado en una única unidad. La mayoría de las veces suelo escoger también la opción de recortar los clips para ahorrar espacio en el disco, ya que el nuevo archivo se guardará con la duración usada en la línea de tiempo y, normalmente, tendrá un tamaño menor que el original.

En el caso de que tengas varias líneas de tiempo en un proyecto, puedes seleccionar la que te interese para gestionar los archivos utilizados (figura 10.24).

Si necesitas administrar los clips de forma individual, selecciónalos previamente en el Panel multimedia y, cuando abras la ventana de Organización de archivos, los tendrás preparados para copiar, mover o transcodificar.

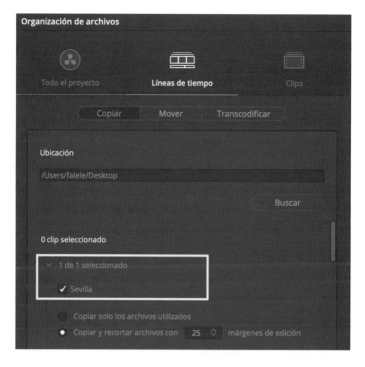

Figura 10.24. Los clips usados en la línea de tiempo Sevilla se copiarán recortados en la ubicación seleccionada.

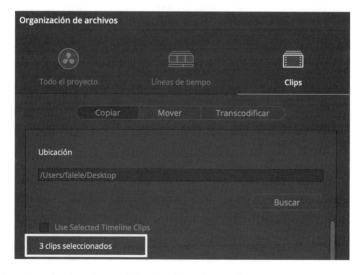

Figura 10.25. Los clips seleccionados en el Panel multimedia quedan activos en la ventana de Organización de archivos.

De hecho, en función de lo que selecciones en el Panel multimedia, será lo que se activará de forma predeterminada en la ventana de Organización de archivos:

- Si no hay nada seleccionado: Todo el proyecto.
- Cuando activas una línea de tiempo: la pestaña Líneas de tiempo.
- Al seleccionar uno o más clips: la opción Clips.

En la ventana de Organización de archivos encontrarás también opciones adicionales en función de las preferencias elegidas que puede venir bien activarlas en algunos casos. Accede a ellas desplegando el menú Más opciones:

- **Consolidar varios segmentos de edición en un archivo.** Si varios clips de la línea de tiempo proceden del mismo archivo original, se generará un único clip a partir de los fotogramas que lo integran. Esta funcionalidad es muy útil si vas a hacer uso de las versiones en remoto, ya que se conservará la relación entre cada clip de la línea de tiempo y el archivo original del que proviene. Solo permite activar esta opción en el caso del recorte de clips.

- **Conservar jerarquía de carpetas.** Conserva la estructura de directorios original utilizada.

- **Revincular a archivos nuevos.** Los nuevos archivos creados se vincularán con el proyecto y, por lo tanto, con las líneas de tiempo. Si se mueven los clips, —lógicamente— estarán vinculados automáticamente. Solo está disponible la posibilidad de activarlo cuando se copia o transcodifica el material.

- **Eliminar los archivos que no están en uso.** Solo está disponible cuando se mueve el material. Ten en cuenta que los archivos eliminados se pierden definitivamente y no solo desaparecen del proyecto, de ahí que aparezca el cartel advirtiendo que No es posible recuperar los archivos eliminados.

Figura 10.26. Opciones adicionales de la ventana Organización de archivos.

Revincular clips

Aprovecho que hemos visto en las opciones de Organización de archivos la utilidad de revincular clips para aclarar en qué consiste esa función. Cuando importas un elemento multimedia —vídeo, audio o gráfico— al módulo Medios de Resolve, realmente no estás trasladando, ni creando, ningún clip en el programa. La miniatura que ves, y el clip con el que trabajas en Resolve, es una representación que hace el programa a partir del archivo original. Se crea una conexión, un vínculo, entre el proyecto de Resolve y la ubicación del elemento multimedia. Si por la circunstancia que sea se pierde ese vínculo —por ejemplo, porque se ha modificado la ubicación del archivo—, el clip deja de estar disponible en el programa.

Cuando ocurre esto, Resolve ofrece la posibilidad de volver a reconectar el clip mediante la función revincular:

- Localiza el clip Sevilla01 en tu unidad de disco. En mi caso, lo tengo en una memoria USB en el directorio Material alumnos>Clips de vídeo>Sevilla. Si quieres localizarlo rápidamente desde Resolve, selecciona la miniatura del clip y elige Mostrar en el Finder desde el menú contextual.

- Traslada el archivo Sevilla01 a otra ubicación. En mi caso, lo he puesto en el Escritorio. Es muy importante que lo muevas, no que lo copies. Se trata de que el archivo deje de estar en la ruta original.

- Observa ahora la miniatura del clip en Resolve. Ha desaparecido la imagen y nos muestra un cuadro en rojo con un icono de un fotograma atravesado por una línea.

Figura 10.27. Miniatura del clip indicando que está roto el vínculo con el archivo original.

El clip ya no está disponible en Resolve. Se ha roto el vínculo que había entre el programa y la ruta del archivo. Si quieres volver a recuperarlo, solo indica la nueva ruta para restablecer la conexión. Para ello:

- Desde el menú contextual del clip desvinculado selecciona Revincular clips seleccionados…

- Te aparecerá una ventana desde donde especificar la ruta del archivo. En mi caso, la nueva ruta es el Escritorio del sistema operativo.

- Una vez seleccionada, haz clic en el botón Aceptar.

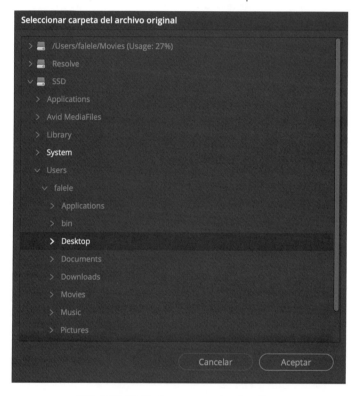

Figura 10.28. Ventana para revincular clips.

El programa buscará el clip —por nombre y código de tiempo— en la nueva ubicación y, en el caso de encontrarlo, lo tendrás de nuevo disponible. A veces, es normal que no recuerdes exactamente la carpeta donde se aloja el clip o los clips desvinculados. No te preocupes. Si ocurre eso, lo mejor es seleccionar una unidad de disco o una carpeta común donde «creas» que pueda estar y que sea el programa el que se encargue de revisar todos los directorios hasta encontrar el archivo. Cuantos más archivos tenga que analizar Resolve en su búsqueda, más tardará en localizarlo, claro.

Dejemos el clip del río en su directorio original y revinculémoslo de nuevo:

- Traslada el clip Sevilla01 a la carpeta Sevilla del material de prácticas.
- La miniatura mostrará, de nuevo, que se ha desvinculado el clip.
- Desde el menú contextual, escoge Revincular clips seleccionados…
- Ahora, desde la ventana que te aparece para seleccionar la carpeta, elige la de Material alumnos. Comprobarás que no es necesario indicarle la ubicación exacta del archivo. Resolve lo buscará entre todas las subcarpetas que encuentre.
- Haz clic en el botón Aceptar. El programa localiza el archivo y lo tendrás nuevamente disponible en el proyecto.

Optimizar media

La reproducción de un clip desde Resolve va en función del tipo de archivo y del rendimiento del equipo. Para casos en los que la reproducción no sea fluida por cualquiera de las dos razones anteriores, siempre puedes optar por optimizar el clip para que la visualización sea a tiempo real. Los archivos que tienes de ejemplo en la carpeta Sevilla están en ProRes, un formato muy extendido con buena relación entre peso y calidad: si dispones de un equipo con prestaciones actuales, no deberías tener problemas con la reproducción.

Sin embargo, los archivos originales de cámara de estos clips se grabaron en Raw. Recuerda la cantidad de información y las posibilidades de manipulación que ofrece este formato. En este caso, cada fotograma original tiene un peso de 5 MB, o lo que es lo mismo, con solo ocho segundos de un clip ya tiene un peso de 1 GB. Tal cantidad de información difícilmente puede procesarla a tiempo real un equipo estándar. Es por ello que para las prácticas se transcodificaron los clips a ProRes, que es mucho más liviano de manejar.

Para poner en práctica la optimización de archivos trabaja con un clip en Raw:

- Importa, desde la pestaña Medios, el clip de la carpeta Optimizar media. Es el mismo vídeo de gente por la calle que tienes en el clip Sevilla03, pero con tan solo dos segundos en Raw.
- Reproduce el clip en el Visor. Probablemente —como en mi caso—, si no tienes un equipo con grandes prestaciones, el clip se reproducirá de forma discontinua, a saltos. Esto se debe, como comentaba antes, a que el equipo no tiene suficientes recursos de procesador, memoria y gráfica para reproducir el clip.

Cambiemos el formato de reproducción desde Resolve para que se visualice de forma fluida:

- Haz clic en la rueda dentada de la parte inferior derecha de la interfaz o ve a Archivo>Configuración del proyecto…

- Desde Ajustes principales>Archivos optimizados y renderización en caché, elige ProRes 422 o DNxHR SQ en el apartado de Formato de archivos optimizados. Son dos formatos —uno propietario de Apple y otro de Avid— muy similares en cuanto a rendimiento.

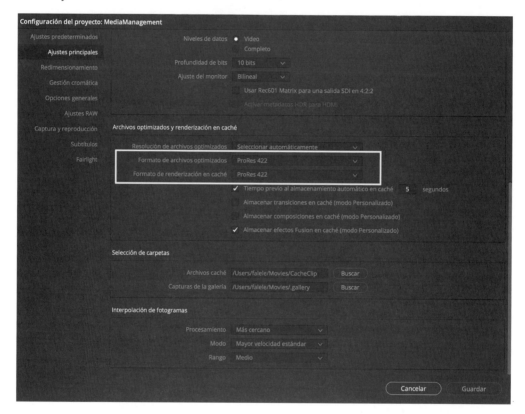

Figura 10.29. Ventana de ajustes para los archivos optimizados y renderización en caché.

- Una vez escogido el formato, haz clic en el botón Guardar para salir de la ventana.

- Con la miniatura del clip Raw seleccionada, elige desde el menú contextual Generar archivos optimizados.

- Una ventana de progreso indicará el tiempo estimado para finalizar la transcodificación del clip. Al acabar el proceso, visualiza el clip de nuevo desde el Visor y comprueba que la reproducción es fluida.

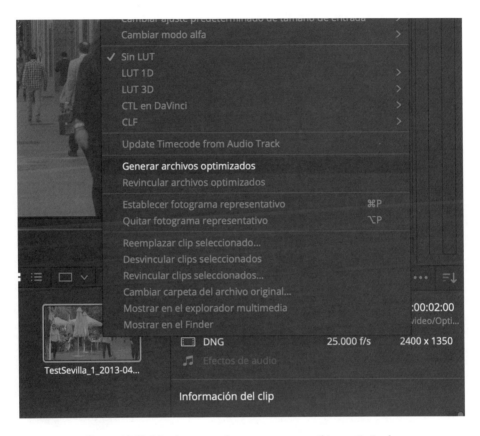

Figura 10.30. Menú contextual para generar un archivo optimizado.

Para los renderizados en caché, que ya has visto, elige los mismos formatos. En el caso —poco probable— de que la reproducción siga sin tener un rendimiento óptimo, opta por ProRes LT o DNxHR LB, que requieren menos recursos del equipo.

NOTA:

Comprueba que el menú Reproducir>Usar archivos optimizados está activo.

Registro de datos

La ventana Registro de datos superpone en las imágenes información de los metadatos del clip o del proyecto. Es muy útil para flujos de trabajo en el proceso de posproducción entre distintos departamentos (VFX, edición, sonido, etcétera) porque junto a la imagen se identifican con claridad datos como códigos de tiempo, nombres de los archivos, fechas o cualquier otra información personalizada que se quiera incluir. En el visionado del material diario de grabación (*dailies*), la incorporación de estos datos facilita al director, editor u otra persona del equipo, la revisión y localización de las mejores tomas o posibles errores en el rodaje.

Figura 10.31. Imagen con metadatos incrustados.

Para trabajar con la ventana de Registro de datos:

- Desde el módulo de Edición, Color o Entrega, ve a Área de trabajo>Registro de datos.

- En la ventana que aparece, elige Proyecto (si quieres que los datos se apliquen a todos los clips) o Clip (si necesitas que solo se superpongan en el clip donde se sitúe el cabezal de reproducción).
- Activa las casillas con los datos que vas a incrustar sobre la imagen.
- A la derecha de la ventana tienes la opción de acceder a las propiedades del texto.
- Cierra la ventana una vez activadas las casillas y los ajustes del texto.

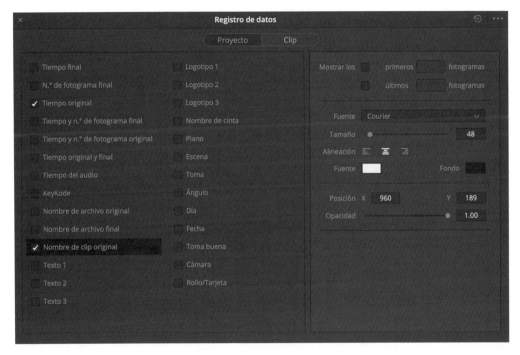

Figura 10.32. La ventana de Registro de datos.

Exportar y archivar

Hemos llegado a la parte final de todo el proceso. Una vez que tienes editado el vídeo, y creada una estética con la corrección de color, es el momento de exportar el trabajo para disponer de un archivo y visualizarlo en un dispositivo externo o almacenarlo en una red de contenidos como YouTube o Vimeo. De igual forma, es aconsejable guardar el archivo del proyecto de Resolve por si más adelante necesitas realizar algunas modificaciones.

Exportar rápido

Esta función, que ya has usado en el capítulo del módulo Montaje, se halla disponible también desde Edición y Color. Como su propio nombre indica, es una forma rápida de realizar una exportación de lo que tienes en la línea de tiempo. Se creará un archivo con los ajustes predeterminados de formato y resolución que aparecen en la ventana de selección. Para comenzar la exportación selecciona desde el menú Archivo>Exportar rápido...

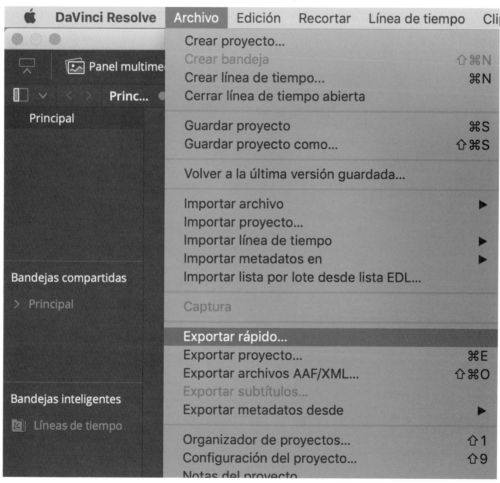

Figura 10.33. Menú para hacer una exportación rápida de la línea de tiempo.

Los formatos H.264 y H.265 son ideales para la visualización final en un equipo informático o televisor inteligente, ya que garantizan una buena compatibilidad y un tamaño reducido del archivo.

En el caso de que dispongas de una cuenta en YouTube o Vimeo, el programa se encargará de publicar automáticamente el contenido de la línea de tiempo a la plataforma. Para ello, es necesario iniciar sesión previamente con el nombre de usuario y contraseña.

Figura 10.34. Resolve se encarga de subir automáticamente un montaje a YouTube y Vimeo si inicias sesión primero.

Una vez seleccionado el formato de salida, haz clic en el botón Exportar para elegir la ruta de destino y comenzar el proceso de exportación.

Exportar la línea de tiempo

Nos quedaba pendiente una última pestaña y ahora es el momento de verla. Se trata de una interfaz específica para cuando precisas hacer una exportación más personalizada con la posibilidad de elegir el rango de clips, resolución y formato. En esencia, se trata de una ventana compuesta por cuatro áreas que facilitan el ajuste, visualización y estado de la exportación. Haz clic en el último icono de la derecha para abrir el módulo Entrega.

La interfaz está compuesta por:

- **Ajustes de renderización.** Desde esta zona se accede a todas las configuraciones disponibles para realizar la exportación. De forma predeterminada, se muestran unos controles reducidos que se amplían desplegando las opciones de Ajustes avanzados y Ajustes de subtítulos.

- **Línea de tiempo.** Al igual que en el módulo Edición, la línea de tiempo se visualiza con las pistas de vídeo-audio y los clips que la componen. Permite definir si en la renderización se procesa toda la línea de tiempo o solo un rango de clips. Las miniaturas de cada clip se ven siempre que esté activo el botón Clips de la parte superior de la interfaz.

- **Visor.** Muestra las imágenes de la línea de tiempo durante el proceso de exportación. Para agilizar la renderización —aconsejable para equipos con menor rendimiento—, es posible desactivarlo desde el menú superior derecho del Visor.

- **Cola de procesamiento.** Es un listado de las tareas pendientes de procesar. Cada trabajo puede contener distintas configuraciones y rangos de clips, en función de los ajustes que se realicen.

Figura 10.35. La interfaz de Entrega.

Exportar la línea de tiempo como un único clip

Dispones de muchos ajustes predeterminados para la exportación de la línea de tiempo (programas de edición como Premiere, Final Cut Pro o Avid; para subir contenido a la red, como YouTube o Vimeo, etcétera) en función del destino que le quieras dar. Eso facilita mucho la exportación y agiliza la configuración de los distintos parámetros. Tomemos como ejemplo el mismo proyecto anterior con los clips de la carpeta Sevilla y realiza una exportación personalizada.

- Asegúrate de que tienes los cinco clips en la línea de tiempo y realiza una corrección primaria con ellos. Es suficiente con que tengan la LUT de cámara aplicada o algún estilo interesante que encuentres en la Galería.

- Desde el módulo Entrega, elige Personalizado en los Ajustes de renderización. Crearás uno nuevo personalizado para tenerlo como plantilla predeterminada en la exportación. De esa forma, lo usarás en cualquier proyecto más adelante.

- Introduce un nombre para el clip exportado en el campo Nombre y una ruta de destino en Ubicación. Haz clic en el botón Buscar para navegar por los directorios. He vuelto a usar el Escritorio para este ejemplo.

- Verifica que en Renderizar está activada la opción Un clip. Resolve permite exportar la secuencia completa en un único archivo o de forma separada cada uno de los clips que la componen.

Figura 10.36. Ajustes personalizados para la exportación.

A continuación, tienes tres pestañas para configurar las opciones de Vídeo, Audio y Archivo. Empecemos por los ajustes de vídeo:

- Comprueba que está activada la casilla Exportar vídeo.
- En el menú desplegable de Formato opta por MP4 y Códec H.264.
- Confirma que la Resolución y Frecuencia de imagen indica 1920 x1080 HD y 25.
- En el resto de casillas deja los ajustes que vienen de forma predeterminada.

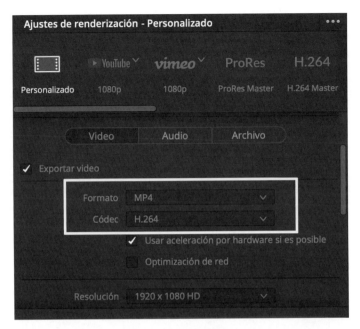

Figura 10.37. Elección del formato MP4 y códec H.264.

- Desde la pestaña Audio comprueba que está activa la casilla Exportar audio. En las opciones restantes puedes mantener las que vienen de forma predeterminada.

- Confirma que tienes el nombre personalizado que pusiste antes —he puesto Master— en la pestaña Archivo.

- Haz clic en el botón Agregar a la cola de procesamiento. Se añaden los ajustes de exportación como una nueva tarea a la ventana de Cola de procesamiento.

- Para finalizar la exportación haz clic en el botón Renderizar de la Cola de procesamiento. Una barra de progreso irá indicando el porcentaje transcurrido y el tiempo restante para finalizar la tarea de exportación (figura 10.38).

- Para guardar los ajustes de exportación como una plantilla personalizada, desde el menú superior derecho de Ajustes de renderización, selecciona Guardar como ajuste predeterminado.

- Escribe MP4 en el campo Nombre para identificar la plantilla y haz clic en el botón Aceptar.

Figura 10.38. Agregar unos ajustes personalizados a la Cola de procesamiento.

En los ajustes predeterminados de la ventana Ajustes de renderización se incluye un nuevo icono con el nombre y los ajustes creados. Basta con hacer clic en el icono para acceder a la nueva plantilla.

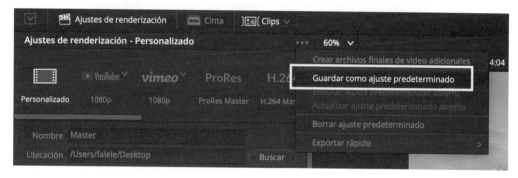

Figura 10.39. Menú para guardar un ajuste personalizado.

Exportar la línea de tiempo como clips independientes

En los capítulos anteriores de edición estuvimos trabajando con los archivos de intercambio —XML, EDL y AAF— desde Final Cut Pro X. Puse el ejemplo de un amigo que trabajaba con un programa de edición y que necesitaba abrirlo con Resolve. Ahora vas a realizar el trabajo inverso: enviar la edición hecha en Resolve hacia Final Cut Pro X. En este ejemplo, no solo crearás el fichero XML —recuerda que este tipo de archivo contiene únicamente los datos de edición—, sino también cada uno de los clips que lo componen. Para ello:

- Comprueba que tienes la línea de tiempo del ejemplo anterior con los clips de la carpeta Sevilla.

- Desde el módulo Entrega, en Ajustes de renderización selecciona Final Cut Pro x dentro de las plantillas predeterminadas. Si pulsas sobre la parte superior derecha del icono, se mostrarán las dos versiones —7 y X— del programa.

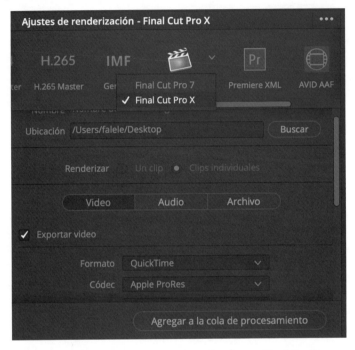

Figura 10.40. Selección de la versión del programa Final Cut Pro.

- Observa que la selección para renderizar está ahora fijada en Clips individuales.
- A cada clip le daremos material extra en la edición para afinar el montaje si fuera necesario. Despliega en la pestaña Vídeo la opción de Ajustes avanzados y en el cuadro de Agregar márgenes de edición dale valor 25. Añade un segundo de inicio y final a cada clip. No se requiere ningún ajuste más en la pestaña Vídeo, Audio y Archivo de la plantilla (figura 10.41).
- Finalmente, en Ubicación haz clic en el botón Buscar y añade una nueva carpeta —nómbrala FCPX— para alojar los clips y el fichero de intercambio. La he creado también en el mismo Escritorio.
- Haz clic en el botón Agregar a la cola de procesamiento.
- Desde Cola de procesamiento haz clic en Renderizar.

Al finalizar el proceso de renderización, el programa crea nuevos clips independientes y el fichero de intercambio XML —fcpxml— en la carpeta seleccionada (figura 10.42).

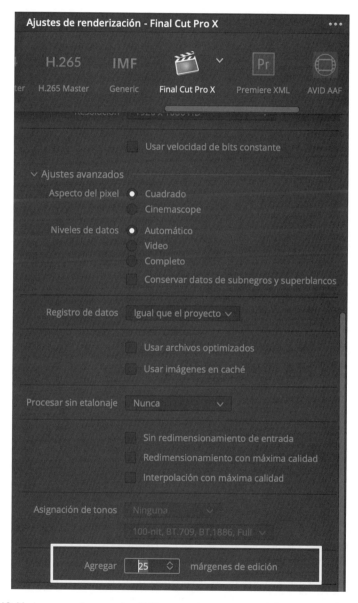

Figura 10.41. Agregar márgenes de edición garantiza tener material extra para afinar la línea de tiempo posteriormente.

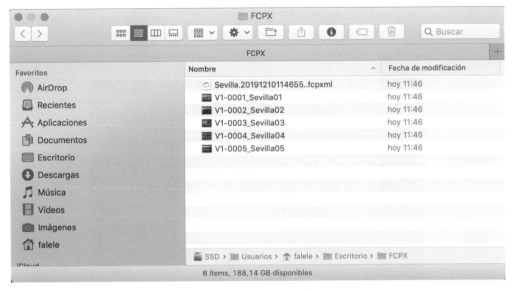

Figura 10.42. Carpeta con los clips renderizados y el archivo de intercambio XML.

Exportar un rango de la línea de tiempo

De forma predeterminada se renderiza toda la línea de tiempo en la exportación, pero es posible seleccionar un rango para que solo los clips que estén dentro de él sean los que se rendericen. Veamos cómo se hace:

- Usa la misma línea de tiempo anterior. Desde el módulo Entrega, desplaza el cabezal de reproducción y sitúalo, aproximadamente, en la mitad del segundo clip.

- Marca un punto de entrada pulsando I en el teclado.

- La línea de tiempo se mostrará con una selección hecha a partir del inicio del segundo clip y el apartado Renderizar de la parte superior indicará Rango entrada/salida (figura 10.43).

- Sitúa el cabezal sobre el cuarto clip y pulsa la tecla O para marcar un punto de salida. El rango de selección finaliza en el cuarto clip. Fíjate en que no has de posicionar el cursor en los inicios o finales de un clip, basta con situarse en cualquier parte de él.

- Selecciona una plantilla de ajuste de renderización (por ejemplo, la que personalizamos como MP4) para añadirla a la Cola de procesamiento y renderizarla.

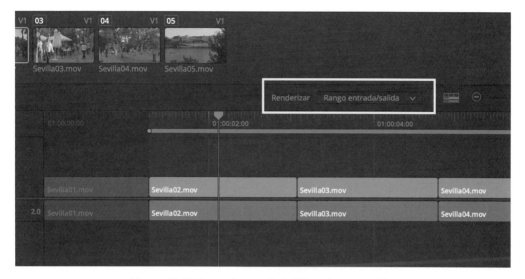

Figura 10.43. Rango de entrada/salida en la exportación.

Si necesitas exportar un único clip, selecciona desde el menú contextual de su miniatura: Renderizar este clip.

Exportar un proyecto

Hasta ahora la gestión de los proyectos que has estado usando pasaba exclusivamente por el Organizador de proyectos y mediante sus bases de datos, pero imagina que deseas guardar un proyecto en concreto porque vas a almacenarlo en una unidad de disco o simplemente compartirlo con otra persona. En ese caso, la opción indicada es la de exportar el proyecto como un archivo único. Los archivos de proyectos de Resolve llevan la extensión DRP (DaVinci Resolve Projects).

Para guardar el proyecto que estás usando:

- Desde cualquier módulo de Resolve, ve a Archivo>Exportar proyecto...
- Elige un directorio donde guardar el archivo, dale nombre y haz clic en el botón Guardar.

Figura 10.44. Archivo de proyecto de Resolve.

Es posible realizar también la misma acción y seleccionar cualquier proyecto de los que tengas en una base de datos desde el Organizador de proyectos. Haz clic en el icono inferior derecho —con forma de casa— de la interfaz o ve a Archivo>Organizador de proyectos... Escoge la miniatura del proyecto y desde el menú contextual selecciona Exportar proyecto...

Figura 10.45. Menú para exportar el proyecto desde el Organizador de proyectos.

Archivar un proyecto

Cuando exportas un proyecto, guardas únicamente los ajustes del programa —información del material importado, líneas de tiempo, efectos, correcciones de color, etcétera—, es decir, el archivo no contiene ningún material multimedia original. Al abrirlo desde Resolve tendrías que volver a localizar y vincular todo ese material. Si lo que precisas es guardar el proyecto junto a todos los clips originales importados en la pestaña Medios, la mejor opción es archivar el proyecto.

- Desde el Organizador de proyectos, selecciona la miniatura del proyecto que necesitas archivar y con el menú contextual elige Archivar…

Figura 10.46. Archivar un proyecto de Resolve.

- Escoge un destino para guardar el proyecto completo con los archivos originales. De forma predeterminada, el programa creará una carpeta en la ubicación seleccionada con el nombre del proyecto seguido de .dra (DaVinci Resolve Archivo). Haz clic en el botón Guardar.

- En la nueva ventana que aparece tienes la opción de activar los renders en caché y los archivos optimizados para que se guarden también junto al material original.

Figura 10.47. Puedes guardar los archivos optimizados y los de render al archivar un proyecto.

- Haz clic en el botón Aceptar para que comience el proceso. Una barra de progreso indicará el porcentaje transcurrido, que tardará más o menos en función de la cantidad de material multimedia que haya que copiar en la carpeta de destino.

Flujo de trabajo en etalonaje

En la mayoría de las ocasiones, el procedimiento y los pasos a seguir en un determinado trabajo suelen estar sujetos a la interpretación y punto de vista de cada uno. Ocurre en cualquier oficio. Es por eso por lo que el flujo de trabajo que voy a describir a continuación para hacer un etalonaje debe considerarse más bien como una recomendación a la hora de hacer correcciones en un orden lógico y nunca como un método absoluto.

El primer factor en este proceso es la calidad del material con el que se va a trabajar. Es fundamental hacerlo con resoluciones, como mínimo, iguales a las de la exportación final para evitar reescalados que pudieran mermar el producto. De igual forma, el nivel de compresión del archivo es otro de los componentes primordiales para conseguir manipular la imagen —o el audio— con un margen suficiente para evitar que aparezcan artefactos extraños en el procesado digital. Es preferible siempre manejarse con archivos en origen con compresiones moderadas como Raw, ProRes o DNxHR, antes que con las extremas de ficheros como H.264 o JPEG.

Flujo de trabajo básico

Una corrección de color básica se puede dividir de manera general en cinco etapas principales. Las operaciones realizadas en cada una de ellas pueden contener uno o varios nodos, en función del resultado final que se desee obtener.

- **Etapa 1: Equilibrio global.** Se trata de realizar una corrección primaria donde los niveles de contraste —nivel de blancos y negros—, saturación y dominantes de la imagen queden equilibrados. Es aconsejable comenzar por el contraste y acabar con el ajuste de color. La idea es buscar una imagen neutra, independientemente de que más tarde la meta sea un estilo determinado (alto contraste, baja saturación, dominante de color o cualquier otra estética), pero partir con información suficiente para facilitar los ajustes posteriores.

- **Etapa 2: Exposiciones locales.** Una vez que la imagen está equilibrada, se empieza con las correcciones secundarias. La exposición correcta de determinadas zonas es lo prioritario en esta etapa: por ejemplo, un cielo sobreexpuesto que se aísla mediante una máscara para corregirlo; o una zona oscura que es necesario iluminar para simular una luz artificial. El objetivo de estas correcciones es que sean lo suficientemente sutiles como para que parezca que se han grabado en cámara. Es fundamental realizar estas correcciones de luminancia antes de la estética final para evitar resultados inesperados.

- **Etapa 3: Color local.** Seguimos con las correcciones secundarias, pero en este caso tratando el aspecto del color: elementos que, a nivel técnico —porque no se grabaron correctamente en el rodaje— o creativo, necesitan variar su tonalidad e intensidad del color. Los tonos de piel, por ejemplo, son un aspecto clave en el proceso de etalonado en esta fase. Al modificar los parámetros del color, es en esta etapa donde se comienza a dar forma a la estética final de la imagen.

- **Etapa 4: Estilo.** En este paso, la imagen debería tener ya un aspecto técnico y estético agradable. En algunos casos, dependiendo de la imagen y de la intención deseada, puede que no se requiera actuar en esta etapa. Hay que pensar en estos ajustes en términos globales: para la totalidad de la imagen o para la mayor parte de ella. Los estilos predefinidos de Resolve, o los que vimos de ejemplo en el capítulo anterior, se situarían en esta fase. La mayoría de las veces, después de trabajar con el estilo deseado, los colores necesitarán ajustarse con las etapas anteriores de correcciones secundarias. Los tonos de la piel podrían quedar, por ejemplo, demasiado naranjas cuando se le da una estética más cálida a toda la imagen, por lo que habría que retocar sobre la tercera etapa para buscar un equilibro. Es un trabajo de ida y vuelta entre la fase de creación del estilo y las de correcciones secundarias.

- **Etapa 5: Ajustes finales.** Esta etapa, en verdad, es una continuación de la anterior. Consiste en realizar ajustes finales para homogeneizar todas las fases previas. Es el momento de afinar globalmente la imagen con una curva personalizada o de aumentar-disminuir el contraste general. Aconsejo llevarlo a cabo en un único nodo al final de toda la cadena y a todos los clips por igual. La opción de un nodo compartido es la que considero más idónea para este caso. Piensa en este nodo como si fuera una LUT final y en que, mantenerlo sin cambios concretos para cada clip, es la manera más fácil de garantizar una coherencia entre todos los clips etalonados.

Flujo de trabajo

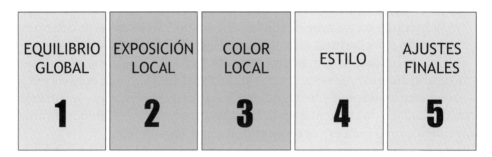

Cada etapa puede contener varios nodos

@FaleleMoreno

Figura 10.48. Flujo de trabajo básico.

Esto sería, de manera muy generalizada, el orden de operaciones dentro de la estructura de árbol de nodos en Resolve. Quizás podría sintetizarse aún más y englobarlo en tan solo tres fases: corrección primaria, secundarias y ajustes finales. Aún así, lo más importante es establecer una estructura lógica para tratar la imagen adecuadamente en cada etapa y entregar niveles correctos a la siguiente.

Correcciones primarias en imágenes en modo Log

A modo de recomendación, el orden de operaciones para obtener un equilibrio global en un clip en modo Log podría ser el siguiente:

- Realizar un primer ajuste de los niveles de luminancia, comenzando por el Contraste.

- Afinar el contraste de la imagen mediante el uso del control de Pivote. Recuerda que para imágenes oscuras es recomendable tener un valor más bajo para evitar aplastar las sombras y, en el caso contrario —imágenes con niveles más altos de luminancia—, aumentarlo para obtener mayor detalle en las zonas oscuras.
- Finalizar el ajuste de luminancia con la rueda Offset hasta obtener los niveles correctos de blanco y negro.
- Completar el equilibrio global de la imagen con el ajuste de Saturación.

Flujo de trabajo

Figura 10.49. Correcciones primarias de un clip en modo Log.

Correcciones primarias de archivos Raw

De igual forma, para manipular un clip Raw de manera global lo aconsejable sería:

- Trabajar primeramente con el módulo de ajustes Raw para lograr un valor adecuado en los niveles de sensibilidad ISO de la imagen.
- A continuación, y desde el mismo módulo Raw, comprobar la correcta Exposición.
- Si fuera necesario, afinar desde las ruedas de color el valor de Contraste y Pivote.

- En el caso de imágenes excesivamente subexpuestas podría ser necesario complementar estos ajustes con el uso de las ruedas Offset y Lift —por este orden— en sus niveles de luminancia.

Flujo de trabajo

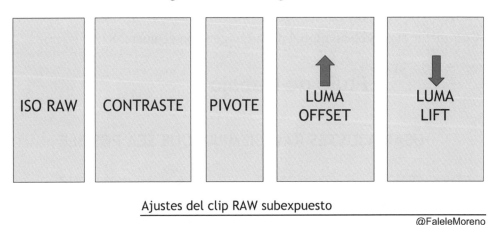

Ajustes del clip RAW subexpuesto

@FaleleMoreno

Figura 10.50. Para un archivo Raw es siempre aconsejable trabajar en el módulo de ajustes antes de aplicar cualquier corrección en un nodo.

Uso de la LUT en la cadena

Sobre esta cuestión es difícil llegar a un consenso entre los coloristas, y es porque depende mucho de cada situación y tipo de trabajo. Como norma generalizada, la LUT se coloca al final de toda la cadena, ya que permite manipular previamente la imagen con toda la información original que tuviera el archivo en modo Log. En el caso de aplicarla en el inicio del proceso se estaría entregando al resto de la cadena desde el principio unos niveles encasillados —dentro de un espacio de color o estética determinada— que harían más laborioso el trabajo en las distintas fases posteriores de la corrección de color. Recuerda que tanto la LUT de inicio como la de final del proceso pueden automatizarse —sin necesidad de crear nodos específicos para ella— desde la configuración cromática del proyecto.

De todas formas, en cualquiera de los dos casos se plantean algunos inconvenientes como:

- **La LUT al inicio.** Si el archivo original se grabó con una exposición un poco más alta de lo normal, el hecho de aplicar la LUT al principio de la cadena hará que se entregue en las siguientes fases una imagen con un exceso de niveles en las altas luces, difícilmente recuperable si no se trata de un archivo Raw.

- **La LUT al final.** La falta de saturación y contraste de las imágenes en modo Log pueden dificultar la extracción de colores específicos en las correcciones secundarias.

Por ello, en el caso de necesitar una LUT en concreto, lo mejor es adaptar el uso en la cadena del árbol de nodos en función de las particularidades de cada trabajo.

Y esto es todo, amigos. Hemos llegado al final de este Manual Imprescindible y espero haber cumplido los objetivos. Como sabes, no es el manual de operaciones de Resolve con más de 3000 páginas, ni pretende serlo. El propósito es iniciarte —con ejemplos amenos— en la realización, edición y corrección de color de una producción audiovisual. Conceptos y técnicas que puedan ser perfectamente válidos para un aficionado, un videógrafo de YouTube o un profesional del medio que quiera abrir las puertas de un programa tan versátil y potente como DaVinci Resolve.

Glosario

2K

Resolución en cine digital de 2048 x 1080 píxeles (*Full*), aunque las resoluciones más estandarizadas son la de 1998 x 1080 píxeles (*Flat*) y 2048 x 872 (*Scope*).

3,5 MHz

Frecuencia de muestreo de la señal de luminancia (Y) en la televisión digital en SD (definición estándar). Está representada por el 4, que es el primer valor en el muestreo 4:2:2.

16:9

Relación de aspecto de la imagen usada en alta definición (HD) y en algunos SD (normalmente digitales).

24P

Hace referencia a 24 fotogramas por segundo en escaneado progresivo. Es la frecuencia de fotogramas por segundo usada en el cine.

25P

25 fotogramas por segundo en escaneado progresivo. Se utiliza en producciones europeas y otros países que usan una frecuencia de 50 Hz en la TV.

4:1:1

Relación de muestreo de frecuencia de la luminancia (Y) y las componentes de color (R-Y y B-Y) de una señal de vídeo. El 4 representa 13,5 MHz (74,25 MHz en HD) en la luminancia. El 1 representa 3,75 MHz en la señal de color (R-Y y B-Y). La señal de color, por tanto, se muestrea una vez por cada cuatro muestras de la luminancia.

4:2:0

Relación de muestreo de frecuencia de la luminancia (Y) y las componentes de color (R-Y y B-Y) de una señal de vídeo. El 4 representa 13,5 MHz en la luminancia, mientras las componentes de color se muestrean a 6,75 MHz en líneas alternativas. Por lo tanto, en una línea se muestrea solo la luminancia (4:0:0) y en la siguiente se muestrea luminancia/crominancia (4:2:2). De esta forma se reducen los datos hasta un 25 % sobre el muestreo en 4:2:2. Se usa en la compresión MPEG y en el formato DV y DVCAM en PAL.

4:2:2

Relación de muestreo de frecuencia de la luminancia (Y) y las componentes de color (R-Y y B-Y) de una señal de vídeo. 4:2:2 indica que, de cada cuatro muestras de la luminancia, se recogen dos muestras de las señales de color, por lo que se incrementa el ancho de banda del color en relación con el muestreo 4:1:1.

4:2:2:4

Es lo mismo que el 4:2:2, pero con una señal de recorte (*key*) como cuarto componente. El muestreo de la señal de recorte es el mismo que la luminancia (13,5 MHz).

4:4:4

Representa la mejor relación de muestreo de una señal de vídeo. En esta relación hay siempre el mismo número de muestras tanto de la señal de luminancia como de las componentes de color.

4:4:4:4

Es como el 4:4:4, excepto que la señal de recorte (*key*) se incluye como un cuarto componente.

4K

Resolución en cine digital de 4096 x 2160 píxeles (*Full*), aunque las resoluciones estandarizadas son 3996 x 2160 píxeles (*Flat*) y 4096 x 1744 píxeles (*Scope*).

8K

Resolución de 7680 x 4320 píxeles. Ya se está empezando a trabajar en la creación de contenidos en 8K. Las Olimpiadas de Tokio 2020 serán las primeras que se transmitirán con esta resolución.

AAF

Siglas de *Advanced Authoring Format*. Es un formato profesional de intercambio de archivos, diseñado para compartir datos entre distintas plataformas y sistemas de postproducción.

AC-3

Véase Dolby Digital.

ACES

Siglas de *Academy Color Encoding System* (Sistema de codificación del color de la Academia). Estándar de la industria para la administración y gestión del color de una producción audiovisual desde la captación en cámara, edición, VFX y masterización.

ADC o A/D

Conversor Analógico-Digital. Referido también como digitalización o cuantización. Conversión de la señal analógica en datos digitales.

AES/EBU

Es un estándar de comunicación que permite transmitir en tiempo real la señal entre dos sistemas digitales. Fue desarrollado de manera conjunta por la Asociación de Ingenieros de Audio (AES) norteamericana y la Unión de Radiodifusores Europea (EBU).

Alfa

Véase Canal Alfa.

AMPAS

Siglas de *Academy of Motion Picture Arts and Science* (Academia de las Ciencias y las Artes Cinematográficas). Organización estadounidense creada para promover la industria del cine en EE. UU.

AMWA

Siglas de *Advanced Media Workflow Asociation*. Asociación encargada de establecer los distintos estándares para el intercambio de material entre distintos flujos de trabajo. Es la asociación creadora del formato AAF y AS (*Application Specifications*).

Anamórfico

Normalmente se refiere al uso de la relación 16:9 en formato 4:3. La alternativa para ver el formato 16:9 en un equipo 4:3 es el *Letterbox* (Buzón). El *Letterbox* permite ver la relación de aspecto correcta de 16:9 en una pantalla 4:3, mostrando bandas negras en la parte superior e inferior de la imagen.

Ancho de banda

Cantidad de información que es capaz de pasar en un momento dado. En TV se necesita un gran ancho de banda para mostrar las imágenes nítidas en tiempo real. El ancho de banda de la señal de luminancia (blanco y negro) en TV es de 5,5 MHz. Para HD a 1080 líneas el ancho de banda alcanza los 30 MHz. La imagen digital requiere también un ancho de banda muy alto, por lo que se recurre a la compresión para la transmisión y almacenamiento de la información.

Área de seguridad

Área de la imagen dentro de la cual se considera segura la incorporación de textos, objetos o acciones, debido a que los bordes de la imagen pueden quedar recortados en la recepción de la señal. Normalmente suele haber dos áreas de seguridad, una de acción y otra de rótulos.

ASCII

Siglas de *American Estandar Code for Information Interchange*. Es un estándar que define los caracteres del teclado en información digital. La tabla ASCII contiene 127 caracteres.

Aspect Ratio

Relación de aspecto. Puede referirse a la relación de aspecto de la imagen, la cual podrá ser como la convencional en SD de 4:3 o la panorámica en HD de 16:9. Si se refiere a la relación de aspecto del píxel, determina la proporción de ancho y alto de un píxel.

AS-02

Siglas de *Application Specifications-02*. Formato de masterización basado en el contenedor MXF que facilita la gestión y el intercambio para la distribución de contenidos. AS-02 compila todo en un solo paquete, permitiendo distintas versiones sin duplicar contenidos.

AVCCAM

Nombre comercial de las cámaras de Panasonic con códec AVCHD.

AVCHD

Siglas de *Avanced Video Codec High Definition*. Desarrollo conjunto entre Sony y Panasonic que aplica la codificación de vídeo AVC H.264 MPEG-4 Parte 10. Está orientado al mercado de consumo para introducir la alta definición. El códec AVC es mucho más eficiente que la codificación en MPEG-2 usada en el formato HDV. El soporte de grabación en formato AVCHD ha dado paso a las denominadas cámaras *tapeless* (sin cinta), ya que hacen uso de discos duros, tarjetas de memorias o discos compactos para su almacenamiento.

AVC-Intra

Códec adoptado por Panasonic para la grabación sobre tarjetas P2. Usa codificación MPEG-4 H.264, pero solo con cuadros I (*Intraframe*), lo que le confiere mayor efectividad en la edición. El AVC-Intra ofrece una compresión más efectiva que la anterior compresión DVCPro HD. En 2009 Panasonic presentó el códec AVC-Ultra, una mejora del AVC-Intra pensado para cine digital y producciones en 3D.

AVI

Siglas de *Audio Video Interleave*. Formato contenedor multimedia desarrollado por Microsoft en 1992 como parte de la tecnología de *Video for Windows*.

Betacam

Formato de vídeo analógico profesional por componentes, en cintas de media pulgada, creado por Sony en 1982. Es similar al formato doméstico Betamax. En 1986, Sony lanzó el Betacam SP que mejoraba la resolución y aumentaba el número de canales de audio.

Betacam Digital

También conocido como Digi Beta. Se creó como alternativa digital al Betacam. Usa para la compresión el algoritmo DCT (Transformada Discreta del Coseno) y un muestreo de 4:2:2. La relación de compresión es 2:1.

Betacam SX

Formato de vídeo digital creado con la idea de ofrecer una alternativa más barata para el trabajo de captura de noticias (ENG) de los servicios informativos. Comprime la señal en MPEG-2 con un muestreo de 4:2:2.

Binario

Representación matemática de un número en base 2. Es la base matemática usada para los ordenadores y todos los dispositivos digitales. La representación binaria requiere de un mayor número de dígitos que el sistema decimal, que es el que se usa normalmente. La ventaja es que con la información binaria se pueden representar solo dos estados (1-0, encendido-apagado, sí-no, alto-bajo...).

Bit

Acortamiento de *Binary Digit* (dígito binario). Un bit puede definir dos niveles o estados (blanco-negro, on-off...); dos bits pueden definir cuatro niveles; tres bits, ocho, y así sucesivamente. Una imagen a 10 bits puede definir hasta 1024 niveles de brillo desde el blanco al negro.

Blu-ray

Es un formato de disco óptico de 12 cm de diámetro (igual que un CD o DVD) para vídeo de alta definición o almacenamiento de datos masivos. Las compañías que establecieron las especificaciones básicas son Sony, Apple, Dell, Panasonic, Philips, HP, Hitachi, LG, Pioneer, Mitsubishi, Samsung, Sharp y TDK. Para la grabación de vídeo usa la compresión MPEG-4 (aunque también es compatible con MPEG-2), pudiendo almacenar hasta dos horas en HD con una tasa de hasta 36 Mbps.

BT.601

Espacio de color para la televisión digital en SD (definición estándar).

BT.709

Espacio de color para la televisión digital en HD (alta definición).

BT.2020

Espacio de color para la televisión digital en UHD (ultra alta definición).

Bug

Un error en un programa (software) que puede causar que el sistema se vuelva inestable, funcione de forma incorrecta o se bloquee.

Bus

Transferencia interna de datos digitales de una parte del sistema a otra.

Byte

1 byte es igual a 8 bits y puede describir hasta 256 niveles diferentes (brillo, color, etc.).

Canal Alfa

Información de la señal de recorte (*key*) que se añade a la señal de vídeo.

CBR

Siglas de *Constant Bit Rate*. En algunos tipos de compresión se utiliza el flujo de datos constantes para garantizar la transmisión o transferencia en canales con capacidad limitada. Uno de los inconvenientes del CBR es que asigna el mismo flujo para todo el proceso de compresión, por lo que en las partes en que se requiera (por la complejidad de la escena) menor compresión se denotará una pérdida de calidad de la imagen, y viceversa, se desaprovechará información en las partes de la imagen más «simples».

CCD

Siglas de *Charge Coupled Device* (Dispositivo de Carga Acoplada). Es un circuito integrado que contiene un número determinado de condensadores enlazados. Bajo el control del circuito interno, cada condensador puede transferir su carga eléctrica a uno o varios de los condensadores que estén a su lado en el circuito impreso. La alternativa digital al CCD es el CMOS (*Complementary Metal Oxide Semiconductor*).

CD

Siglas de *Compact Disc*. Soporte digital óptico en discos de 12 cm de diámetro para el almacenamiento de audio o datos, con una capacidad aproximada de

700 MB. Hay diversos estándares en función del destino al que vaya a utilizarse el CD (audio, vídeo, datos regrabables, etc.).

CDL

Siglas de *Color Decision List* (Lista de Decisiones del Color). Fichero de intercambio —similar al XML, AAF o EDL— de información del color entre distintos sistemas y programas de gestión del color. Usa tres parámetros básicos correspondientes a las luces bajas, medias y altas para cada uno de los tres colores primarios RGB.

CGI

Siglas de *Computer-generated Imagery*. Imagen generada íntegramente con ordenador.

CineAlta

Cámara digital de Sony diseñada especialmente para su uso en rodajes de cine.

Cine digital

Es aquel que utiliza la tecnología digital para la captación, edición y proyección de películas. A pesar de que todavía algunas de las películas actuales utilizan el celuloide tradicional para la captación y sobre todo proyección, el avance del cine digital es una evolución imparable y en un corto plazo se asistirá a la digitalización casi total del cine.

Clip

Una secuencia de fotogramas de vídeo o audio.

CMOS

Siglas de *Complementary Metal Oxide Semiconductor*. Tecnología de amplio uso en la fabricación de circuitos electrónicos. Recientemente la aplicación de la tecnología CMOS a los sensores de imagen como alternativa al CCD se ha incrementado. Los últimos desarrollos han mejorado el rendimiento en la respuesta, rango dinámico y áreas de ruido.

CÓDEC

Codificador-Decodificador. Véase Compresión.

Conformado

Reconstrucción de una edición en un programa de corrección de color para su acabado final a partir de un archivo de intercambio (XML, AAF o EDL) generado en un editor no lineal.

Corrección de color

Alteración del color de un material grabado en función de las recomendaciones del director de fotografía. El corrector de color permite además equilibrar el balance de color en el caso que esté incorrecto. Existe una corrección de color primaria que afecta a toda la imagen y una corrección de color secundaria que se aplica después de la primaria, que afecta a un color, un rango de colores o una zona en concreto.

Croma Key

Es el proceso de superponer una señal de vídeo sobre otra utilizando el fondo (*background*) de un color para incrustar la señal. Normalmente se utiliza de fondo un color primario (verde o azul).

Crominancia

Componente de la señal de vídeo que contiene la información de color. El color se define por dos magnitudes: el tono (define qué color es) y la saturación (cantidad de color).

Componentes

La señal de vídeo por componentes es aquella en que la señal de luminancia (señal en blanco y negro) se transmite de forma independiente de la crominancia (señal de color). Al transmitirse de manera independiente, la calidad de la señal es muy superior a la de la señal de vídeo compuesto.

Compuesto

La luminancia y crominancia de la señal de vídeo se combinan en una sola señal.

Composición

Utilización de varias capas de vídeo para la creación de un diseño o efecto en concreto. El diseño de composición multicapa combina muchas técnicas (retoque, pintado, correcciones de color, máscaras, etc.).

Compresión

Es el proceso de reducción de ancho de banda para la transmisión o transferencia de una señal de vídeo o audio. Los sistemas de compresión digital analizan cada imagen para eliminar la información redundante (innecesaria). Hay muchas técnicas de compresión de uso frecuente, como JPEG, DV o MPEG.

D1

Primer magnetoscopio digital. Permite la grabación en componentes en cintas de 19 mm. Al ser un sistema de grabación por componentes en 4:2:2 a 8 bits, es ideal para la grabación en estudio o postproducción.

D2

Vídeo digital por compuesto en cintas de 19 mm.

D3

Vídeo digital por compuesto en cintas de media pulgada. Es similar al D2, pero con un menor tamaño de cinta.

D4

Dato curioso: en Japón el número 4 es signo de mala suerte, por lo que no existe el D4.

D5

Similar al D3, con el mismo tamaño de cinta, pero permite la grabación por componentes. La resolución es de 10 bits.

D6

Vídeo digital en cintas de 19 mm, para grabación en alta definición.

D7

Es el formato de grabación DVCPro.

D9

Es el Digital-S.

D10

Hace referencia a los magnetoscopios de Sony que graban en MPEG IMX. Graban en cintas de media pulgada en 4:2:2 y solo cuadros I (*Intraframe*).

D11

Es el HDCam.

D12

Es el DVCPro HD o DVCPro 100.

DCP

Siglas de *Digital Cinema Package* (Paquete de Cine Digital). Archivos digitales que se usan en el almacenamiento y distribución de cine digital. Consta de una estructura de archivos comprimidos, codificados y cifrados en formato MXF.

DDR

Siglas de *Digital Disk Recorder* (Grabador Digital en Disco). Sistema de grabación digital en disco. Su menor coste con relación a los magnetoscopios digitales lo convierte en una alternativa a los VTR Digitales (DVTR), con la limitación lógica de la capacidad del disco.

DCT

Siglas de *Discrete Cosine Transform* (Transformada Discreta del Coseno). Es un algoritmo matemático que se utiliza en el proceso de compresión de imagen para la reducción de datos digitales. En sí el DCT no reduce datos, los analiza para posteriormente en función del tipo de compresión (JPEG, DV, MPEG) hacer la reducción.

Decibelio

Unidad logarítmica de medida de intensidad de audio que representa la relación entre dos magnitudes, la que se estudia y la de referencia. Es la décima parte del belio. Debe su nombre en honor a Alexander Graham Bell. Los decibelios (dB) se miden logarítmicamente, o sea, la intensidad se incrementa en unidades de 10: 20 dB es 10 veces la intensidad de 10 dB y 30 dB es 100 veces la intensidad de 10 dB.

Desfragmentación

Véase Fragmentación.

Digital-S

Magnetoscopio de grabación digital a 50 Mbps. en cintas con las mismas dimensiones que las VHS. Su muestreo es de 4:2:2 y su relación de compresión es de 3,3:1.

Disco duro

Dispositivo encargado de almacenar de forma permanente datos digitales. Los discos duros utilizan un sistema de grabación magnética digital. Están cubiertos por una carcasa en cuyo interior se encuentran varios platos metálicos apilados, girando a gran velocidad. La capacidad de los discos duros está en constante desarrollo y aumentan considerablemente, no así el tiempo de acceso al disco que se consigue aumentando la velocidad de rotación. Poco a poco van siendo sustituidos por las unidades de estado sólido, SSD.

DIVX

Es un tipo de compresión muy popular, sobre todo en los inicios del DVD, debido a su capacidad de comprimir el vídeo en poco espacio. El códec usa compresión MPEG-4 Parte 2, también conocido como MPEG-4 ASP. El descompresor (necesario para ver los vídeos) es gratuito, pero el compresor (para generarlos) es de pago. Actualmente muchos reproductores de DVD de salón son compatibles con DivX.

Dolby Digital

Dolby Digital o AC-3 es un sistema de compresión de audio digital. Contiene un total de hasta seis canales de sonido, cinco de ellos de rango completo (de 20 Hz a 20 KHz, que es el rango de audición humana) y el otro restante para los sonidos de baja frecuencia (*subwoofer*). El tipo de compresión que utiliza consiste en la eliminación de algunas partes de la frecuencia del sonido original que no podemos percibir y que, por tanto, al eliminarlas se ahorra espacio en el almacenamiento o transmisión.

Down Conversion

Pasar a una resolución menor. Por ejemplo, pasar de 1080/50i a 576/50i es un *down conversion*.

DPX

Formato de archivo SMPTE 269M-1994 de imagen de cine digital.

DV

Formato digital de vídeo creado en 1996 en colaboración con varias empresas, entre ellas, Sony, Hitachi, JVC, Philips, Sanyo, Sharp, etc. Usa el algoritmo DCT para la compresión con un factor de compresión 5:1. La compresión es *intraframe* y el muestreo es de 4:2:0 para PAL y 4:1:1 para NTSC. Su excelente relación calidad-precio provocó que salieran versiones profesionales como el DVCam (Sony) o el DVCPro (Panasonic). La tasa de transferencia de vídeo es de 25 Mbps.

DVB

Siglas de *Digital Video Broadcasting*. Organización con colaboración de más de 25 países que promueve estándares de televisión digital, en especial para HD y emisión por satélite en Europa.

DVCam

Tiene las mismas características que el DV, pero Sony amplió el ancho de pista y la velocidad de cinta para ofrecer una mayor calidad. El muestreo es el mismo que el DV: 4:2:0 para PAL y 4:1:1 para NTSC.

DVCPro

Desarrollo de Panasonic para ofrecer una alternativa profesional a partir del formato DV. La compresión es *Intraframe* en 4:1:1 con un factor de compresión de 5:1. El flujo de datos es igual que el DV, 25 Mbps.

DVCPro 50

Es una variante del DVCPro a 25 Mbps. Usa el mismo tipo de cinta, pero al doble de velocidad, con lo que se consigue una tasa de transferencia de vídeo de 50 Mbps. El factor de compresión es de 3,3:1, y el muestreo 4:2:2, lo que lo hace ideal para producciones de estudio y postproducciones, ya que aumenta la resolución de la crominancia con respecto al DVCPro a 25 Mbps.

DVCPro HD

Magnetoscopios para uso de Televisión de Alta Definición (HDTV). Es una variante del DVCPro 50 para HD. Permite grabar en resoluciones de 720 y 1080, tanto en entrelazado como progresivo. Tiene muestreo 4:2:2 y su flujo de datos que puede llegar hasta 100 Mbps.

DVD

Siglas de *Digital Versatile Disk* (Disco Digital Versátil). Desarrollo de alta densidad de datos en un disco del mismo tamaño que un CD (Compact Disc). La capacidad puede ir desde los 4,3 GB (una capa-una cara) hasta los 15 GB (doble capa-doble cara). Además del almacenamiento de datos, el estándar DVD-Vídeo permite en este mismo soporte y bajo la compresión MPEG-2 la visualización del material de vídeo en resoluciones estándar (SD) y con audio multicanal.

DVTR

Siglas de *Digital Video Tape Recorder*. Magnetoscopio de vídeo digital. El primer magnetoscopio digital fue el D1, desarrollado por Sony en 1986.

EBU

Siglas de *European Broadcasting Union* (Unión Europea de Radiodifusión). Organización creada en 1950 con cerca de 80 miembros activos de 55 países de Europa, África del Norte y Oriente Medio, dedicados a la radiodifusión. Negocia los derechos de difusión de retransmisiones, intercambio de programas, coproducciones, etc.

EDL

Siglas de *Edit Decision List* (Lista de Decisiones de Edición). Una lista de decisiones de edición describe la información de un montaje (nombre de cinta, códigos de entrada y salida, orden de los clips, etc.) para su posterior edición en una sala de postproducción. Los gastos de producción de una sala de edición profesional (Online) se reducen si se realiza la edición en baja calidad (Offline), y a través de la EDL se almacenan los datos en un disquete flexible o una llave de memoria (la información es mínima, ya que no están físicamente los archivos de audio o vídeo, solo su información de edición) y se realiza el montaje en la sala de postproducción.

Ejes (x, y, z)

Usado para describir los ejes en tres dimensiones en sistemas de composición y generadores de efectos. El eje x atraviesa la pantalla de izquierda a derecha, el y de abajo arriba y el z en profundidad de la pantalla.

ENG

Siglas de *Electronic News Gathering* (Captura Electrónica de Noticias). Es el denominado periodismo electrónico. Un operador de cámara y un periodista se encargan de conseguir imágenes de actualidad para los servicios informativos.

ENL

Siglas de Edición No Lineal. Consiste en la captura o importación de material de vídeo en discos duros mediante un programa informático para su posterior edición y masterización a cinta, DVD o cualquier otro soporte. Una de las principales ventajas de la ENL es el acceso instantáneo a una parte en concreto del material grabado y cuya estructura de montaje no está obligada a una linealidad en el tiempo.

Entrelazado

Método de escaneado de líneas en los sistemas de TV (PAL y NTSC) para evitar el efecto de parpadeo en la imagen. Cada fotograma se compone de dos campos (líneas pares e impares), por lo que, en el caso del PAL, al tener 25 fotogramas por segundo se compone de 50 campos.

EPG

Siglas de *Electronic Programame Guide* (Guía Electrónica de Programación). La televisión digital permite en su difusión el envío de la programación del canal de TV para que el usuario pueda en todo momento saber la programación de la cadena.

Espacio de color

Rango de color entre una referencia específica. En la televisión hay tres espacios de color diferentes (RGB; Y, R-Y, B-Y y HSL), en impresión CMYK (Cyan, Magenta, Amarillo y Negro) y en el cine RGB.

Etalonaje

Véase Corrección de color.

Ethernet

Tecnología de interconexión de redes de ordenadores de área local.

Fibre Channel

Canal de fibra es una tecnología de red entre estaciones de trabajo y dispositivos de almacenamiento con una velocidad de transmisión de 1 gigabit por segundo. Puede funcionar sobre pares de cobre o cables de fibra óptica.

Firewire

Véase IEEE 1394.

Formato de TV

Término que define las imágenes de televisión por el número de píxeles por línea. Por ejemplo, el sistema PAL tiene una resolución de 768 x 576 y un formato de alta definición tiene 1920 x 1080.

Fragmentación

Al escribir y borrar datos en el disco duro, estos tienden a grabarse no de forma continua, por lo que el acceso a los datos puede significar un menor rendimiento en la lectura del disco duro. Para evitar eso, periódicamente se suele hacer una desfragmentación que consiste en situar los archivos del disco duro de tal forma que el acceso a ellos sea continuo y, por tanto, facilite al disco la lectura de los datos. La desfragmentación de los discos es una tarea a tener en cuenta frecuentemente para un rendimiento óptimo de los discos duros en una edición no lineal.

Frecuencia

Número de oscilaciones de una señal en un período de tiempo determinado (normalmente segundos).

FTP

Siglas de *File Transfer Protocol* (Protocolo de Transferencia de Ficheros). Protocolo estandarizado en Internet para la transferencia de ficheros desde una máquina a otra.

FULL HD

Resolución de un monitor o televisor en alta definición que es capaz de dar 1920 x 1080 píxeles.

GOP

Siglas de *Group Of Pictures* (Grupo de Imágenes). En la compresión MPEG, el GOP es el grupo de imágenes (fotogramas) situados entre los cuadros I-Frame (Cuadros con información temporal completa). La secuencia GOP comienza por un cuadro I-Frame (*Intraframe*) seguido de cuadros P (Predictivos) y B (Bidireccionales). Cuanto más largo sea el GOP, más compresión tendrá la señal. Normalmente, en el caso del PAL, la secuencia GOP es de 12 fotogramas. Una típica secuencia GOP podría ser la siguiente: IBBPBBPBBPBB.

Grading

Véase Corrección de color.

GUI

Siglas de *Graphical User Interface* (Interfaz Gráfica de Usuario). Es el conjunto de imágenes y objetos gráficos para facilitar la interacción del usuario con el ordenador. Un ejemplo puede ser el escritorio de un sistema operativo.

H.264

MPEG-4 AVC (*Advanced Video Coding*) Parte 10. Tipo de codificación muy extendida en todos los sectores, tanto doméstico como profesional, que alcanza una eficiente relación de compresión especialmente para señal HD. Las cámaras AVCHD, el AVC-Intra de Panasonic y el Blu-ray son algunos de los dispositivos que hacen uso del códec H.264.

H.265

MPEG-4 HEVC (*High Efficiency Video Coding*). Tipo de codificación que mejora la extendida H.264 con un ahorro de espacio de hasta un 45 %. La emisión estereoscópica (3D) y la resolución 4K y 8K son los campos donde se enfoca el desarrollo de este códec.

HD

Siglas de *High Definition* (Alta Definición) Forma abreviada para definir la Televisión de Alta Definición (HDTV).

HDCam

Es una versión HD basada en la familia Betacam. Se creó en 1997 y utiliza, al igual que el Betacam, cintas de media pulgada con un muestreo en 4:2:2 a 8 bits y una tasa de 144 Mbps.

HD DVD

Desarrollo abandonado por Toshiba a principios de 2008 como sucesor del DVD. Su rival directo, el Blu-ray, es la apuesta comercial actual de muchos fabricantes como el soporte en discos ópticos para HD.

HDMI

Siglas de *High-Definition Multimedia Interface*. Interfaz de conexión capaz de transmitir señal (audio y vídeo) de alta definición sin comprimir entre dispositivos.

HDR

Siglas de *High Dynamic Range* (Alto Rango Dinámico). Técnica utilizada en imagen y fotografía digital para reproducir un mayor rango dinámico de luminosidad y color.

HD Ready

Monitor o televisor preparado para mostrar imágenes en alta definición con una resolución mínima en su panel de 720 píxeles en vertical. Si la resolución de la señal es mayor que la del panel, se adapta a la de este.

HD SDI

Es una versión de alta definición de la SDI (Interfaz de Serie Digital), usada en la televisión estándar. El flujo de datos binarios alcanza los 1,483 GHz para la señal de vídeo en componentes. Usa cable coaxial y conector BNC que es el más extendido en las conexiones de TV.

HDTV

Siglas de *High Definition Television* (Televisión de Alta Definición). Formato de TV con mayor definición que la TV estándar. Hay dos resoluciones en HD, 1280 x 720 y 1920 x 1080.

HDV

DV en alta definición. Usa compresión MPEG-2 sobre cinta o disco duro. Hay dos estándares. Uno tiene una resolución de 1280 x 720 píxeles (720 progresivo) con un flujo de 19 Mbps y el otro es de 1440 x 1080 píxeles (1080 entrelazado) a 25 Mbps.

Hexadecimal

Sistema numérico que trabaja sobre la base del 16. Es útil para describir números binarios. Los números decimales del 0 al 9 son los mismos en hexadecimal, pero a partir del 10 se comienza a nombrar por letras. Así, 10 es A, 11 es B, hasta llegar al 15 que es F.

Histograma

Instrumento de medida que representa una gráfica de columnas donde se comprueba la cantidad de píxeles que hay en la imagen por cada valor de luminosidad. Es otra manera, al igual que el forma de onda, de observar los niveles de luminancia y contraste de la imagen. El histograma en sí es un gráfico de barras donde en el eje horizontal se distribuyen las diferentes luminosidades divididas en columnas, desde el negro (izquierda) hasta el blanco (derecha). La altura de cada una de las columnas determina el número de píxeles que hay por cada uno de los valores de luminosidad.

IEEE 1394

También denominado Firewire o I-link. Es un estándar de comunicación en serie de datos digitales. Su flujo puede alcanzar los 400 Mbps (IEEE 1394A). El conector puede ser de 6 pines o de 4 (sin alimentación y normalmente para pequeños equipos de consumo: cámaras digitales, portátiles, etc.). La alta velocidad y el bajo coste del protocolo IEEE 1394 lo ha convertido en ideal para aplicaciones multimedia y edición de vídeo digital en los sectores domésticos. La propuesta de estándar IEEE 1394B aumenta la máxima longitud del cable hasta los 100 metros (el IEEE 1394A tiene una longitud máxima de 4,5 metros) y el flujo de datos sube hasta los 800 Mbps.

I-Frame

Intra-Frame. En la compresión MPEG se denomina cuadros I (I-Frame) a los que contienen todos los datos necesarios para reconstruir la información original a partir de ellos mismos, sin necesidad de utilizar información de otros fotogramas. Lógicamente, contienen mayor información que los cuadros P (Predictivos) y B (Bidireccionales).

I-Link

Véase IEEE 1394.

Interframe

Compresión en la que están implicados más de un fotograma. La compresión MPEG utiliza la denominada compresión temporal, que compara la información del movimiento de cada fotograma para almacenar solo los cambios. La compresión MPEG usa dos tipos de procedimientos para la compresión *Interframe*, los cuadros P (Predictivos) y B (Bidireccionales). Los cuadros P y B no contienen todos los datos para recuperar la información original y dependen de la información de otros cuadros.

Interpolación

Puede ser tanto espacial como temporal y consiste en definir el valor de un nuevo píxel en función del valor de los píxeles cercanos. Por ejemplo, cuando se redimensiona una imagen digital y aumentamos su resolución, es necesario recurrir a la interpolación para dar un valor a los «nuevos» píxeles.

Intraframe

Tipo de compresión que se le aplica a un solo fotograma. El proceso de compresión solo analiza y quita los datos redundantes de ese fotograma, y no se tiene en cuenta la información de otros fotogramas. La compresión JPEG, DV y los cuadros I de la compresión MPEG usan este tipo de compresión. Se denomina compresión espacial.

IP

Siglas de *Internet Protocol* (Protocolo de Internet). Protocolo de comunicación entre origen y destino a través de Internet.

ISO

Siglas de *International Standars Organisation* (Organización Internacional de Estándares). Organización internacional que especifica los estándares internacionales (protocolos de red, sistemas de compresión, etc.).

ITU

Siglas de *International Telecommunications Union* (Unión Internacional de Telecomunicaciones). Organismo especializado de las Naciones Unidas para regular las telecomunicaciones a nivel internacional.

ITU-R BT.601

Este estándar define los parámetros de la televisión digital en definición estándar (SD) tanto en 525/60 (NTSC) como 625/50 (PAL).

ITU-R BT.709

Estándar que define los parámetros de la HDTV.

JPEG

Siglas de *Join Photographic Experts Group* (Grupo de Expertos en Imágenes Fijas). Es un estándar para la compresión en imágenes fijas. La compresión utilizada se denomina *Intraframe* o espacial, y consiste en eliminar la información redundante de una imagen para reducir la cantidad de datos almacenados. JPEG es una compresión con pérdida ya que la imagen comprimida no será nunca igual que la original. Admite distintos niveles de compresión. La compresión JPEG es similar a la utilizada en cada fotograma de la compresión DV o en los cuadros I de la compresión MPEG.

JPEG 2000

El sistema de compresión JPEG 2000 es un desarrollo del JPEG que no usa la técnica DCT, sino un método avanzado mediante patrones de áreas circulares que suavizan las áreas más problemáticas de la imagen haciéndolas menos perceptibles. Está indicado sobre todo para imágenes en alta calidad, lo que lo convierte en una compresión ideal para el cine digital.

Keyframe

Es el valor de un determinado parámetro en un punto en concreto. Por ejemplo, podemos definir mediante keyframes la cantidad de transparencia, el tamaño, la rotación o la posición en el espacio de un clip de vídeo. Para la variación de un determinado parámetro es necesario al menos dos keyframes, uno de inicio y otro final.

Keying

Es el proceso de superposición de las áreas de una imagen dentro de otra.

LCD

Siglas de *Liquid Crystal Display*. Monitor o televisor de alta resolución preparado para mostrar señales HD. Esta tecnología utiliza cristales líquidos para polarizar la luz que los atraviesa. Estos cristales tienen la propiedad de reorientar sus moléculas según el campo magnético aplicado sobre ellos; y, al hacerlo, se vuelven más o menos opacos a la luz. Las pantallas de LCD disponen de una lámpara trasera que suministra luz blanca y en cada píxel de la imagen la luz atraviesa los cristales LCD, cada uno seguido de un filtro de color RGB que polariza la luz de forma que se obtiene el color deseado.

LED

Siglas de *Light-emitting diode*. Tecnología que usan determinadas pantallas de TV, monitores y dispositivos móviles mediante diodos emisores de luz.

LTC

Siglas de *Longitudinal Timecode* (Código de Tiempo Longitudinal). Código de tiempo grabado en una pista longitudinal de un magnetoscopio. Puede leerse fácilmente mientras se reproduce o avanza la cinta hacia delante o atrás, pero no cuando se para la reproducción; en este caso la lectura la haría el Código de Tiempo Vertical (VITC).

Luminancia

Una de las componentes de la señal de vídeo que nos muestra la información en blanco y negro (brillo) de una imagen. Se le asigna la letra Y. En los sistemas de televisión en color la señal de luminancia viene determinada por la suma de los componentes primarios del color, rojo, verde y azul (RGB) en una proporción de 0,30 para el rojo, 0,59 para el verde y 0,11 para el azul.

LUT

Siglas de *Look Up Table*. Función matemática en la que a partir de un valor de entrada se asigna uno de salida. Se emplea en muchos ámbitos, pero en programas de postproducción de vídeo y fotografía digital se utiliza para modificar los niveles de color (tono, saturación y brillo) de la imagen para conseguir una estética determinada o para adaptarla a un determinado espacio de color.

Máscara

Selección de una zona de la imagen mediante figuras geométricas o muestras de color para aislar y tratar de forma independiente en el proceso de posproducción.

MKV

Matroska. Es un extendido formato «contenedor». Al igual que el formato AVI o QuickTime no tiene un códec asociado, y admite cualquiera de los existentes. La diferencia fundamental es que está pensado para formatos de alta definición con incorporación de subtítulos y varios idiomas simultáneos.

MP3

Abreviatura de MPEG-1 Layer 3. Sistema de compresión de audio digital con pérdidas, que puede llegar a reducir el tamaño del archivo hasta quince veces menos que el archivo original. Es uno de los formatos más populares de uso en Internet y en reproductores portátiles de audio digital.

MP4

Formato contenedor multimedia MPEG-4 Parte 14, muy usado en los dispositivos portátiles multimedia.

MPEG

Siglas de *Moving Picture Experts Group* (Grupo de Expertos de Imágenes en Movimiento). Grupo de trabajo, con más de 350 miembros, para el desarrollo de los estándares de compresión, descompresión y procesamiento de la señal de vídeo y audio digital. Tiene distintos esquemas de compresión (MPEG-1, MPEG-2, MPEG-4, MPEG-7, MPEG-21) en función del objetivo para el que se desarrolla (CD, DVD, TV, contenidos multimedia, etc.).

MXF

Siglas de *Material Exchange Format* (Formato de Intercambio de Material). Es un formato contenedor estándar (SMPTE) para intercambio profesional de datos de audio y vídeo digital entre distintas estaciones de trabajo y equipos (servidores, ediciones no lineales, cámaras, etc.). El MXF deriva del modelo de datos AAF y es capaz de almacenar los datos con cualquier formato de compresión, por lo que la interoperatividad entre los equipos (emisor y receptor) será eficiente si ambos son capaces de interpretar la misma información.

Nit

Unidad de luminancia en el Sistema Internacional de Unidades correspondiente a una candela (intensidad luminosa) por metro cuadrado.

NTSC

Siglas de *National Television System Commitee*. Sistema de televisión en color desarrollado en Estados Unidos a mediados del siglo XX y que es el sistema de radiodifusión en gran parte de América, Canadá y Japón.

Nyquist

Mínima frecuencia a la que se debe muestrear una señal analógica para que en el proceso de reconstrucción de la señal digital sea lo más fiel posible a la señal original. Según el teorema de muestreo de Nyquist, para poder replicar con exactitud una señal analógica es necesario que la frecuencia de muestreo sea como mínimo el doble de la máxima frecuencia a muestrear. Por ejemplo, para muestrear una señal analógica que tiene una frecuencia máxima de 20 KHz, se precisará una frecuencia de muestreo, como mínimo, de 40 KHz.

Offline

Proceso de edición en sistemas de bajo coste (sistemas domésticos o industriales) para intercambiar la información de edición (nombre de la cinta, códigos de tiempo, duración y orden de cada material utilizado, etc.) con sistemas profesionales (Online) para ahorrar tiempo y dinero. El archivo de intercambio es un fichero de tamaño reducido (solo información) que es capaz de interpretar la sala online para hacer el proceso de captura y edición del material previamente visionado y editado.

OMFI

Siglas de *Open Media Framework Interchange*. Plataforma independiente de intercambio de ficheros media (audio y vídeo) entre diferentes aplicaciones software. Programas como Avid, Nuendo, Pro Tools, Cubase, Final Cut Pro y Logic son capaces de trabajar con ficheros OMF.

Online

En el proceso de producción se entiende como el producto o edición con la máxima calidad. Los altos precios de las salas de producción-postproducción Online hacen que, si el presupuesto es reducido, se edite previamente el material en salas de bajo coste (Offline) en formatos no profesionales, para ahorrar costes de producción.

OLED

Siglas de *Organic light-emitting diode*. Pantalla de TV, monitor o dispositivo móvil que hace uso de diodos orgánicos emisores de luz para mostrar las imágenes. En la actualidad es la tecnología que mayor calidad ofrece en televisores con resoluciones de 4K y 8K, ya que cada píxel puede controlar su nivel de brillo de forma independiente del resto.

P2

Siglas de *Professional Plug-in*. Tarjeta de almacenamiento desarrollada por Panasonic como sustituta de la grabación en cinta. Usa el estándar PC Card (PCMCIA de 16 bits) para almacenar el material grabado en formato MXF sobre el códec DVCPro, DVCPro HD y AVC-Intra.

PAL

Siglas de *Phase Alternate Line* (Línea Alternada en Fase). Sistema de televisión en color desarrollado en Europa (Alemania) a partir del NTSC con una mejora en la calidad de la información de color. Tiene amplia cobertura en Asia, Europa, África, Australia y América Latina.

Panorámico

Imagen que tiene una relación de aspecto más ancho que la TV convencional SD con aspecto 4:3. Normalmente en TV se asocia el concepto de panorámico con la relación de aspecto 16:9.

Píxel

Siglas de *Picture Element* (Elemento de la Imagen). Es la mínima información digital (unidad) en la que se descompone una imagen.

Plasma

Monitor o televisor capaz de mostrar señales en HD. La pantalla de plasma está formada por pequeñas celdas llenas de gas y revestidas de fósforo. Al aplicar voltaje a la celda, el gas emite luz ultravioleta que a su vez excita el fósforo, iluminándolo.

Plug-in

Software que se le añade a un programa para ampliar la funcionalidad de este.

Professional Disc

Disco compacto, similar al Blu-ray, que usa Sony para el almacenamiento de datos de sus productos XDCAM.

Progresivo

Método de escaneado de una imagen donde todas las líneas se muestran de una sola vez. No hay campos, como en el caso del escaneado entrelazado. El escaneado progresivo es ampliamente utilizado en los monitores de ordenador y cada vez más en los sistemas de vídeo digital.

QuickTime

Archivo contenedor multimedia desarrollado por Apple para reproducir distintos tipos de archivo (vídeo, texto, sonido, animaciones...).

RAID

Siglas de *Redundant Array Independent Disks* (Conjunto Redundante de Discos Independientes). Sistema de almacenamiento que usa múltiples discos entre los que se distribuye o duplica los datos. Son muchas las ventajas de un almacenamiento en RAID respecto a un solo disco (robustez, capacidad, tolerancia a fallos, velocidad, etc.). Hay distintos niveles (configuraciones) para discos en RAID en función de las necesidades (mayor velocidad, mayor seguridad, etc.).

RAM

Siglas de *Random Access Memory* (Memoria de Acceso Aleatorio). Es un tipo de memoria volátil, es decir, que pierde su información cuando se desconecta la alimentación, y que se utiliza como memoria temporal para almacenar datos. Las memorias RAM se dividen en estáticas (SRAM) y dinámicas (DRAM).

Raw

Formato de archivo digital de imágenes que contiene la totalidad de los datos de la imagen tal y como ha sido captada por el sensor de la cámara.

Resolución

Medida que determina cuánto detalle puede observarse en una imagen. Está directamente relacionada con el número de píxeles que se muestran en la imagen, por ejemplo, la alta definición tiene una resolución de 1920 píxeles horizontales por 1080 píxeles verticales y la definición estándar en PAL de 768 x 576 píxeles. Lógicamente el número de píxeles no define la resolución real de la imagen, ya que esta dependerá de otros factores como la calidad de la lente, el proceso de captación, el sistema de edición, etc.

Resolución de pantalla

La industria informática ha desarrollado una serie de resoluciones de pantalla que van desde la más básica como la VGA (640 x 480 píxeles) pasando por resoluciones en HD, 4K, y hasta 8K (7680 x 4320 píxeles).

REC 601

Véase BT.601.

REC 709

Véase BT.709.

REC 2020

Véase BT.2020.

RGB

Abreviatura para las señales de Rojo, Verde y Azul (Red, Green, Blue) de los tres colores primarios.

Rotoscopia

Técnica utilizada en los procesos digitales en la que utiliza una secuencia grabada como referencia para pintar una animación.

RS-232

Un estándar para comunicación de datos en serie y pensado para distancias cortas. Antes de la utilización del puerto USB para conectar el teclado y ratón al ordenador, se utilizaba la conexión RS-232 de 9 pines (DE-9).

RS-422

Estándar para la transmisión de datos en serie utilizado ampliamente en los estudios de TV para la conexión de magnetoscopios, mezcladores, editoras, etc. No debe confundirse con el muestreo 4:2:2 de las señales digitales.

SCSI

Siglas de *Small Computer System Interface*. Es una interfaz estándar para la transferencia entre distintos dispositivos. Se utiliza habitualmente en discos duros, pero también en otros dispositivos como escáner, grabadoras, etc. Los discos SCSI se emplean frecuentemente en ediciones no lineales de alta gama y sistemas de almacenamiento profesionales debido a su robustez, fiabilidad y velocidad de transferencia. Normalmente los ordenadores incorporan controladoras más económicas tipo IDE, USB o SATA.

SD

Forma abreviada de SDTV.

SD SDHC

Siglas de *Secure Digital High Capacity*. Formato de tarjeta de memoria flash utilizada en dispositivos portátiles (ordenadores, cámaras fotográficas, cámaras de vídeo...).

SDI

Siglas de *Serial Digital Interface* (Interfaz Serie Digital). Estándar en la conexión digital en los estudios de TV. Usa el tipo de conexión más extendida (BNC) en la conexión de vídeo analógico. Su flujo binario es de 270 Mbps y puede transmitir la señal hasta los 200 metros, en función del cable utilizado.

SSD

Siglas de *Solid State Drive*. Unidades de memoria de estado sólido para el almacenamiento de información digital que cada vez tienen más cuota de mercado en sustitución de los discos duros. Son mucho más rápidos y eliminan los componentes mecánicos de lectura/grabación de discos duros tradicionales.

SDTV

Siglas de *Standard Definition Television* (Televisión de Definición Estándar). Sistema de televisión digital en el cual la calidad es equivalente al analógico PAL (625/50) o NTSC (525/60).

Servidor

Sistema de almacenamiento masivo de datos digitales que permite a los usuarios de una red local (cliente) conectarse a él.

SMPTE

Siglas de *Society of Motion Picture and Television Engineers* (Sociedad de Imágenes en Movimiento e Ingenieros de Televisión). Es una asociación profesional internacional nacida en 1916 en Estados Unidos y que ha desarrollado cerca de 400 estándares de TV, cine digital, audio, etc.

Streaming

Hace referencia a la posibilidad de reproducir, desde un ordenador conectado a Internet, un archivo de audio o vídeo antes de que se complete la descarga del tamaño completo del archivo. Los datos se almacenan en una memoria temporal (buffer) para posibilitar su reproducción. Antes de la utilización del audio o vídeo en streaming, había que esperar la descarga completa del archivo para poder reproducirlo.

SxS

Tarjeta de almacenamiento desarrollada por Sony y SanDisk como alternativa a la grabación en cinta o en disco óptico. Compiten en el mercado con el soporte P2 de Panasonic. Las tarjetas SxS (Sony-SanDisk) utilizan el estándar ExpressCard que permite la grabación en cámaras de vídeo en alta definición sobre el formato XDCam de Sony. La velocidad de escritura de la SxS es de 800 Mbps, frente a los 640 Mbps de la P2.

En septiembre de 2008, en la Feria IBC, Sony anunció un acuerdo con la compañía JVC para la fabricación de cámaras sobre soporte de tarjetas de memoria SxS.

TCP/IP

Siglas de *Transfer Control Protocol/Internet Protocol*. Conjunto de protocolos de Internet que permite la transmisión de datos entre distintos ordenadores. Existen una gran variedad de protocolos (más de 100) entre los que se encuentran el HTTP (HiperTex Transfer Protocol) para páginas web; el FTP (File Transfer Protocol) para transferencia de ficheros o el POP (Post Office Protocol) para correo electrónico.

TDT

Televisión Digital Terrestre. Transmisión digital de la señal de TV en un receptor específico a través de la antena convencional de TV, cable o satélite. La TDT ofrece muchas ventajas con respecto a la antigua televisión analógica (mayor calidad de sonido e imagen, y un amplio número de canales).

TGA

Formato de archivo de imagen ampliamente utilizado en los ordenadores. Fue desarrollado por Truevision Inc. Tiene varias ventajas respecto a otros formatos, entre ellas la de poder trabajar sin compresión y la posibilidad de incorporar un Canal Alfa de recorte.

Thunderbolt

Puerto de conexión de alta velocidad desarrollado por Intel y Apple que usa tecnología óptica para su transmisión. El estándar actual alcanza la cifra de 10 Gbps, (Thunderbolt 1), 20 Gbps (Thunderbolt 2) y 40 Gbps en el Thunderbolt 3, aunque continúa en desarrollo y se estima que llegará a alcanzar los 100 Gbps.

TIFF

Siglas de *Tagged Image File Format* (Formato de Archivo de Imágenes con Etiqueta). Formato de imagen ampliamente utilizado en los ordenadores, al igual que el JPEG, TGA o BMP, y que incorpora la posibilidad de trabajar con o sin compresión.

Telecine

Dispositivo que convierte las imágenes de cine en vídeo (SD o HD).

Tracker

Seguimiento de un punto, o puntos, en concreto de una secuencia de imágenes. Su utilización es amplia en el proceso de posproducción, desde la incorporación de efectos, eliminación de partes de la imagen, etc.

TrueType

Formato estándar de fuentes tipográficas vectorizadas, desarrollado inicialmente por Apple. Ampliamente extendido en la actualidad debido a su versatilidad a la hora de cambiar el tamaño de la fuente: al tratarse de vectores matemáticos, se reduce sustancialmente el ruido en el escalado de la fuente. La mayor parte de la librería de fuentes tipográfica está disponible en formato TrueType.

UHDTV

Siglas de *Ultra Hight Definition TV* (Televisión de Ultra Alta Definición). Formato de TV con mayor definición que la HDTV (Televisión de Alta Definición). Su resolución es de 3840 x 2160 píxeles.

USB

Siglas de *Universal Serial Bus* (Bus de Serie Universal). Estándar de transmisión en serie entre distintos dispositivos informáticos. El estándar USB 2.0 alcanza una velocidad de hasta 480 Mbps. La mayoría de los periféricos (impresoras, ratón, teclado, cámaras fotográficas, discos duros externos, etc.) se conectan al puerto USB. El estándar USB 3.0 alcanza una velocidad de 4,8 Gbps.

USB-C

USB tipo C. Sistema de conector USB de 24 pines reversible tanto en extremos como en posición. Thunderbolt 3 utiliza conector USB-C con transmisiones de hasta 40 Gbps.

Varicam

Cámaras de Panasonic basadas en el códec DVCProHD y AVC-Intra que ofrecen la posibilidad de una captura variable de fotogramas por segundo.

VBR

Siglas de *Variable Bit Rate*. Mientras algunos esquemas de compresión de vídeo digital utilizan el flujo constante de datos, independientemente de la complejidad de la imagen a comprimir, el VBR ofrece la posibilidad de fijar la calidad de la imagen comprimida a cambio de variar el flujo de datos en función de las necesidades de la imagen. En partes más simples de la imagen, el flujo de datos será bajo (mayor compresión); mientras que, en partes que requieran mayor información, aumentará la tasa de datos (menor compresión).

VC-1

Es el nombre informal del SMPTE 421M. La compresión VC-1 (*Video Codec*) fue desarrollada inicialmente por Microsoft y utilizado como perfil avanzado de *Windows Media Video* 9 (WMV9).

VFX

Efectos visuales. Creación de imágenes generadas por ordenador (ver CGI) para recrear determinados efectos, paisajes, personajes, etc. En el rodaje original un supervisor de VFX está involucrado junto al director para facilitar el proceso posterior en posproducción mediante croma key y/o marcas de tracker.

VITC

Siglas de *Vertical Interval Timecode* (Código de Tiempo en Intervalo Vertical). Información de código de tiempo en formato digital grabada en la cinta que puede ser leída por el magnetoscopio en cada posición de fotograma. Es un complemento del LTC, ya que las cabezas lectoras no son capaces de leerlo a velocidad normal o superiores.

WAV

Formato de archivo de audio digital sin compresión desarrollado por Microsoft que admite diferentes frecuencias de muestreo (32 KHz, 44,1 KHz, 48 KHz), resoluciones (8 o 16 bits) y canal mono o estéreo.

Windows Media

Esquema de compresión de audio y vídeo desarrollado por Microsoft.

Workflow

Flujo de trabajo. Hace referencia a la organización en la producción digital para establecer un orden en el proceso de trabajo.

XAVC

Formato de grabación introducido por Sony en octubre de 2012 para su gama de cámaras CineAlta, capaz de trabajar con flujos en 4K sobre soporte de tarjetas de memoria SxS Pro+ o mediante grabador externo, admitiendo incluso la grabación en RAW.

XDCAM

Formato de grabación desarrollado por Sony sobre soporte en disco óptico (*Professional Disc*). Graba en formato MPEG IMX (*Intraframe*). La segunda generación (XDCAM HD 420) graba material en alta definición en 4:2:0 a diferentes flujos de bits (18, 25 y 35 Mbps) en MPEG-2. La tercera generación (XDCAM HD 422) representa una mejora considerable respecto a las anteriores versiones, ya que usa compresión *Intraframe* y con muestreo 4:2:2 sobre una tasa de 50 Mbps.

XDCAM EX

Desarrollado por Sony y presentado en el NAB del año 2007, es un códec idéntico al XDCAM HD420, pero en soporte de memoria de estado sólido SxS. La primera videocámara de la serie XDCAM EX es la PMW-EX1, a la que siguió la EX3 con la posibilidad de objetivo intercambiable.

Y, Cr, Cb

Señal de luminancia y las componentes de color en vídeo digital. La señal de luminancia (Y) se muestrea a 13,5 MHz para la definición estándar y las componentes de color a 6.75 MHz. La señal Cr es la versión digital de la señal analógica R-Y; al igual que la señal Cb se corresponde con la analógica B-Y. Para la televisión en HD la frecuencia de muestreo es 5,5 veces mayor que la estándar (74,25 MHz para Y y 37,125 MHz para las componentes de color Cr y Cb).

Y, R-Y, B-Y

Señal de luminancia y componentes de color del vídeo analógico.

Direcciones web recomendadas

Páginas en español

Blackmagic

La primera página obligada para visitar en la web es la del propio fabricante Blackmagic Design en la que hallarás información actualizada, noticias, vídeos, tutoriales, etc.

www.blackmagicdesign.com/es/products/davinciresolve

709mediaroom

Un proyecto dirigido por el colorista Luis Ochoa y que es un referente en la formación audiovisual especializada de alto nivel en habla hispana. Podrás localizar tutoriales, cursos y material para practicar con DaVinci Resolve.

www.709mediaroom.com

Finalcutpro.es

A pesar del nombre, la página no solo está enfocada en el programa de edición Final Cut Pro de Apple. La abundante información que nos brinda la web de Pedro Alvera y Juan Ugarriza es un buen punto de encuentro para los que nos dedicamos al montaje y la posproducción. Además de tutoriales y análisis de novedades del sector, encontrarás entrevistas realmente interesantes.

www.finalcutpro.es

MotionFX

Jesús Hernández está al frente de esta web de formación, tutoriales y recursos de programas como Final Cut Pro X, Motion y, por supuesto, DaVinci Resolve.

motionfx.es

Norender

Lolo Lavín y Roger Reig son los fundadores de esta web en la que, además de los cursos de formación online que ofrecen, localizarás mucha información, videotutoriales y guías de consulta básica.

www.norender.com

Director de fotografía

Aunque no se habla específicamente de DaVinci Resolve, el blog de Pol Turrents y Gabi García es de visita obligada para localizar información de primera mano sobre tecnología audiovisual en español, siempre en un tono cercano, pero no por ello menos profundo.

directordefotografia.wordpress.com

Videoedición

Ramón Cutanda es el encargado de mantener con éxito uno de los foros más veteranos y que afortunadamente no ha sido devorado por las redes sociales. Recientemente se ha incorporado un apartado específico para DaVinci Resolve.

videoedicion.org

Páginas en inglés

LiftGammaGain

Un foro indispensable para el colorista donde la comunidad expone sus consultas y trabajos.

liftgammagain.com/forum

fxphd

Web de cursos online con un apartado específico para DaVinci Resolve

www.fxphd.com

Lynda

Ahora, LinkedIn Learning. Otra web con una amplia biblioteca de cursos online impartidos por expertos de la industria.

www.lynda.com

Índice alfabético

T

temperatura de color, 198, 208, 282-283

tiempo real, 116, 118, 157, 163-164, 363, 389

tono, 180-181, 183-184, 191-192, 202, 214, 218-220, 223, 257, 296, 298, 300, 331-332, 394, 406, 418

tonos medios, 186, 208, 211, 284, 330

transcodificar, 355, 357-358, 360, 363, 365

transiciones, 46, 54, 67, 69, 75, 78-79, 139, 169-170

U

usuario, 16, 48-50, 82, 369, 399, 401, 411

V

vectorscopio, 191-191, 300, 302

velocidad, 13, 60, 124, 143-153, 155-158, 164

Vimeo, 53, 82, 367, 369-370

visores, 103-105, 114-120, 135, 165

vistas, 91, 93, 95, 126, 156, 196

volumen, 67

X

XML, 169-171, 349, 373, 375-376, 393

Y

YouTube, 20, 53, 82, 367, 369, 370, 385

Z

zoom, 34, 136, 143, 153-155, 160-162, 275-277, 321